W9-DGV-691

Rembrandt Verlag Berlin

Mario Zadow

# Karl Friedrich Schinkel

Rembrandt Verlag

mit 109 Abbildungen, davon 8 mehrfarbig


Offset-Lithos Terra Klischee GmbH
Satz und Druck Felgentreff & Goebel KG
Bindung Lüderitz & Bauer GmbH
alle Berlin West
Printed in Germany
ISBN 3-7925-0267-4

# Einleitung

Karl Friedrich Schinkel gilt als der bedeutendste deutsche Baumeister des 19. Jahrhunderts. Wohl kein Architekt bestimmte das Gesicht der Stadt, in der er lebte und arbeitete, so nachhaltig wie er; dabei reichte seine künstlerische Wirksamkeit über die Stadtmauern Berlins hinaus bis in alle preußischen Provinzen, ja sogar über die Landesgrenzen hinweg. Ob in Aachen oder Königsberg, in Dresden oder St. Petersburg – vielfältig sind die Spuren seines Wirkens. Seinem formalen Erbe fühlten sich ganze Architektengenerationen verpflichtet.

Erstaunlicherweise gibt es von diesem Mann, der das musische Preußen wie kein anderer verkörperte, bis heute keine erschöpfende Biographie. Zwar schrieb sein Freund und Schüler Gustav Friedrich Waagen 1844 einen Lebensabriß, und Franz Kugler verfaßte 1842, ein Jahr nach Schinkels Tod, eine *Charakteristik seiner künstlerischen Wirksamkeit* – beides grundlegende Werke, die den modernen Ansprüchen jedoch nicht genügen.

Schinkel selbst hat bis auf seine lesenswerten Reisetagebücher, ungezählten Akten und wenigen privaten Briefen kaum Schriftliches hinterlassen. Es gibt auch keine privaten Tagebücher. Er machte wenig Aufhebens von sich – auch darin ein echter Preuße.

Aber er hatte schreibfreudige und mitteilungsbedürftige Freunde: Allen voran Bettine von Arnim und ihr Bruder Clemens Brentano, Achim von Arnim; er arbeitete mit E.T.A. Hoffmann und Intendant Brühl zusammen und war mit vielen Bildhauern und Malern befreundet.

So lag es nahe, die Aufzeichnungen, die Briefe und Tagebücher seiner Zeitgenossen systematisch zu durchforschen, um das gängige Schinkelbild zu ergänzen, zu korrigieren und Schinkel im Blickwinkel seiner Zeit lebendig werden zu lassen. Reizvoll war es auch, dabei der Frage nachzugehen, warum Schinkel, der als Kind der Romantik aufgewachsen war, klassizistisch baute. Daß er im Grunde seines Herzens immer ein Romantiker blieb, bezeugen seine Ölgemälde und seine späten neugotisch empfundenen, burgenartigen Bauten.

Seine Freunde rühmten und bewunderten seinen unendlichen Fleiß und sein allumfassendes Schaffen. Er war Maler, Schaubild-Aussteller, Innendekorateur, Denkmalpfleger, Festausrichter, Kunstgewerbler, Bühnenbildner und natürlich Architekt. Der romantische Begriff von der Einheit der Künste war für ihn Verpflichtung.

Das kaum überschaubare Ausmaß seines gesamten Werkes, das erst seit 1939 in der noch nicht abgeschlossenen wissenschaftlichen Reihe *Lebenswerk* systematisch dargestellt wird, legte es nahe, dieses Buch analog zu Schinkels Arbeits- und Lebensbereichen in zwölf in sich abgeschlossene, jedoch miteinander korrespondierende Kapitel zu gliedern.

Wichtigster Grundsatz dabei war: zuallererst die Menschen jener hochgestimmten Zeit sprechen zu lassen, als Kritiker und Augenzeugen. Darüber hinaus kommt Schinkel auch selber in Briefen, Reiseberichten und seinen Bauerläuterungen zu Wort. In ihnen spiegeln sich immer wieder die zähen Kämpfe um die Durchsetzung seiner Pläne und die oft unüberwindlichen Widerstände.

Franz Kugler schreibt: „Wenigen Menschen war so, wie ihm, das Gepräge des Geistes aufgedrückt." Schinkel verband sein Schaffen stets mit dem hohen Ideal, die Künste zu fördern und den Menschen sittlich zu bilden.

*Für Almut, Martin und Philine*

# *Jugend und erste Reisen*

Berlins berühmtester Baumeister ist kein Berliner: Karl Friedrich Schinkel wurde am 13. März 1781 als zweites von fünf Geschwistern in Neuruppin geboren, wo er bis zu seinem 14. Lebensjahr lebte.

Zu Ostern 1794 packte die 44jährige Frau Dorothea Rose, verwitwete Schinkel, ihre Habe, um mit ihren Kindern in die preußische Hauptstadt überzusiedeln, wo sie „noch mehr Gelegenheit für Ausbildung der Kinder zu finden hoffte“ (Schinkel, Selbstbiographie).

Die Mutter hatte Schweres durchgemacht. Sieben Jahre zuvor war ihr Mann, der Archidiakon Johann Cuno Christoph Schinkel, Superintendent für Kirchen und Schulen in Neuruppin, an den Folgen der „Erhitzung“ gestorben, die er sich bei Löscharbeiten beim großen Brand der Stadt zugezogen hatte. Auch das elterliche Wohnhaus auf dem Kirchplatz sank in Schutt und Asche. Seitdem wohnten die Schinkels im Predigerwitwenhaus, das vom Feuer verschont geblieben war.

Theodor Fontane ist bei seinen Wanderungen durch die Mark den Spuren Schinkels nachgegangen, hat Menschen befragt, die ihn schon als Knaben kannten; er besichtigte das Predigerwitwenhaus „mit dem alten Birnbaum im Hof und einem dahinter gelegenen altmodischen Garten, [hier] hat Schinkel seine Knabenzeit vom sechsten bis vierzehnten Jahre zugebracht“.

„Aus seiner frühesten Jugend ist nur folgender kleiner Zug aufbewahrt worden. Sein Vater zeichnete ihm öfter allerlei Dinge auf Papier, namentlich Vögel. Der kleine Schinkel saß dann dabei, war aber nie zufrieden und meinte immer: ‚Ein Vogel sähe doch anders aus.‘ Sein Charakter nahm früh ein bestimmtes Gepräge an; er zeigte sich bescheiden, zurückhaltend, gemütvoll, aber schnell aufbrausend und zum Zorn geneigt. Eine echte Künstlernatur. Auf der Schule war er nicht ausgezeichnet, vielleicht weil jede Art der Kunstübung ihn von früh auf fesselte und ein intimeres Verhältnis zu den Büchern nicht aufkommen ließ. Seine musikalische Begabung war groß; nachdem er eine Oper gehört hatte, spielte er sie fast von Anfang bis zu Ende auf dem Klaviere nach. Theater war seine ganze Lust. Seine ältere Schwester schrieb die Stücke, er malte die Figuren und schnitt sie aus. Am Abend gab es dann Puppenspiel.“

Nach der Übersiedlung nach Berlin zogen die Schinkels wieder in ein Predigerwitwenhaus: in die Innenstadt, Papenstraße Nr. 10, nicht weit von der Marienkirche, die der Baumeister Langhans gerade mit einem eigentümlichen gotisierenden Turmhelm ausgestattet hatte. Etwa zehn Minuten zu Fuß entfernt, in der Klosterstraße, lag das berühmte Gymnasium zum Grauen Kloster, an dem Friedrich Gedike, ein Freund von Schinkels Vater, Mitdirektor war. Hier wurde Karl Friedrich am 3. April 1794 als 13jähriger in die Klein-Tertia aufgenommen.

Auch in Berlin blieb Schinkel im unmittelbaren Bannkreis der Kirche. Schon drei Generationen hindurch hatten die Schinkels ausschließlich Kirchenmänner gestellt. Fast alle Frauen heirateten Prediger in der Mark. Selbst Schinkels Schwestern (zwei Geschwister starben früh) folgten diesem zähen Drang zum Dienst an der Kirche: Sophie heiratete 1794 den Prediger Wagner in Krentzlin bei Neuruppin, Charlotte wurde Vorsteherin des St. Katharinenklosters in Stendal. Karl Friedrich Schinkel war der erste männliche Nachkomme, der nach drei Generationen einen weltlichen Beruf ergriff.

Dem strengen Schulbetrieb im Gymnasium zum Grauen Kloster war Schinkel auf die Dauer nicht gewachsen. „Ihm ward nach seinem eigenen Geständnisse das Lernen sehr schwer, und er machte nur langsame Fortschritte“ (Waagen); Ostern 1798, noch vor Abschluß des Winterhalbjahres, ging er aus der Sekunda ab. „Karl Friedr. Schinkel aus Ruppin empfahl sich durch ein gesetztes bescheidenes

Betragen und bewies in vielen Lectionen lobenswerthen Fleiß", heißt es in seinem Abschlußzeugnis. „Er hat sich der Baukunst gewidmet, wo ihm seine Geschicklichkeit im Zeichnen sehr zu Statten kommen wird" (Krätschell).

Berlin war damals mit rund 180 000 Einwohnern (davon etwa die Hälfte Beamte, Hofleute, Militär), eine preußisch-nüchterne, aber beeindruckende Stadt. Kein Fremder, der durch das neuerbaute Brandenburger Tor Unter den Linden zum Schloß hinunterfuhr, konnte sich dem majestätischen Anblick entziehen, den Opernhaus und Bibliothek, St. Hedwigskirche und Dom sowie die Palais der Vornehmen am Rande der Prachtstraße boten. Der Zustand der Straßen war allerdings katastrophal. Nur wenige waren befestigt. Gehsteige gab es kaum, so daß vor allem im heißen Sommer „die nie ruhenden, feinkörnigen Sandwirbel" die Passanten quälten (Atterbom).

Gebaut wurde in diesen Jahren wenig. Um so größer war das Aufsehen, den 1797 ein Wettbewerbsentwurf für ein Denkmal Friedrichs des Großen erregte. Es sollte sich als eine Art Neo-Akropolis-Parthenon über einem gewölbten Unterbau auf dem *Achteck* (dem späteren Leipziger Platz) erheben. Diese weitläufige Tempelanlage mit Grabkammer, Triumphbogen und Obelisken wollte vor allem dem Ortsfremden „von den obersten Stufen hinab den Überblick über einen großen Teil der Königsstadt als über Friedrichs Schöpfung" verschaffen.

Das städtebaulich grandiose Konzept stammte von dem jungen Architekten Friedrich Gilly, einem Hugenottenabkömmling, der sich zu dieser Zeit gerade als Stipendiat auf einer Studienreise durch Frankreich befand, wo er in Paris den genialen Architekten Ledoux und andere nachrevolutionäre Baumeister kennenlernte.

Auf den Gymnasiasten Schinkel machte das Friedrichsdenkmal, das nie gebaut wurde und doch Gillys Ruhm begründete, einen unauslöschlichen Eindruck. Diese Zeichnungen „waren es, welche zuerst den zündenden Funken der Kunst in seine Seele warfen", erzählt der mit Schinkel befreundete Kunsthistoriker Gustav Friedrich Waagen.

Waagen, der 1824 Schinkel als Assistent auf dessen zweiter italienischer Reise begleitet hat, sagt noch etwas Aufschlußreiches: „Der Umstand, daß das einzige damals in Berlin Schinkel geistig verwandte Kunstnaturell gerade ein Architekt war, wurde auf solche Weise für die Hauptrichtung, welche er in der Kunst verfolgen sollte, entscheidend. Wäre dieses Naturell ein Bildhauer, oder ein Maler gewesen, so würde er eben so gut die eine oder die andere dieser Künste vorzugsweise ausgebildet haben."

Der Gymnasiast Schinkel wollte Baumeister werden, aber er hatte keine Beziehungen, keine einflußreichen Gönner; und seine Schulzeugnisse waren keine Ruhmesblätter. Doch mit der ihm eigenen Zähigkeit gelang es ihm, Friedrich Gillys einflußreichen Vater David Gilly, Mitglied der Obersten Baubehörde, für sich zu gewinnen. Der alte Gilly nahm sich des 17jährigen an, bis Friedrich gegen Ende 1798 aus Paris eintraf. In seinem Reisegepäck befand sich ein wahrer Schatz an Zeichenblättern, auf denen er die eindrucksvollsten Beispiele der neuen, radikal vereinfachenden, französischen Revolutionsarchitektur festgehalten hatte.

In den nächsten Monaten muß Schinkel eine Art Lehrlings-Status bekommen haben, denn er durfte in das Haus der Gillys übersiedeln. Waagen erzählt, Schinkel sei von der vulkanischen Natur Friedrich Gillys so befangen gewesen, „daß er ihn wie ein höheres Wesen betrachtete und sich ihm fast nicht ohne Zittern nahen konnte". Doch auch der junge Gilly fand Gefallen an seinem aufgeschlossenen und begeisterungsfähigen Schüler, der so ganz anders war als er selbst.

Dem jungen Schinkel waren nur zwei Jahre an der Seite seines Lehrmeisters vergönnt. Am 3. August 1800 starb Friedrich Gilly an der Schwindsucht in Karlsbad, erst 28 Jahre alt.

Gilly war der zweite geliebte Mensch, den Schinkel in diesem Jahr verlor: Seine Mutter war nur 50 Jahre alt geworden und am 8. März 1800 gestorben. Völlig auf sich gestellt, besaß Schinkel nur einen einzigen Wechsel auf die Zukunft: ein Papier aus Gillys Nachlaß, auf dem ihm dieser die Ausführung aller von ihm begonnen Bauten übertrug.

In dieser Zeit war Schinkel bereits in Gillys Stil hineingewachsen. Doch seine Ausbildung an der neu gegründeten Bauschule war noch nicht abgeschlossen. In einem Vorschlag zur Preisverteilung vom 17. November 1800 stand Schinkel an der Spitze einer Liste von 18 Eleven, „die sich besonders durch gutes Betragen und Eifer in der Erlernung ihrer Wissenschaften" ausgezeichnet haben. Er scheint dann aber von der Bauakademie abgegangen zu sein.

In den nächsten Jahren arbeitete Schinkel hauptsächlich in der Provinz, rackerte sich auf märkischen Herrensitzen ab, wo er Wirtschaftsgebäude errichtete oder kleinere Umbauten vornahm. Der künstlerische Ertrag war gering, aber er knüpfte Beziehungen zu hochgestellten Persönlichkeiten und sparte ein kleines Kapital zusammen, das ihm zusammen mit einer kleinen Erbschaft die Verwirklichung seines Jugendtraumes ermöglichte – eine Bildungsreise durch das klassische Italien.

Am 1. Mai 1803 reiste Schinkel mit seinem Freund Gottfried Steinmeyer ab, einem Zimmermeistersohn, für dessen Vater Schinkel gerade in der Friedrichstraße 103 ein stattliches Wohnhaus gebaut hatte.

Fast zwei Jahre war Schinkel unterwegs. Seine bisweilen euphorische Stimmung gibt ein Brief treffend wieder, den er aus Rom im Juli 1804 an seine frommen Schwestern Sophie und Charlotte schrieb:

„Jetzt, da das weiteste Ziel meiner Reise mir im Rücken liegt und die größten Gefahren glücklich überstanden sind, macht es mich glücklich, mit Euch, liebe Schwestern, einige Worte zu wechseln. Von Neapels herrlichen Gefilden, vom Fuß des drohenden Vesuv, schiffte ich vier Tage durch die Flut des Meers dem heißen Afrika entgegen. In der fabelreichen Enge von Messina entkam ich dem Untergang im heftigen Strudel der Charybdis, an der Scylla starrendem Fels, den die Brandung der hohen kalabrischen Küsten schäumend bespritzt. Ich genoß auf Messinas grausam zerrüttetem Boden die Einwirkung der herrlichsten Natur, wo die indische Feige, die Dattelpalme, die Orange und die hochblühende Aloe die Hütte des Landmanns umgibt. Des mächtigen Ätnas dampfendes Haupt, gegen dessen Verwüstung der Vesuv wie Kinderspiel erscheint, nahm mich bei Nacht in einer Höhle auf und zeigte mir mit dem Licht der kommenden Sonne die Küste Afrikas. Durch tunesische Korsaren, die an den Küsten raubten, und durch die Horden der Straßenräuber des Inlands ging mein Pfad durch die Insel zum längst entweihten Ort des alten, oft gepriesenen Syrakus." Schinkel hatte seinen Homer offenbar gründlich gelesen.

Dagegen ist der Brief, den er am 3. Mai 1804 im lärmenden Neapel an seinen Vetter und Vormund Valentin Rose schrieb, schon sachlicher:

„Seit mehreren Wochen genieße ich die Milde dieses glücklichen Teils der Erde, die selbst den starken Hannibal bezähmte, daß er des Ruhms vergaß, des langen Kriegs Glück wollusttrunken scheuchte. Wäre es nur möglich, Sie auf eine Stunde den Anblick aus meiner Wohnung genießen zu lassen. Die Loge vor dem Zimmer ragt weit hinaus ins Meer, daß, wenn es stürmt, ich hier ein kaltes Bad genieße . . . Gehe ich in das Gewühl der Stadt, so bietet sich ein neues Schauspiel dar, das man in jedem andren Ort vergeblich sucht. Paris und London müssen weit in dem Tumult der Gassen den Rang Neapel lassen. Denken Sie sich in dem Raum, der kaum so groß als der, auf dem Berlin gebaut, die Anzahl von fast einer Million Menschen, von dem der größte Teil sein ganzes Geschäft auf der Straße treibt . . ."

Bis dahin hatte Schinkel London und Paris allerdings noch gar nicht gesehen, aber er hatte im Juni 1803 in Wien und Prag nach seiner Abreise ein ähnliches Getümmel erlebt:

Als er mit seinem Freund und Reisebegleiter, dem Architekten Steinmeyer, nach Wien hineinfuhr, verschlug es dem an die bescheidenen Berliner Verkehrsverhältnisse gewohnten Schinkel den Atem: „Staub und Getümmel herrscht auf allen Straßen und vermehrt sich, je näher man der Stadt kommt, wo das Fahren von 50–100 Wagen in einer Straße, dicht hintereinander, gar nicht aufhört, wenn das

Wetter irgend erträglich ist. Die Stadt selbst ist das Zentrum des Tumults. Von allen Merkwürdigkeiten Wiens ausführlich zu sprechen, wäre ein unendliches Werk; ich bin so frei, Ihnen wenigstens das aufzuführen, was ich sah. Die Hauptschönheit der Stadt ist das unendlich reiche und kühne gotische Werk der St.-Stephans-Kirche, die ich täglich besuchte und deren Turm ich zweimal erstieg; das Werk gleicht dem Straßburger Münster, der Ihnen bekannt ist . . ." (an Rose, 22. Juni 1803).

Die Stephanskirche war der erste große gotische Dom, den Schinkel in voller Pracht und nicht als blasse Abbildung vor sich sah. Und obwohl er die Reise vor allem als klassizistisch geschulter Architekt angetreten hatte, begann er sich zunehmend auch für die gotische Formensprache zu interessieren.

Ein entscheidender Schritt in diese Richtung war sein Besuch in Prag: „Selten gibt ein Ort ein so reiches Bild einer gotischen Stadt als Prag. Auf 2 Seiten der Moldau breitet es seine gieblichten Häusermassen, die von unzähligen Kuppeln und spitzigen Thürmen beschaut, ein reiches Tal bedecken. Auf einer Seite lehnt sich die Stadt an den Abhang, dessen Höhe das Schloß und ein herrlicher gotischer Dom krönt, der mit einigen Stiftskirchen und schönen Gartenanlagen auf dem Berge ein großes Bild macht."

Der Dom auf der Anhöhe erinnerte Schinkel an seine frühen Jugendträume, als er auf seinen Skizzen gotische Dome auf hohe Felsbasteien setzte, um ihre monumentale Wirkung zu steigern.

Zwölf Jahre später (1815) hat Schinkel dann – vermutlich als Erinnerung an Prag – ein großes Ölbild *Mittelalterliche Stadt an einem Fluß* gemalt: Ein Regenbogen spannt sich über einen festlich beflaggten Dom, an dem vorbei ein Fürst mit Gefolge in eine Burg einzieht. Beide Bauwerke, der Dom und die Burg, stehen wie auf dem Prager Hradschin auf einem Hügel über den Dächern und Türmen der Stadt. Es fehlt auch nicht der Fluß mit der Bogenbrücke, ein Motiv, das an die Moldau mit der Karlsbrücke erinnert.

Nach der Besichtigung von Prag und Wien ging die Fahrt über das steiermärkische Gebirge. Es wechselten rauhe und liebliche Szenen; über Laibach gelangten die Freunde nach Triest – die erste Station auf italienischem Boden. Schon seit Dresden führte Schinkel gewissenhaft Tagebuch, ergänzend dazu hielt er seine Eindrücke mit der Zeichenfeder fest. Als der Landschaftsmaler Joseph Anton Koch die Bilder später in Rom zu Gesicht bekam, nannte er Schinkel ein Talent von höchstem Rang.

Je weiter Schinkel nach Süden kam, desto anschaulicher und ausführlicher wurden seine Landschaftsbeschreibungen. Doch die Einreise in das Land seiner Träume weckte in ihm zwiespältige Gefühle. „Der Eintritt in Italiens schöne Gefilde kann dem Teutschen nicht frappanter sein als bei Triest. Auf einem Weg von 12–14 Stunden wechselt plötzlich Klima, Gegend, Bauart, Sprache und Charakter der Nation. Die Gebirge von [der] Steiermark und Kärntens, welche man auf dem Weg von Wien durchstreift, bieten abwechselnd große, rauhe und angenehme Szenen. Dichte Tannenwälder, dunkle enge Flußtäler, Rauheit des Klimas, erzeugt durch die Höhe der Gegend, charakterisieren die deutsche Gegend. 14 Stunden von Triest steigt man aus dem letzten Tal deutschen Charakters beim Städtchen Planina in die Höhe und bleibt bis Triest auf der Oberfläche des Gebirgs, das gleichsam den Damm des Meeres mache. Nicht Wüstres ist denkbar als der Anblick dieser Gegend, welche von der schrecklichsten Revolution der Natur zerrüttet scheint . . . unterirdische Ströme, plötzlich steigende und trocknende Seen, Merkur-Bergwerke sind in diesem wunderbaren Raum gedrängt und machen ihn unbeschreiblich interessant. Das Terrain, welches gegen das Meer hin steigt, erlaubt keine Aussicht auf den Ufer-Hintergrund. Der Horizont schließt sich mit den steinichten Feldern, wodurch die Gegend etwas überaus Nacktes und Wildes erhält. Was den Eindruck dieses Wüsten vermehrt, ist die Unsicherheit auf den Straßen. Von der Seite der Türkei und Istriens ziehen sich Zigeuner und Mamelucken zu ganzen Banden ins Land, und täglich hört man von Räubereien und Mordtaten. Man wählt gewöhnlich zur Reise auf entlegnen Straßen, die durch Wald führen, solche Tage, an denen in der Gegend ein Fest oder ein Markt ist, damit man durch die Lebhaftigkeit der Straße gesichert ist."

Die Furcht vor Raubüberfällen blieb jetzt für lange Zeit ihr Reisebegleiter. Als sie in Istrien „eine

Barke von drei Segeln“ mieteten, um die Merkwürdigkeiten des Landes zu beabsichtigen, erfuhren sie, daß man diese Reise gewöhnlich zu Wasser macht, „weil man ohne starke Militärbegleitung im Innern des Landes unmöglich reisen kann ... Diese Kerle haben ein furchtbares Ansehn. Sie reiten auf kleinen Pferden, tragen braune Mäntel und von derselben Farbe Mützen, jeder hat eine Flinte auf dem Rücken, die von einer merkwürdigen langen Form ist, mehrere Pistolen im Gürtel und einen Hieber zur Seite. Die Schnauzbärte sind in Flechten gedreht und hangen zu beiden Seiten oft bis auf die Brust; ebenso sind die Haare in mehrere herunterhangende Striemen geflochten. Die Weiber tragen sich an Farbe den Männern gleich und sind sehr wild wie diese, sie gehn gewöhnlich zu Fuß in den Truppen zwischen den Männern, die zu Pferde sitzen, oder reiten auf Esel. An allen Orten sieht man diese Banden zu 10 und 12 und mehr durchs Land, auch in die Städte ziehen. Das kaiserliche Militär hat bis jetzt noch keine Order, etwas Reelles gegen sie zu unternehmen ...“

Aber Schinkels fester Entschluß, die merkwürdige Umgebung von Triest „genau zu untersuchen“, verlockte ihn trotz der Bedrohung durch Räuber „zu manchen kleinen Reisen, die überaus reichhaltig für mich waren.“

So kam es zu zwei abenteuerlichen Ausflügen in die Unterwelt: Im Talkessel von Idria besuchte er mit Steinmeyer ein Quecksilberbergwerk: „Ich lief mit meinem Freund, in Bergmannstracht gekleidet, ein, sehr bequem ist die Einfahrt ... Das gediegene Quecksilber trieft an allen Orten aus dem Schiefer und sammelt sich oft auf dem Boden zu kleinen Seen; dennoch haben die Bergleute das Metall im Erz lieber, weil beim Herausschaffen vom Gediegenen zuviel verlorengeht ...“

Schinkel und Steinmeyer drangen bis zu einer Tiefe von siebenhundert Fuß vor und ließen sich dann „im Kasten des Bergwerks heraufwinden.“

Die Figur des Bergmanns und die Erforschung des Erdinnern waren damals beliebte literarische Romantiker-Motive. Novalis schildert in seinem ein Jahr vor Schinkels Abreise in Berlin erschienenen Roman *Heinrich von Ofterdingen* eine gespenstische Höhlenbegehung. Vielleicht wollte Schinkel dem literarischen Vorbild nacheifern, als er sich im Tal von Prediama in eine Tropfsteinhöhle wagte.

Die Höhle wurde gewöhnlich in Gruppen von sechs bis acht Mann betreten, die mit Fackeln ausgerüstet waren. Der Ausflug in die Tiefe dauerte ungefähr vier Stunden. Schinkel: „... Man tritt nach dem schauerlichen Übergang des unterirdischen Flusses in den zweiten großen Raum der Höhle, der mit noch weit sonderbareren Gestalten von Tropfstein mannigfaltticht wechselt. Die abenteuerliche Zusammenstellung gotischer Säulen, Kanzeln, Glocken, Statuen, Monumenten, über die sich Fahnen vom bunten Gewölbe zu neigen scheinen, macht beim frappanten Schein der Fackeln die schauerlichste Wirkung ... Der Weg führt der Tiefe zu und wird überaus schlüpfrig, die Massen des Tropfsteines haben hier eine fast weiße Farbe und glänzen bei ihrer Nässe im Feuerschein, beständig tropfendes Wasser durchnäßt die Kleider, empfindliche Kälte und ängstliche Luft umgibt den Wanderer. Zum letzten Mal schließt sich dann das hohe Gewölbe des von der Oberwelt weit geschiedenen Orts und verstattet nicht, tiefer in das Innere der Natur zu dringen. Ein brausender Wind entsteigt aus einer Spalte dem Boden und mehret das Schauerliche der Szene. Mit der Kohle der Fackel schreibet man den Namen an die letzte Wand des Felsens und kehrt dann über die schlüpfrichten Pfade durch die engen und niedrigen Tore, über die Brücke des unterirdischen Stroms zum Tageslicht zurück, das den Wandrer nach der Reise durch das nächtliche Reich mild und freundlich begrüßt. Nichts ist wohltätiger als der Glanz des Lichts, wenn man um eine Ecke des ersten Gewölbes sich wendet; im lieblichsten Grün strahlt der Tag durch das Laub, welches die Öffnungen der Grotte umzieht, und breitet mit der Farbe desselben das sanfteste Zauberlicht im weiten Raum der Höhle.“

Wenn Schinkel von den Eindrücken überwältigt war, vor allem aber, wenn er seine Empfindungen in Briefen wiedergab, fällt er in einen sprachlich gehobenen schwärmerisch-romantischen Ausdruck. Dagegen sind seine Tagebuchberichte stets präzis und anschaulich mit einer Fülle lebendiger Einzelbeobachtungen über Mensch und Landschaft, über Bauten, Pflanzen und Getier.

Kümmernisse und Sorgen vertraut er dem Papier nur widerstrebend an. „Er war immer etwas auf dem Kothurn", wie Fontane sagt. Ein Wagenunglück, das Schinkel und Steinmeyer in Italien ereilte, erwähnte er gar nicht erst, während wenigstens der Freund den Zwischenfall notierte: „Sakrierend und schimpfend wühlte ich mich aus den auf mir liegenden Kasten, Betten und Laken und erstieg auf Schinkels eben erwachendem Leichnam ... das Wagenfenster des in dem unsauberen Chausseekot ... tief eingedrückten, zu Kopf stehenden Wagens, ernsthaft, die Augenbrauen weit in die Höhe gezogen, blickte, vom Schlafe noch morgenschön, wie aus einem Schornstein, mit blanker Neugier, der durch den Umsturz des Wagens vom Schlaf erweckte Schinkel aus der Wagentür umher."

Aber bei seiner Ankunft in Venedig (August) machte Schinkel seiner Empörung endlich einmal Luft: „Man langt bei der Sanität an, wo man auf eine unverzeihliche Weise aufgehalten wird. Nachdem man die Passaporten in Ordnung gebracht und die Erlaubnis erhalten hat, sich visitieren zu lassen, fährt man auf einer Gondel eine Strecke ins Wasser, wo man plötzlich von einer Menge kleiner Batelli umringt ist, die von habsüchtigen Visitatoren wimmeln. Drei oder viere fallen sogleich über die Sachen her, und man muß auf ihre Manipulationen achthaben, wenn man seine Sachen liebhat. Alles wird durchsucht und das geringste Verdächtige weggeschleppt oder durch langen Streit, wobei nur die größte Grobheit und Dreistigkeit etwas ausrichten kann, wiedererhalten. Man fährt, wenn man aus den Klauen dieser Raubtiere entronnen ist, in die Kanäle der Stadt ...

Mein erster Gang vom Wirtshause war auf den St.-Markus-Platz. Die erstaunlich engen Gassen, wo oft mit Mühen einer dem anderen ausbeugt, gepfropft mit den Budiken aller Art, die in den unteren Etagen der Häuser großteils untereinanderstehn. Die Menge der Bettler von der ekelhaftesten Art, mit Gebrechen und Schäden, die man nicht ohne Abscheu betrachten kann, deren beständiges Winseln und Beten dem Vorübergehenden [die] Not des verfallenen Staates klagen. Das unerträgliche Geschrei der Fruchthöker, die an allen Ecken mit größter Anstrengung in den unangenehmsten Tönen ihre Waren ausbieten und sich darin einer den andern zu übertreffen suchen. Dies alles läßt einen widrigen Eindruck nach. Von dem engen Platz dieses schmutzigen Schauspiels trat ich plötzlich in den weiten, in der ganzen Welt gepriesenen Markusplatz."

In Venedig entdeckte Schinkel den Reiz einer ihm fremden Architektur, die im herkömmlichen Sinne nicht gotisch ist, nicht klassizistisch und die er „sarazenisch" nennt. Er bewunderte die Bogenfassaden der Paläste, die gespitzten Tür- und Fensterbögen, die marmornen Treppen und zierlichen Giebel. „Nirgends sind die Paläste so gehäuft als auf dem Wege, den man in einer Gondel im Großen Kanal macht. Auf jeder Seite erblickt man die herrlichsten Paläste sarazenischer und moderner Architektur sich aus dem Wasser erheben." Diese sarazenische Architektur soll ihn noch lange beschäftigen.

Doch Schinkel war es nicht vergönnt, alle Herrlichkeiten der Lagunenstadt auszukosten. Während des Aufenthaltes war er vierzehn Tage ernstlich krank; und als er wieder einigermaßen hergestellt war und mit einem Vetturin einen Vertrag über die Weiterfahrt nach Rom aufsetzte, wurde er schmählich übervorteilt.

„Ich könnte Ihnen Bände schicken", beschwerte er sich bitter in einem Brief an einen Freund, „wenn ich in der Manier unserer Romanenschreiber alle Umstände von dem Momente unserer Trennung zusammenhäufen wollte, wie eine schöne, in jeder Hinsicht interessante Reise durch Gauner und Schurken verdorben ward. Ärger über die infamsten Betrügereien der mich Umgebenden, die ich in jedem Moment von neuem wahrnahm, machten mich unfähig, das tausendfache Schönste mit Teilnahme zu genießen." (Rom, 1803)

Über Florenz, wo man „die Straßen voll prächtiger Equipagen und geschäftigen Volks" sieht, erreichte er trotz aller Widrigkeiten Anfang Oktober 1803 schließlich das „wundervolle langersehnte Rom". Aber Schinkels körperlicher Zustand war bedenklich. „Fieberkrank kam ich in Rom an, durchrann in den ersten 3 Tagen mit größter Anstrengung alles Sehenswürdige, aber dann abgespannt und ermattet, lag ich lange danieder. Das Schöne und das Unangenehme, durch tausend neue

Kleinigkeiten vermehrt, taumelte in meinem Geist durcheinander und versetzte mich in einen Zustand gänzlicher Untauglichkeit zu irgend etwas Vernünftigem. Eine Reise in die hohen Apenninen, auf den Gran Sasso d'Italia, wo ich im Schnee des Gebirgs wieder einmal teutsche kräftige Luft atmete, stellte mich wieder her, ich kehrte mit frohem Geist in das an Schätzen für mich von neuem unendlich reiche Rom zurück . . ."

Schinkel wohnte auf dem Monte Pincio mit einem herrlichen Blick auf die ihm zu Füßen liegende Stadt: „Viel tausend Paläste, von Kuppeln, Türmen überstiegen, breiten sich unter mir aus. Die Ferne schließt St. Peter [und] der Vatikan, in flacher Linie zieht sich hinter ihm der Mons Janiculus, vom Pinienhain der Villa Pamfili gekrönt. Fast aus meiner Tür trete ich auf die ungeheure Treppe der Kirche St. Trinità del Monti . . . Monte Pincio, ehemals Collis Hortulorum genannt, trug die Gärten des Lucullis in welchen Schwelgerei die raffiniertesten Genüsse häufte. Jetzt lebt der größte Teil der fremden Künstler hier, frugal und ärmlich oft, und genießt den Vorzug der gesunden Luft . . ."

Den ganzen Winter hindurch, über fünf Monate lang, durchforschte und durchwanderte Schinkel die Ewige Stadt. „Rom beschäftigt mich so, daß ich die Zeit meines Aufenthaltes um das Zehnfache verlängert wünschte", schrieb er am 13. November 1803 an seinen Cousin Rose. Doch von seinem Rombesuch sind nur sehr spärliche Schilderungen überliefert.

Bei seinen Nachbarn in der deutschen Künstlerkolonie war Schinkel ein gern gesehener Gast. Er lernte den Landschaftsmaler Kaaz kennen, den berühmten Joseph Anton Koch, ein uriges Original aus den Bergen Tirols, und auch Gottlieb Schick, der im Hause Wilhelm von Humboldts, des Preußischen Residenten beim Heiligen Stuhl, freundschaftlich verkehrte und gerade ein Porträt von Humboldts Gattin Caroline beendet hatte.

Humboldt, seine Frau Caroline und die Kinder wohnten nach seinem Amtsantritt 1802 in der bescheidenen Villa di Malta am Fuß des Monte Pincio, bis sie in den geräumigen Palazzo Tomati bei der Spanischen Treppe übersiedelten.

Das Haus war durch Carolines Herzenswärme und Gastlichkeit bald zu einem Treffpunkt der Künstler geworden. Mitte März 1803 berichtete Humboldt seinem Vorgänger Uhden: „Wir leben, wie Sie es sich denken können. Die schlimmen Tage zu Hause; die schönen in Gallerien und unter Ruinen. Mittwoch und Sonntag Abend sind wir immer zu Hause und haben meist alle deutschen Künstler, und seit einiger Zeit auch mehrere Personen der römischen Gesellschaft bei uns."

Und Caroline schrieb ihrem Vater in Thüringen: „ . . . die Künstler, die hier sind, und einige andere Deutschen bitten wir einmal in der Woche zum Essen". Daß Schinkel ein angenehmer und vertrauter Gast war, beweist ein Billett des Hausherrn: „Ich bin so frei Sie zu bitten, mein lieber Schinkel, heute Freitag mittag mit Herrn Steinmeyer freundschaftlich bei uns zu essen. Sie finden uns ganz allein. Wollten Sie uns Ihre Zeichnungen mitbringen, würde es uns sehr freuen." (Dezember 1803)

Die Begegnungen im Hause Humboldt sollten für sie beide das ganze Leben die schönsten Früchte tragen.

Anfang April 1804 reisten Schinkel und Steinmeyer von Rom über Capua, Neapel nach Sizilien. Als „Haupteindrücke, welche das romantische Sizilien" auf ihn machte, zählte Schinkel auf: die Überquerung der Meerenge von Messina, die milde „Natur des schönen sizilischen Landes um Messina", „die Reise über die Ruinen des alten Theaters von Taormina", die Tempel von Agrigent, Selinunt und Segest sowie die Besteigung des schneebedeckten Ätna, die in zweifacher Hinsicht ein Abenteuer war.

Denn auf dem Weg zum rauchenden Vulkan entdeckte die kleine Reisegruppe und ihr Führer „3 große Schiffe der Barbareskenflotte, die uns auf dem ganzen Wege zur Seite blieben und den Küstenweg gefährlich machten. Die afrikanischen Seeräuber beunruhigen in jedem Jahr das Gestade der Insel; von Zeit zu Zeit landend, führen sie arme Küstenbewohner und Reisende zur Sklaverei".

Schinkel hat auf einer Zeichnung festgehalten, wie die Reisegruppe sich über die Schneefelder des Ätna zum Kegel des Kraters emporkämpfte. „Noch vor Mitternacht weckte uns die Stimme des Führers auf den Weg zum Gipfel des Bergs, den wir mit Aufgang der Sonne zu erreichen wünschten. Der Mond schien hell in die rauhe Gegend. Es verloren sich nach und nach die Bäume, die Schlacken hervorgefluteter Lava türmten sich mächtiger empor und ließen nur mit Vorsicht sich erklimmen. Tiefe Stille herrschte ringsum, nur in langen Pausen rief der Wolf aus unteren Wäldern herauf; der Gedanke an die Unterwelt der Alten drängt sich in dieser schwarzen, nächtlichen Wüste des gefürchteten Gebirgs unwiderstehlich auf.

Nach einer Anstrengung mehrerer Stunden erreichten wir die Felder des Schnees. Ein Felsblock, dessen Höhlung uns gegen den heftigen Sturm, der mit schneidender Kälte andrang, schützte, lud uns zur Ruhe ein, und wir erfrischten die Kräfte durch Wein und kalter Küche und arbeiteten dann weiter hinauf zum Kegel des Kraters. Die Sonne stieg empor, als wir die wenigen Trümmer des sogenannten Turms des Empedokles erreichten, den Ort, an dem man gewöhnlich dies Schauspiel erwartet. – Ich trachte nicht, die Empfindungen darzustellen, die das Gemüt an diesem Platz ergreifen, indem ich unnütz sprechen würde. Nur dies Wort: ich glaubte, die ganze Erde unter mir mit einem Blick zu fassen, die Entfernungen erschienen so gering, die Breite des Meers bis zu den Küsten Afrikas, die Ausdehnung des südlichen Kalabriens, die Insel selbst, alles lag so überschaulich unter mir, daß ich mich selbst fast außer dem Verhältnis größer glaubte. Es zogen Nebel herbei, und heftiger Hagel nötigte uns zum Aufbruch, wenn wir, noch ehe sich mehr die Wolken um den Gipfel häuften, den Krater sehn wollten. Über alles beschwerlich ist der Weg zum Rande. Der Kegel ist steil und mit einer glatten Schneerinde umgeben, die bei jedem Schritte fallen macht. Die Annäherung war höchst empfindlich, ein Wind trieb den Schwefeldampf auf alle Seiten, es glückte uns nur auf wenige Minuten, die beiden Vertiefungen des Kraters zu übersehn . . ."

Im Juli trafen die Freunde wieder in Rom ein. Wilhelm von Humboldt teilte es gleich seiner Frau Caroline mit: „Steinmeyer und Schinkel sind wieder hier, aber auch sehr mit Sizilien zufrieden. Alle bleiben länger als sie wollten hier." (24. Juli 1804)

Auch Schinkel blieb länger in Rom als er eigentlich wollte . . .

Noch am 21. Juli 1804 hatte er seinem Cousin von der glücklichen Überquerung der Straße von Messina – „durch die kreuzenden Korsaren Afrikas" – berichtet. Wenige Tage danach trieb ihn der Geldmangel eilig nach Rom. Humboldt hatte Schinkels finanzielles Desaster vorausgesehen, denn schon im April hatte er seinem Schützling in einem umständlichen Brief seine vertrauliche Hilfe in Geldangelegenheiten angeboten.

Nun aber brannte es Schinkel auf den Nägeln. Er schickte einen Hilferuf an den ihm gewogenen Minister Graf von Haugwitz, auf dessen Gut er vor seiner Abreise ein Treibhaus errichtet hatte, und gestand, daß er sich mit dem Abstecher nach Sizilien finanziell übernommen hätte. Schinkel bat um eine staatliche Unterstützung und versprach dafür, „dem Staate mit dem, was ich vermag, nach aller meiner Kraft zu nützen". (Rom, Juli 1804)

Haugwitz hat die Angelegenheit, wie aus einem Brief Schinkels zu schließen ist, schnell und unbürokratisch geregelt, indem er das Geld aus der eigenen Tasche vorschoß. Daraufhin verlängerte Schinkel seinen Romaufenthalt bis Mitte September. Eigentlich wollte er zu diesem Zeitpunkt, wie er Haugwitz schrieb, längst in Paris sein.

„Ich kann die Stimmung nicht wehmütig nennen", beschreibt Schinkel den Abschied von der Ewigen Stadt, „es war Stumpfheit und Betäubung, die mich über die Ponte Molle führt und mit der ich endlich von der Höhe der Kuppel von St. Peter das letzte Lebewohl sagte." (an Moser, Oktober 1804 aus Genua)

Über Florenz, Pisa, Genua und Lyon erreichten sie Ende November 1804 Paris. Während der Fahrt durch Frankreich war ihnen der Papst, der zur Kaiserkrönung Napoleons nach Paris zog, auf dem Fuße gefolgt. Napoleons pompöse Krönung fand am 2. Dezember in Notre Dame statt, die von Percier und Fontaine in dem von ihnen entwickelten Empire-Prunkstil festlich ausgestattet worden war.

Am 11. Januar 1805 traten Schinkel und Steinmeyer über Straßburg, Frankfurt und Weimar die Rückreise an. Anfang März 1805, wenige Tage vor Schinkels 24. Geburtstag, kamen sie wohlbehalten in Berlin an.

Ob aber Schinkel „in dem Lande, das man mit Recht für das schönste Europens hält" (an Rose, Neapel 3.5.1804) wie ein klassischer Bildungsreisender das Land der Antike suchte, scheint nach seinen Tagebuchaufzeichnungen zweifelhaft. Während der langen Reise gab er bei seinen Betrachtungen der Architektur nie die Priorität. Auf seinen Zeichnungen sind die Bauten in die Landschaft eingebettet, die ihn berauscht und bestrickt.

Dem Lieblingsschüler Gillys entlockten die Ruinen griechischer Tempel kaum mehr als Bestandsaufnahmen. Selbst die berühmten Tempelruinen des alten Agrigent weckten nur unbestimmtes Interesse: „Sie sind vom edelsten Stil und vollkommen gut erhalten oder, wo es nötig war, restauriert und ausgegraben. Der berühmte Tempel des olympischen Jupiters, dessen Ruinen bis jetzt wie ein bewachsener Fels zusammengestürzt lagen, ist so weit seit einem Jahr aufgegraben worden, daß man alle Stücke gefunden hat, die zur Versinnlichung seines ehemaligen Zustandes nötig sind. Er war vielleicht der größte Tempel der ganzen Griechenzeit. In jeden Säulenkanal kann sich bequem ein Mensch stellen, ein Stück des Gesimses mit Architrav, Triglyph und Kranz hat die Höhe eines bei uns gewöhnlichen drei Etagen hohen Hauses."

Und über den Tempel von Segest urteilte er schroff, er sei „nicht vom schönsten Stil". „Dagegen macht die abenteuerliche sog. saracenische Baukunst überall, wo er auf ihre Spuren trifft, von Venedig bis Sicilien, den größten Eindruck auf ihn . . ." schreibt sein Schwiegersohn Wolzogen. Schinkel erlebte Italien nicht so sehr als Architekt, sondern mehr als Maler.

Und doch gibt es drei große Berichte, in denen sich Schinkel gründlich mit architektonischen Problemen auseinandersetzt. Der erste und umfangreichste sind die *Bruchstücke aus dem Journal eines Reisenden über die Konstruktion der Wohngebäude Neapels,* genauer: ein langes Register der Bausünden in dieser Stadt, die losen Deckenkonstruktionen, der weiche Tuffstein, der den Häusern so wenig Halt gibt, „daß ein geringer [Erd]Stoß sie fast unbewohnbar machen muß". Wegen der ständigen Erdbebengefahr würde die „Verbannung der sehr hoch getürmten Häuser und die Verbreiterung der Straßen . . ein Hauptnutzen sein, der den unglücklichen Einwohnern bei der Flucht in dem eintretenden Unglück zur Rettung dienen könnte".

Auffallend ist seine intensive Suche nach Anregungen für die heimatliche Architektur; wobei er die antike Baukunst jedoch ausdrücklich ausklammerte. So schrieb er im Juli 1804 an den Berliner Buchhänder Johann Friedrich Unger: „Auf einer Reise durch das feste Land Italiens und seine Inseln fand ich Gelegenheit, eine Menge interessante Werke der Architektur zu sammeln, die bis jetzt weder betrachtet noch benutzt worden. Man bemühte sich bisher, entweder die Monumente griechischer oder römischer Zeit oder die Gebäude aus den Zeiten der wiederauflebenden Künste zu Tausenden zu bearbeiten. Letzteres war für den ästhetischen Wert der Architektur von wenig Nutzen, da unstreitig mit Bramante der beste Stil der Architektur aufhörte . . . Ich habe daher auf diese Gegenstände um so weniger meine Betrachtung zu richten, da sie mir vorher bekannt waren und zum Ideal, das ich mir vorgesetzt und dessen Prinzipien ich zur Zeit vielleicht zu einem Ganzen füge, wenig näher führen.

Eine Menge Anlagen aus früher Mittelalterzeit, selbst aus der der Sarazenen, woran Sizilien vorzüglich reich ist, tragen das wahre Gepräge philosophischen Kunstsinns und Charakterfülle. Andere, neue Werke, die in unbekannten Winkeln des ganzen Landes von Italien stehn, sind durch glückliche Auffassung der Idee und besonders durch die vorteilhafte Benutzung der Umgebungen der Natur, ohne alle Rücksicht der oft aufgestellten Kunstregeln des Palladio, charakteristischer als der größte Teil dessen, was bei uns produziert wird. Durch das Interesse, was mir die Nachforschung dieser Gegenstände mehr und mehr einflößt, ward ich aufgemuntert, die gesammelten Ideen als Fragmente zu bearbeiten . . ."

Schinkel schlug ein kommentiertes Skizzenbuch vor – für „Freunde und Studierende der Architektur, welche in diesen Fragmenten nicht das Gewöhnliche, nach den Regelbüchern Schmeckende treffen . . .“ Unger konnte sich jedoch nicht für das Projekt erwärmen. Das Buch wurde nie gedruckt.

Am entschiedensten formulierte Schinkel seine Absage an antike Baukunst gegenüber David Gilly, dem Vater des verstorbenen Friedrich Gilly, der ihn einst im Geist des Klassizismus ausgebildet hat. An Gilly schrieb er im Dezember 1804: „Der größte Teil der Denkmäler alter Baukunst bietet nichts Neues für den Architekten, weil man von Jugend auf mit ihnen bekannt wird. Der Anblick dieser Werke in der Natur hat etwas Überraschendes, was nicht sowohl von ihrer Größe als von der malerischen Zusammenstellung herkommt. Die Größe dieser Werke fällt nicht auf, weil wir Werke gotischer und neuerer Baukunst haben, die in dieser Rücksicht mehr Wirkung tun . . .“

Schinkel bemühte sich, für seine gotischen und sarazenischen Projekte die Unterstützung des alten Gilly zu gewinnen. Er versprach, ihm verschiedene Beobachtungen mitzuteilen, die „Ihnen vielleicht eine Idee geben können, welchen Nutzen die Architektur aus diesem Lande [Italien] fürs Vaterland ziehen kann“.

Aber als Gilly ihm anbietet, seine Gedanken in der von ihm als Redakteur betreuten *Sammlung nützlicher Aufsätze, die Baukunst betreffend,* zu veröffentlichen, winkt Schinkel erschrocken ab; dazu sei es zum gegenwärtigen Zeitpunkt zu früh.

In dem Brief an Gilly schildert Schinkel auch seine Beobachtungen in den italienischen Theatern: „Bei meiner Rückreise über Neapel, Rom, Florenz, Livorno, Genova und Mailand, Turin nach Frankreich, hatte ich Gelegenheit, die vorzüglichsten Theater dieser Städte schnell hintereinander zu sehn und zu vergleichen. Und es ist gewiß keins, an dem man nicht etwas aussetzen könnte. Das wegen seiner Größe berühmte Theater San Carlo in Neapel tadle ich außer einer Menge anderer Mängel eben seiner Größe wegen; man sollte meiner Meinung nach nie so große Theater bauen. Auch wenn die Theorie des Schalls hinlänglich aufs reine gebracht wäre, was bis jetzt noch nicht geschehn ist, halte ich's für unmöglich, einen so großen Raum durch eine bloße Form für die vollkommen gute Aufführung einer Musik geschickt zu machen. Ich weiß wenigstens von diesen Theatern, daß auf einem vom Theater entfernten Platz von Musik unendlich viel verloren geht und die Sprache auch im Rezitativ gänzlich unverständlich wird . . . In dem großen Theater von Mailand bemerkte ich an gegenüberliegender Stelle des Parterre denselben Verstärkungshall, der in unserm neuen Berliner Theater bemerkt wird.“

Dieses 1800–1802 von Langhans auf dem Gendarmenmarkt errichtete Gebäude brannte 1817 vollkommen aus. Über den Grundmauern errichtete Schinkel dann sein Schauspielhaus im klassizistischen Stil.

Aber vorerst gehören seine Sympathien der frühmittelalterlichen Baukunst: „Italien enthält noch einige Werke gotischer und sarazenischer oder spätmittelalterlicher Baukunst, die bisher zu wenig betrachtet und geschätzt wurden und in denen ein Charakter liegt, der Ehrfurcht für das Zeitalter ihrer Entstehung erregt. Sie zeigen uns deutlich, daß Sorgfalt und Fleiß jedem Werke den höchsten Grad, verbunden mit einem unverdrängten Gesetz der Wahrheit, der Anwendung erhielt. Hierher gehören die Dome von Mailand, Florenz, Pisa, Orvieto, Siena, Palermo, Monreale, die alten Paläste Venedigs, Genovens, Palerms, die leider mehr oder weniger nach und nach verändert wurden und zum Teil nicht mehr vollkommen in ihrer originellen Form dastehn. Aber ich möchte es eine Schärfung des Gewissens nennen, die man bei dem Besteigen des Mailänder Doms empfindet, der leider noch nicht vollendet ist. Man mag hier in den entferntesten Winkeln der Dachkonstruktion geraten, so erblickt man vollendete, geschmückte Architektur. Man mag den Dom von oben herab sehn, oder von unten herauf, die Ausführung ist gleich gepflegt, es ist da kein Teil, der, weil er dem Auge gewöhnlich versteckt ist, nachlässig behandelt ist, keine Vermissung desselben Stilgesetzes, das in den Hauptansichten herrscht . . ."

Das hohe Niveau der Handwerkskunst am Mailänder Dom nahm sich Schinkel zum Vorbild für die Aufgaben, die ihn später bei der Erneuerung des preußischen Baugewerbes erwarteten.

„Wenn wir vergleichen, was wir selbst bei den importantesten Werken durch Blendwerk und Übertünchung verstecken, was wir oft in den Plänen vergessen und was anders, als wir glaubten, in der Ausführung hervorgeht, was wir auf die zufälligen Talente der Handwerker ankommen lassen und, [das] Übelste, was die Verunglückung der Fabrikation unsres Materials den Werken für Eintrag tut, dann ist es unmöglich, daß wir bei der Betrachtung eines Werkes dieser Art ohne Hochachtung gegen den Charakter jener Zeit bleiben können. Ich wenigstens muß gestehn, daß mir die Erinnerung in der Folge für die Art der Bearbeitung der mir anvertrauten Aufgaben als höheres Muster (ich rede hier nicht vom Stil) die Werke dieser Zeit vorführen soll, die mit den Werken der Griechen (den Stil ausgenommen) alles gemein haben und im Umfang dieselben bei weitem übertreffen."

Der Stil der venezianischen Architektur fällt zwar „ganz außer der Sphäre unseres Wirkungskreises . . . Doch läßt sich für die schöne Architektur mancher Nutzen aus diesem Stil ziehn, den man gewöhnlich den sarazenischen nannte, weil er durch die Vermischung morgenländischer und antiker Architektur in der Zeit der Völkerwanderung entstand."

Der Architektur der großen Dome, zu denen es ihn mit Macht hinzog, galt Schinkels besondere Aufmerksamkeit. Anscheinend beeindruckte ihn der Mailänder Dom mehr noch als die Peterskirche in Rom, die er selten erwähnt. Schinkel war als Klassizist am symmetrischen System geschult. Daß er über die inkonsequent gebaute Fassade des Doms von Mailand hinwegsah, kann seine Ursache nur in seiner Begeisterung für die malerische Wirkung der sarazenischen Baukunst haben.

Es war eine romantische Baukunst, die Schinkel als neue Architektur vor sich sah. Die italienischen Sakralbauten hatten eine tief in ihm schlummernde Grundstimmung angerührt. Schließlich waren seine Vorfahren Männer der Kirche gewesen. Und Schinkel selbst war noch in die Frühromantik mit ihren antiklassizistischen, antirationalistischen Tendenzen hineingewachsen. Zwei berühmte Romantiker, Ludwig Tieck und Wilhelm Heinrich Wackenroder, hatten wenige Jahre vor Schinkel ebenfalls im Gymnasium zum Grauen Kloster auf der Schulbank gesessen.

Religiöse Architektur bedeutete damals für Schinkel romantische Architektur unter Verwendung „sarazenischer" Elemente. Er malte sie nicht nur auf seinen Bildern, er wollte sie auch bauen. Dafür gibt es Dokumente: seine Entwürfe für die Berliner Petrikirche (1809/10) und zum Dom (1815) am Potsdamer Tor. Beide Bauwerke verzierte er mit sarazenischem „Zuckerwerk", mit Fensterrosen in den Giebeln, Spitzbogenfriesen und krönte sie mit fremdartigen, spitz zulaufenden Kuppeln.

Die phantastischen Reize venezianischer und Mailänder Bauten hielten ihn noch viele Jahre nach der Heimkehr umstrickt – dabei paßten die überladenen Fassaden überhaupt nicht in das Bild des nüchternen Berliner Alltags.

# *Familie und Freunde*

Schinkel hatte schon viel von der Welt gesehen und manche bedeutende Persönlichkeit kennengelernt, als er 1807 der 25jährigen Stettiner Kaufmannstochter Susanne Berger, seiner späteren Frau, begegnete. Er hatte Italien und Frankreich bereist, war als Architekt auf dem Rittergut Owinsk bei Posen tätig gewesen; er genoß die Sympathien des Landedelmannes von Prittwitz auf Quilitz (Oderbruch), des Ministers Graf von Haugwitz, der ihn mehrfach beschäftigte. Der kunstliebende Fürst Reuß-Schleiz-Köstritz hatte den talentvollen jungen Künstler nach Köstritz eingeladen, wo er von Schinkel Entwürfe zeichnen ließ und ihn scherzweise öfter seinen „Sohn" nannte. Bei Hauskonzerten des Fürsten Radziwill und seiner Gemahlin Prinzessin Luise von Preußen, war Schinkel, der gut Klavier spielte, Mozart, Haydn und Gluck vor allem liebte, ein gern gesehener Gast. In Adels- und höfischen Kreisen fand sich Schinkel als junger Mann erstaunlich gut zurecht. Er erfreute sich der Fürsprache Wilhelm von Humboldts, damals Preußischer Resident beim Päpstlichen Stuhl in Rom, war 1802 mit dem Berliner Bildhauer Gottfried Schadow, dem Schöpfer der Quadriga auf dem Brandenburger Tor, auf einer Kunstreise in Jena gewesen, hatte die Maler Joseph Anton Koch, Gottlieb Schick und Carl Ludwig Kaaz, deren Bilder zu den besten der Zeit gehören, in ihren römischen Ateliers besucht, und es gab noch seinen Reisegefährten Steinmeyer oder die Dekorationsmaler Wilhelm Ernst Gropius und dessen Söhne Carl Wilhelm und Ferdinand, mit denen Schinkel gerade die ersten Schaubilder fürs Weihnachtsfest von 1807 entwarf.

Durch die Familie Gropius lernte Schinkel vermutlich Susanne Berger kennen, ein sittiges Mädchen mit runden Wangen, von unübersehbar ländlicher Herkunft, ganz das Gretchenideal ihrer Zeit – und so hat Schinkel sie, vom gotischen Spitzbogen umrahmt, gemalt. Am 24. November 1807 schrieb Susanne ihrem Vater aus Berlin einen artigen Brief, in dem sie Gropius erwähnt und ein (heute nicht mehr vorhandenes) Schreiben Schinkels mitschickte:

„Mein bester Vater! Meinen herzlichen, kindlichen Dank für Deinen letzten Brief, der mir wieder einen Beweis Deiner Güte und Deines Vertrauens gegeben hat. Ich weiß Dir heute weiter nichts zu sagen, als was Du schon weißt: daß ich ganz glücklich und zufrieden bin. Gropius wird es Dir bestätigen und recht viel von mir erzählen, wenn Du Lust hast, ihn anzuhören. Der beikommende Brief ist von meinem teuern Freunde an Dich, lieber Vater, und diese wenigen Worte sollen ihn bis in Deine Hände begleiten. Möchte ich ihn Dir selbst zuführen können! Du kennst ihn nicht, und mein Urteil über ihn kann Dir mit Recht ein wenig parteiisch vorkommen. Ich verlange auch keineswegs, daß Du es als ganz gültig annimmst und lasse es mir gern gefallen, wenn Du andere über das ihrige bittest, im Falle Du dem meinem nicht so ganz trauen solltest. Ruhig kann ich es mit ansehen, wen Du auch fragen möchtest, so sehr gewiß bin ich meiner guten Sache . . ."

Das Unglück von Susannes Vater, der in Stettin ohne eigenes Verschulden während der französischen Besatzung bankrott machte, ließ eine Eheschließung noch nicht ratsam erscheinen. Erst am 17. August 1809 wurden Karl Friedrich Schinkel und Susanne Eleonore Henriette Berger, Tochter von George Friedrich Berger und dessen Frau Uranie Jacqueline Jeanson, in der Stettiner Jacobikirche getraut; zur fröhlichen Hochzeitsfeier fuhr man in den nahegelegenen Ausflugsort Frauendorf an der Oder. Zwei Jahre später erinnerte sich Susanne bei einem Besuch: „Gestern waren wir zum ersten Male wieder in dem schönen Frauendorf, wo wir unser Hochzeitsfest so selig gefeiert. Niemals kann ich diesen Ort betreten, ohne mich mit inniger Erbauung jenes Tages und jeder Stunde desselben mit dem freudigsten

Gefühl zu erinnern. Teurer Mann. Du Glück meines Lebens, wenn Du wieder hier bist, dann wollen wir zusammen dorthin gehen und dem Himmel vereint danken, daß er uns so über alles selig gemacht durch den dort gefeierten Bund."

Nach der Hochzeit folgte Susanne ihrem Mann nach Berlin, wo Schinkel am Alexanderplatz im Stelzenkrug eine Wohnung mietete, groß genug, um auch ein Atelier darin einrichten zu können.

Berlin erwachte damals nach mehr als zweijähriger französischer Besatzung aus einem lähmenden Schlaf. Die Berliner mochten gar nicht recht glauben, daß sie jetzt sogar eine Universität bekommen sollten, für die das Palais des kinderlos verstorbenen Prinz Heinrich im Herzen der Stadt vorgesehen war. Noch residierte das Königspaar in Königsberg, und die Straßen der preußischen Hauptstadt waren stiller denn je, aber der äußere Eindruck täuschte, denn in den Häusern des Adels und der gehobenen Bürger blühte wie selten zuvor ein reges geistiges Leben.

Ein Augenzeuge war der unternehmungslustige Dichter Clemens Brentano, ein geselliger Einzelgänger, der im September 1809 mit dem Märchensammler Wilhelm Grimm nach Berlin kam, um den gemeinsamen Freund Achim von Arnim zu besuchen.

„Von der hiesigen Universität rede ich und Arnim oft mit Herzklopfen", schrieb Brentano an seinen Schwager, den Rechtsgelehrten Friedrich Karl von Savigny, der 1804 die Brentano-Schwester Kunigunde geheiratet hatte. „Humboldt wird in einigen Tagen zurückkehren von seiner Reise und dann das Ganze wieder in lautere Anregung kommen . . ." Im übrigen gab Brentano dem verehrten Schwager (dieser „Studiermaschine"), den er aus Landshut an die Berliner Universität holen wollte, zu bedenken, daß „hier die Stände gar nicht so getrennt sind, indem sie eine allgemeine Berührung haben entweder in einem wahren oder Modeintresse an der Kunst oder durch das allgemeine Unglück des Landes, das sie auf der Flucht oder in fremden Städten zusammengedrängt und vertraut gemacht hat, und es ist vielleicht nirgends so leicht, sich einen offnen Zirkel Abends täglich oder an bestimmten Tagen zu bilden, wo alles durcheinander ein- und austritt und sich ernsthaft oder scherzend unterhält; dazu gehört nichts als daß der Diener Thee herumträgt, der im Vorzimmer gemacht wird. So ist zum Beispiel hier das Haus des jungen Grafen von Voß und seiner Frau, wo ich manchmal Abends nach Tisch hingehe, man geht um acht oder neun Uhr hin, die Frauen, geistreiche Hofdamen, und sonst Staatensmenscher, sitzen um den Tisch auf Sophan und stricken und plaudern, allerlei Menschen, Offiziere, Prinzen, Doktoren, Minister, Nobels und Abgesandte, auch Poeten unterhalten sie oder sich, manchmal liest irgend ein großes Talent etwas vor, und der Bediente reicht einem ein Glas Punsch und das dauert bis gegen 12 Uhr . . . Außerdem haben die meisten Familien hier ein Tag in der Woche, wo ihre Hausfreunde sich regelmäßig bei ihnen einstellen . . ." (Brief vom 30. Januar 1810)

Brentano und Grimm wohnten nach der Ankunft zusammen mit Arnim bei ihrem Studienfreund, dem gastfreundlichen Postrat Pistor, in dessen Haus in der Mauerstraße bedeutende Männer wie der Theologe Friedrich Schleiermacher, der Geologe Karl Georg von Raumer, der Komponist Johann Friedrich Reichardt, der Dichter Ludwig Tieck, der Philosoph Henrich Steffens zusammenkamen.

Brentano gefiel sich in diesem Winter in der Rolle des Bärenführers und genoß das gesellige Leben. Den zaghaften Grimm riß er in einen Strudel menschlicher Begegnungen, stellte ihm seinen alten Freund, den Buchhändler Hitzig vor, den Literaturwissenschaftler Friedrich von der Hagen, den dichtenden Botaniker Adelbert von Chamisso, den Maler Friedrich Bury, den Staatstheoretiker Adam Müller. Brentano war unermüdlich im Knüpfen von Kontakten, und Wilhelm Grimm gefiel „unser lustiges berlinisches Leben . . . Visitenlaufen und Arbeiten läuft parallel nebeneinander", (an Jacob, 3. Oktober 1810) . . . Und zwischendurch hockte er „zwischen wenig[stens] 50 höchst interessanten Büchern, die ich alle durchlesen und durcharbeiten muß . . ." (Brief an Jacob, nach dem 18. September 1809).

Schinkel und Brentano scheinen sich in dieser Zeit noch nicht begegnet zu sein. Das ist erstaunlich.

Denn Schinkel war stadtbekannt; sein Name wurde bereits seit 1808 in Zeitungskritiken zu den Schaubildern erwähnt. Es ist auch auffallend, daß Brentano 1810 nicht Schinkel um Illustrationen für sein *Rosenkranz*-Epos bat, sondern den Hamburger Maler Philipp Otto Runge. Selbst nach Runges frühem Tod am 2. Dezember 1810, den Brentano tief betrauerte, scheint er nicht an Schinkel herangetreten zu sein.

Doch am 6. Juni 1811 schrieb Brentano an Johann Georg Zimmer, den Verleger der Arnim-Brentanoschen Volksliedersammlung *Des Knaben Wunderhorn,* er wolle „mit einem herrlichen, kindlichen, ernsten, wundergeschickten Landschaftsmaler und Architecten, dem geheimen Oberbauassessor Schinkel und seiner Frau, eine kurze Reise an den Rhein machen" und Heidelberg besuchen.

Das Verhältnis beider Männer war damals sehr innig. Susanne, die schon im September 1810 eine Tochter, Marie, bekommen hatte, und gerade ihr zweites Kind erwartete, war in diesen Bund miteinbezogen. Als sie im Sommer 1811 bei ihren Verwandten in Stettin zu Besuch war, schickte Brentano ihr einen übermütigen Bericht von einer Reise mit Schinkel zur Auktion in Köpenick:

„Geliebte Mitgenossin meines höchsten Gutes, Geschwisterblume aus den berauschten Gärten unsres süßen Freundes! . . . Wir leben hier in einer vollkommenen Glückseligkeit, und wenn man Vergnügungen wie Schindeln, Ziegelsteine, Schieferplatten oder Stroh übereinander legen kann, so leben wir gewissermaßen unter einem wetterfesten Dach von lauter Einladungen, Spaziergängen, Lustreisen, Neckereien, geistreichen Gedanken, und Liebesbezeigungen, auf den Giebel aber hat ein treuer Storch sein Nest gebaut, derselbe, der Mariechen [Schinkels Tochter, geb. 2.9.1810] gebracht, und er schaut beständig nach Stettin . . . Da Schinkel einen königlichen Auftrag auf die Köpenicker Auktion hatte, fuhr ich und Wilhelm Sonntag Nachmittag mit ihm hin in der Kutsche mit dem Kutscher, der Sie nach Stettin gebracht . . . Schinkel hatte ein sehr kurzes Bette, und als er sich in der Nacht streckte, stieß er den Fuß durch die dünne Lehmwand in die benachbarte Stube, wo Madame Levi schlief, die auch auf die Auktion wollte; da diese alte Chanoinesse in der Nacht aufstand, ihr Brevier zu beten, hängte sie ihren altdeutschen Kopfputz mit samt der Perücke, als sie sich wieder niederlegte, an die Beine Schinkels, die sie in der Dunkelheit für ein Köpenicker Zapfenbrett hielt, aber die Beine bewegten sich nachher und der Kopfputz fiel herunter; mit unbeschreiblicher Geduld stand Madame Levi sechsmal auf, um den immer wieder fallenden Kopfputz von neuem aufzuhängen, da sie aber endlich das Fleisch und Bein fühlte, überfiel sie ein solcher Schrecken, daß sie sich in der Nacht noch aufmachte und zu Fuß nach Berlin zurückging. Als Schinkel heute morgen die Beine zurückzog, befand sich ein Briefchen auf violettem Atlaspapier an das eine gebunden, worin die Bekenntnisse einer schönen Seele standen. Ich habe es aber nicht gelesen, die erschrockene Dame ist nicht weiter gekommen als bis zum Neuen Krug, wo sie sich hat taufen lassen . . . Abends sieben Uhr waren wir vergnügt zu Haus. Gestern Abend aber war Schinkel und ich bei der Zelterschen Liedertafel bei Kämpfer, wo hübsche Frauen waren, bis ein Uhr, vorher aber bei dem Zuckerbäcker Schoch, der noch immer um ein Weihnachtsbild quält. Wilhelm hatte sich in Hoffnung vieler Pfannkuchen, Eispunsch usw. mit hinpraktiziert, aber wir kriegten gar nichts; heute früh finde ich nun Schinkel schon wieder fort nach Köpenick, weil ihm der Bürgermeister Rehfues gemeldet, daß seine Artikel vorkommen, ich benutze die kostbare Zeit seiner Abwesenheit, Ihnen diese kurzen Empfindungen meiner langen Seele mitzuteilen, und eile mich ergebenst zu empfehlen, Ihr innigster Knecht und vergebenster Dienster, der gestern bei Tisch ein Glas Braunbier umgestoßen . . ." (Brief vom 17. Juli, 1811)

Schinkel und Brentano haben auf die geplante Rheinreise verzichten müssen. Stattdessen fuhren sie nach Bukowan in Böhmen auf das Familiengut der Brentanos, wo Clemens seinem Bruder Christian unter die Arme greifen mußte. Schinkel benutzte die Gelegenheit, um den damals 25jährigen Grafen Pückler zu besuchen, der gerade durch den Tod seines Vaters die schlesische Standesherrschaft Muskau nebst Gröditz und Branitz geerbt hatte. Der Besuch bei dem exzentrischen Lebemann und Frauenfreund, der seine Muskauer einmal damit vergraulte, daß er in der Kirchengruft die Särge dreier Ahnen öffnen ließ und der Großmutter eine Locke abschnitt, kam wahrscheinlich durch Vermittlung des preußischen Staatskanzlers Fürst Hardenberg zustande, Pücklers späterem Schwiegervater. Schinkel sollte Pückler bei der Verschönerung und Erhebung des Stammgutes beraten. Dort wollte Pückler in eine prachtvolle Parklandschaft ein aristokratisches Luxusschloß setzen.

Schinkel hielt sich bei der Weiterreise nicht lange in Bukowan auf, sondern fuhr mit seiner Frau ins Salzkammergut, von wo aus sie Ausflüge in die Berge, zum Königssee bei Berchtesgaden und zum Traunsee unternahmen. In romantisch empfundenen Zeichnungen hat Schinkel die Erlebnisse dieser verspäteten Hochzeitsreise festgehalten.

Brentano plagte sich unterdessen mit Bruder Christian auf dem verwahrlosten Gut, wo sie nicht einmal die Sprache des böhmischen Gesindes verstanden, und die Pflüge auf geheimnisvolle Weise von den Feldern verschwanden.

Am 7. August 1811 schickte Brentano aus Bukowan einen Bericht an Schwager Savigny, der inzwischen einem Ruf an die Berliner Universität gefolgt war: „Seit 3 Tagen bin ich hier, nachdem ich den lieben Schinkel habe nach Wien reisen lassen ... Die ungemein angenehme Reise mit Schinkel und besonders der wunderliche Aufenthalt bei dem Grafen Pückler werden Dir nächstens aus einem Briefe an Arnim oder Pistor deutlich werden ... Alles Getreide selbst in den besten Gegenden Böhmens ist vertrocknet. Was ich auf der Reise noch auf den Feldern stehen sah, war höchstens 1 Schuh hoch ... Selbst alle Kartofflen sind ins Kraut geschossen. Die meisten Mühlen stehen still. Das Brot ist ungeheuer teuer und der gemeine Mann sieht einer Hungersnot entgegen.“

Brentano aber kehrte vorerst nicht nach Berlin zurück. Gut drei Jahre blieb er aus dem Gesichtskreis der Schinkels und der anderen Freunde verschwunden, um als Gutsbesitzer und Dichter ein unstetes Leben zwischen Bukowan, Wien und Prag zu führen.

Bald nach der Heimkehr aus dem Salzkammergut bekam Susanne Schinkel ihr zweites Kind (am 23.11.1811). Es war ein Mädchen, das sie auf den Namen Susanne Marie Sophie taufen ließen.

Um diese Zeit nahm Schinkel den neun Jahre jüngeren Schwager Wilhelm, den Bruder seiner Frau Susanne, in der Wohnung am Alexanderplatz auf. Wilhelm, der nicht nur von seinen kleinen Nichten, sondern auch von den Erwachsenen in der Familie „Onkel Wilhelm“ genannt wurde, sollte Kaufmann werden wie sein Schwager Kuhberg, der Susannes Schwester Caroline geheiratet hatte. Doch durch Schinkels Einfluß und Beistand ergriff er die Architektenlaufbahn und brachte es zum Oberbaurat.

Im Januar 1813, noch bevor König Friedrich Wilhelm III. in Breslau den Aufruf *An mein Volk* erließ, meldete sich Wilhelm als Freiwilliger.

Schinkel berichtete dem alten Berger am 18. Januar 1813 nach Stettin:

„Heute morgen ist unser Wilhelm mit wahrer Freude auf der Post nach Breslau abgegangen ... Ich habe ihn so mit Gelde und allem nöthigen versehen, daß er sich nicht allein ganz vollständig equipiren und armiren kann und für die Reise hinreichend, sondern auch auf mehrere Monate eine Zulage hat ... Was er in seinen Studien etwa verlieren sollte, ist bei dem Fleiße, womit er vorwärts kam, und seiner Liebe zur Sache in ein Paar Monaten nachgeholt ... Daß Wilhelm aus unserem Hause fort ist, schmerzt uns freilich sehr und besonders ist es meiner Susanne schwer, sich darin zu finden ... Alle seine Cameraden im Studio sind mit ihm gegangen und er trifft sie in Breslau; der Dienst in dem Jägercorps wird also sehr angenehm sein, da er nur mit gebildeten Leuten zusammen ist. Er hat Lust, bei der Guarde sich anstellen zu lassen, und im Fall dies bei dem Überlauf noch möglich sein kann, habe ich ihm Empfehlungsbriefe z. B. an Herrn Hofrath Bußler, der beim Könige ist, mitgegeben.“

Susannes Vater erlebte das siegreiche Ende der Freiheitskriege nicht mehr. Er starb noch im selben Jahr in Stettin.

Nach dem Pariser Frieden und der Heimkehr der mit unbeschreiblichem Jubel begrüßten Truppen im August 1814, tauchte Clemens Brentano wie ein verlorener Sohn bei dem Ehepaar Arnim auf dem Gut Wiepersdorf auf. Seine Schwester Bettine war bald nach der Hochzeit mit Arnim (1811) ihrem Mann zuliebe aufs Land gezogen, was einem Akt tapferer Selbstverleugnung gleichkam, denn sie hatte sich ihr Leben anders vorgestellt als in ländlicher Abgeschiedenheit Gänse zu füttern, zu weben und linnene Kinderhosen zu schneidern.

Brentano hielt sich jedoch nicht lange auf. Er hatte große Pläne, wobei ihm auch Schinkel helfen sollte. Zunächst wollte er eine literarische Buchhandlung aufmachen. Und Arnim notierte: „Er will jetzt fünf Jahre studieren, alles mögliche, um nachher zu allem brauchbar zu sein."

Clemens war immer für eine Überraschung gut. Am 5. Dezember 1814 meldete Wilhelm Grimm seinem Bruder: „der Clemens studiert unter Schinkel Architektur, um damit sein Brot zu verdienen (wenn's anhält)". Außerdem nahm Brentano, der ein Zeichentalent war, Unterricht bei dem bekannten Maler und Akademieprofessor Johann Erdmann Hummel. Im Januar kamen noch Algebra und Geometrie dazu. Und da er, wie Bettine sagte, wunderbar auf anderer Leute Kosten zu leben verstand, bekam er durch Pistors Güte wieder freies Quartier.

Schinkel selbst hatte freilich mit Brentanos Studien nur mittelbar zu tun. Denn er hielt weder damals noch zu einem späteren Zeitpunkt irgendwelche Vorlesungen. Schinkel war Beamter der Oberbaudeputation, die allerdings im gleichen Haus wie die von Brentano besuchte Bauschule in der Zimmer-Ecke Charlottenstraße untergebracht war.

Brentanos Entschluß, als 36jähriger ein neues Studium zu beginnen, war aus Verzweiflung geboren. Er befand sich in einer schweren Schaffenskrise und quälte sich mit Zweifeln an seiner dichterischen Begabung. Am 15. Februar 1815 gestand er Wilhelm Grimm:

„Meine dichterischen Bestrebungen habe ich geendet, sie haben zu sehr mit dem falschen Wege meiner Natur zusammengehangen, es ist mir alles mislungen . . . Weil ich mich nun durch die falschen Bestrebungen meines Geistes ganz misbraucht und einseitig nach der Fantasie hin ausgebildet fühle, habe ich mit schwerem Kampf, und ganz gegen meine Natur, mich dahin gewendet, wo ich am verlassensten bin, nach der Mathematischen Erkenntniß. Ich lerne Rechnen und Geometrie und laufe täglich vier Stunden mit einem schweren Zeichenbrett und langen Lineal auf die Bauakademie, wo ich unter vielen jungen Burschen frage, wie spricht der Hund, und erfahre, Vitruv spricht u.s.w. Da kann ich alle Geduld und Demuth entwicklen, denn ich zeichne auf, was mir nicht gefällt und was ich doch lernen muß und gar nicht kann."

Schinkel und seine Frau hatten 1814 die Wohnung am Alexanderplatz aufgegeben. Seitdem wohnten sie in einer vornehmeren Gegend, in der Dorotheenstadt, Große Friedrichstraße 99. „Das Lokal hat sich bei Schinkel sehr verändert, er wohnt in der Friedrichstraße, bei guter Aussicht, sehr grau elegant, wie Du seine Zimmerdekorationsmethode kennst mit lauter sanften Farben", berichtete Arnim seinem Freund Brentano am 25. August 1814.

In Schinkels neuer Wohnung versammelte sich oft eine fröhliche Gesellschaft. Clemens Brentano, die Arnims und der Musiker C. F. Rungenhagen gehörten dazu. „Schinkel saß dann meist unbekümmert um alles, was um ihn vorging und zeichnete", erzählt Carl Wilhelm Gropius, „Einmal diskutierte man darüber, wie schwer es falle, in einer Zeichnung das auszudrücken, was durch dichterische Darstellung so leicht zu erreichen sei. Schinkel opponierte; aber Brentano wollte beweisen, daß Schinkel nicht im entferntesten durch Zeichnen darzustellen vermöge, was er selbst aus dem Stegreif dichten würde. Unter allgemeinem Jubel wurde eine Probe beschlossen. Brentano erzählte und Schinkel komponierte. Die geistreiche, möglichst komplicierte Beschreibung eines alten Schlosses, welches nach dem Tode des Fürsten einer Oberförsterfamilie zur Wohnung dient, füllte den ersten Abend aus. Da der Oberförster in der Geschichte stirbt, das Schloß aber auf einem Felsen steht, so muß der Sarg in einer Gondel über den Fluß gefahren und jenseits des Schlosses beigesetzt werden. In den verlassenen Schloßhof tritt ohne Scheu ein Hirsch. Am Ende der Woche war die Erzählung vollendet, zugleich aber auch die Zeichnung dazu."

Brentano war Schinkels rührigster Verehrer. Reihum bot er die Dienste des Meisters an. Seinem

Bruder Georg Brentano in Frankfurt, einem passionierten Gemäldesammler, empfahl er Schinkel-Bilder im altdeutschen Stil. Franz Brentano, das Familienoberhaupt, verdankte der Emsigkeit von Clemens ein von Schinkel entworfenes Wohnhaus, das um 1820 in Frankfurt in der Neuen Mainzer Straße gebaut wurde. Außerdem sollte Schinkel zu dem vom Clemens und Arnim geplanten Theaterbriefwechsel einen Theaterbauplan liefern, aber bei der gemeinsamen Besprechung hat sich Intendant Brühl nur „fad entschuldigt", beklagte sich Brentano. (Brief vom 29. Juli 1815)

Schinkels Einfluß mußte auch dazu herhalten, Ölbilder des damals schon bekannten Malers Ferdinand Olivier beim Kronprinzen anzudienen – was mißglückte. Savignys Zuhörer ließen ihren Professor nach einer Zeichnung Schinkels in Kupfer stechen, aber es gab Streit wegen des Kostüms. „Savigny scheut sich in einem Mantel, den ihm Schinkel gemalt, vor den Augen der Welt zu erscheinen." (Arnim, Brief vom 13. Juni 1812). Und wie selbstverständlich schleppten ihm die Arnims und Brentano alle möglichen Leute, die den berühmten Mann kennenlernen wollten, ins Haus.

Schinkels Familienleben spielte sich nicht selten in Gasthöfen und in der Postkutsche ab. Als vielbeschäftigter Mann, den die Dienstgeschäfte bis in die späten Abendstunden festhielten, wollte er seine Angehörigen wenigstens auf Reisen um sich haben. So nahm er seine Frau und seine knapp sechsjährige Tochter Marie mit auf die bedeutsame Kunstreise zu den Brüdern Boisserée nach Heidelberg und weiter nach Köln, Xanten, Amsterdam und an die Nordseeküste. Während dieser hochoffiziellen Mission, in der über den Ankauf der boisseréeschen Bildersammlung verhandelt wurde, knüpfte man auch freundschaftliche Bande fürs ganze Leben. Die „wilde Marie" tollte ausgelassen mit dem Kölner Regierungsassessor de Groote, einem Freund der Boisserées, so daß Susanne Schinkel aus Köln von jener Reise schrieb: „Marie ist frisch und gesund, aber so wild geworden, daß Sie sie kaum wiedererkennen werden, sie möchte sich denn auf unserer Rückreise wieder ändern, wenn der Herr de Groote nicht mehr bei uns ist, der sich recht viel mit ihr geneckt und wohl einen kleinen Teil an ihrer jetzigen Lebendigkeit hat." (Datum unbekannt)

Schon damals, gleich nach der Heimkehr im Herbst 1816, beklagte sich Schinkel über die „entsetzlichen Anstrengungen, die, wie es scheint, täglich von Neuem veranlaßt werden". (Brief vom 14. November 1816, an Boisserée). Im Mai des darauffolgenden Jahres (der Bau der *Neuen Wache* war gerade vom König befohlen worden) gönnte sich Schinkel eine Reise nach Pommern, „teils in Geschäften, teils meine Frau ihren Verwandten zu zeigen und bei dieser Gelegenheit nach mancher Last von Arbeit einige Erholung für mich zu finden". (An Boisserée)

Auch im Sommer 1821, nach der Einweihung des schinkelschen Schauspielhauses, weilte die Familie in Stettin. Als aus Italien ein Brief von Schinkels Freund, dem Bildhauer Christian Rauch eintraf, schrieb Schinkel zurück, selbst die Kinder hätten „jede Silbe mit Gierigkeit verschlungen. Wir empfingen Ihren Brief, als ich eben mit meinem Schwager von Rügen zurückgekehrt war, wohin mich meine Familie nicht begleitet hat, denn die Geschäfte meines Schwagers ließen uns nur sieben bis acht Tage auf die ganze Reise verwenden, und da wir deshalb auch die Nächte beim Fortkommen zu Hülfe nehmen mußten, so wäre dies für Frau und Kinder zu fatiguant gewesen . . . Ich bin soeben dabei, eine Aussicht von Stubbenkammer in eine Oelskizze zu endigen". (Brief vom 1. September 1821)

So wurde es in der Familie Brauch, daß Susanne mit den Kindern auch während Schinkels großer Auslandsreisen nach Italien (1824) und England (1826) zu ihrer Schwester Caroline zog. Am 6. Dezember 1813 war Karl Raphael (nach Schinkels Lieblingsmaler) geboren worden, und am 17. August 1822 kam Elisabeth zur Welt, genannt das „Lieschen".

Schinkels Familienleben kennen wir nur aus dem Widerschein der wenigen erhaltenen Briefe. Danach war er ein liebevoller Ehemann und fürsorglicher Vater, der auch auf Reisen am Alltag seiner Frau und Kinder lebhaft Anteil nahm und sie in ausführlichen Briefen und mitgeschickten Tagebüchern an seinen Erlebnissen teilhaben ließ.

Aus Rom schickte er an Susanne am 28. August 1824 folgenden Brief: „Meine Liebste, teuerste

Susanne, in der Hauptstadt der Welt wieder angekommen, kannst Du denken, welche Empfindungen wieder in mir rege werden, aber unendlich mehr noch beglückte mich Dein herrlicher, liebevoller Brief vom 29. Juli mit allen den schönen Nachrichten . . . Jeder Deiner Briefe zeugt mir von dem Schatze, den ich an Dir besitze, indem Du mit jedem Worte Heiterkeit in mein Herz bringst . . . Könnte ich Dich doch einzig und allein in dem Vatikan auf einen Tag hier haben. Du mußt nun schon alles durch mich hindurch genießen, da Du nicht selbst hier sein kannst; denn mit Kindern und selbst für Dich fände sich auf der Reise doch manche unübersteigliche Schwierigkeit. Aber ich fühle, daß ich diese Reise höchst nötig hatte; es wird vieles bei mir klar und lebendig; ich fühle aber auch, daß ich mit dieser Reise für mein Leben völlig beruhigt sein werde. Es sei denn, daß wir so reich würden, um in Muße des Vergnügens noch einmal alle zusammen hierher kommen könnten . . . Lebe wohl, Teuerste, und behalte lieb Deinen ewig treuen Schinkel."

Am 17. August schickte er aus Florenz die „Fortsetzung" seines Tagebuchs, in der sich vermutlich auch folgende Schilderung über das Leben in einer Schweizer Badeanstalt befand. Bern (Schweiz), am 24. Juli 1824: „Es war vor Tische gerade noch Zeit, ein Bad zu nehmen. Die öffentliche Badeanstalt liegt unter der Terrasse der Kirche an dem stürzenden Wehr des Flusses. Hier führte uns Brandt [neben Waagen und Kerll Schinkels Reisebegleiter] hinunter, die Treppe ist neben der Terrassenmauer bedeckt angelegt, welches bei der Mittagshitze sehr wohlthätig ist. Entsetzlich war es aber, daß wir gefragt wurden beim Eintritt ins Bad, ob wir ein Bain garni, daß heißt mit einem Frauenzimmer, verlangten; auch zeigten sich viele dergleichen in den Korridoren in allerlei Schweizertracht ausgeputzt. Wären die Bäder nicht für uns schon präpariert gewesen, so würden wir bei dieser öffentlichen Frechheit einer solchen vom Staate beschützten Einrichtung umgekehrt sein. Während des Bades hörten wir draußen das Gesindel den ‚Jungfernkranz' aus dem ‚Freischütz' singen und sonst sich sehr laut machen."

Die Sehnsucht nach Hause und die Sorge um das Wohlergehen der Kinder klingen in einem während der Rückreise in Rom geschriebenen Brief an: „. . . Den 14. Nov. bin ich gewiß in Venedig, wo ich, Deinem Versprechen gemäß, vielleicht noch einen Brief finde, der mir sagen wird, daß Du mich mit allen Kindern schon in Berlin erwartest . . . Unserer lieben Marie Geburtstag habe ich leider, meiner Vergeßlichkeit halber, nicht bedacht, aber sag ihr, daß ich ohnedies alle Tage Freude über sie empfinde. Küsse alle Kinder herzlich von mir. Karln hoffe ich als einen gelehrten und tüchtigen Menschen wiederzufinden; sag ihm, daß ich fest darauf rechne . . ." (Rom, 3. Oktober 1824)

Der Knabe Karl, speziell die Schulprobleme, beschäftigten den Vater häufig. Auch um die Haushaltskasse machte er sich manchmal Sorgen. Aus einem Brief aus Florenz geht hervor, daß die Schinkels rechnen mußten:

„Karl wird bei seiner Rückkehr nach Berlin wohl zuförderst wieder in seine alte Schule gehn und starke Privatstunden nehmen müssen, bis ich zurückkomme und sehe, wie weit er vorgerückt ist und wie lange es noch dauern kann, ihn ins Gymnasium zu bringen . . . ich freue mich unendlich auf unsere Winterabende. Nur für den Weihnachten bin ich bange, da das Geld fehlen wird, und von hier aus etwas anders, als wirkliche Kunstsachen mitzubringen, lohnt nicht der Mühe . . . Auch Catel malt für mich ein kleines Bildchen mit meiner Gestalt; es ist mein Fenster in Neapel mit der Aussicht aufs Meer und Capri. Dies soll Dein Weihnachtsgeschenk werden, leider wird [es] nur nicht zur rechten Zeit mehr ankommen können. Zum Weihnachtsfeste selbst wirst Du Dich also vorläufig mit meiner Person allein begnügen müssen. Aber ich wollte doch gern für die lieben Kinder etwas auftischen, was den Anschein des Mitbringens hätte, und da bitte ich Dich, liebste Susanne, etwas in der Zeit auszusinnen, was geeignet ist, ohne unsere Kasse zu sehr anzugreifen . . ." (Brief vom 28. Oktober 1824)

Im Dezember 1816 kehrte Bettine dem Arnimschen Gutshof in Wiepersdorf den Rücken und zog mit den drei Kindern (später kamen noch vier dazu) wieder nach Berlin. Ihr unsteter Geist brauchte die geselligen Kontakte, das abwechslungsreiche Leben einer Hauptstadt. Sie freundete sich mit der Schriftstellerin und Kunstkritikerin Amalie von Helvig an, einer Nichte der Frau von Stein, die in Weimar von Goethe und Schiller als Dichterin gefördert worden war und seit einem halben Jahr mit ihrem Mann, einem schwedischen Oberst in preußischen Diensten, in Berlin wohnte. Die lebhafte und gewandte Amalie brachte im Handumdrehen zustande, was Bettine nie gelang: Sie scharte einen Kreis bedeutender Persönlichkeiten um sich, arrangierte Picknicks, gab Tees und gesellschaftliche Empfänge.

Schinkel war mit Sicherheit kein Gesellschaftsmensch, dennoch versuchte Bettine ihn in die Geselligkeiten ihrer Freunde und Bekannten einzubeziehen. So sah man ihn schon mal bei Laroche, einem Onkel Bettines, wo dann alle Herren der Gesellschaft auf ihm saßen „wie die Fliegen auf einem Honigduppen" (Bettine, 16. Dezember 1818). Man traf ihn auch im Hause des Generals Graf von Gneisenau, einem Sammler schinkelscher Gemälde, der 1818 zum Gouverneur von Berlin ernannt worden war.

Wie unbehaglich sich jedoch Schinkel auf Gesellschaften fühlte, geht aus einem Bericht Bettines hervor, in dem sie einen Empfang zu Ehren des berühmten Sprachforschers und Dichters August Wilhelm Schlegel, der in Berlin Gastvorlesungen gab, schilderte:

„Diesmal glaube ich doch, daß mein interessanter Abend, den ich mit Schlegel, Schinkel, Rauch, Tieck, Varnhagen pp. bei der Helvig zubrachte, Deine Kindtaufe überwiegt", schreibt sie an Arnim. „Schlegel, der Dich grüßen läßt, giebt hier Vorlesungen; eine allgemeine Theorie der Künste, in dem Saal der neuen Singakademie, und wird in 6 Wochen 12mal lesen. Er hat eine blonde Perücke, höchst rote Wangen, die aber nicht geschminkt zu sein scheinen, trägt einen Brillantring am Finger, von ungeheurer Größe . . . Schlegel hat besonders Neigung, mit Schinkel zu sprechen und ihn zu überweisen, daß alles Große aus dem Indischen herrühre. Ich hörte ihm eine Weile zu, wie er mit Gemächlichkeit eine halbe Stunde über gemaltes Haar und Haarputz der Frauen sprach; grade als ob ein alter Rumpelkasten über den Damm fährt, auf dem er Angst hat einzubrechen; ungeheuer selbstgefällig, leer, matt, ich sah deutlich, wie Schinkel elend wurde . . ." (Brief vom 19. Mai 1827)

Bettine ließ keine Gelegenheit aus, ihren Mann aufzumuntern und ihm das Gefühl zu geben, daß er als Dichter nicht vergessen sei. Sie schrieb ihm nach Wiepersdorf, Schinkel habe ihr gesagt, er wolle Arnims Schauspiel *Marino Caboga* lesen, weil er gehört habe, „daß seine ganze Basis auf der Architektur beruhe . . ." und „den Brühl darauf aufmerksam machen, der immer so sehr über den Mangel an guten Schauspielen klage". (18. Juni 1818)

Natürlich versuchte sie auch, über Schinkel, den Paten ihres dritten Sohnes Friedmund, Arnims Theaterstücke beim Intendanten Brühl unterzubringen, für den Schinkel ja Bühnendekorationen malte.

„Gestern Abend war ich zum ersten Mal im neuen Schauspielhaus", berichtet sie Arnim am 3. Juli 1821, „das Theater selbst hat so was schön Zusammenhaltendes, der Vorhang ist so heimlich, daß ich mir nicht denken kann, wie ein Dichter nicht gern und mit Zuversicht sein Stück da spielen sähe", schreibt sie ihrem Mann. „Schinkel hat mich schon mehrmals gefragt, ob Du kein Lustspiel hättest, er möchte dann wohl auch Dekorationen dazu malen, wenns aufgeführt werden sollte, er scheint mehr Interesse an Dir zu nehmen wie sonst . . ." (24. Oktober 1820)

Aber Arnim, der wohl fühlte, daß seine dichterische Kraft erlahmte, war nicht mehr aus seiner selbstgewählten Einsamkeit herauszulocken. Er fand für Bettines aufrichtiges Bemühen nur resignierende, ja verletzende Worte: „Es freut mich, daß das Schauspiel endlich eröffnet ist, so hat Leerheit und Langeweile ein neues Dokument gefunden und das öffentliche Gespräch einen neuen Lückenbüßer." (Brief vom 31. Mai 1821) Arnim hielt nichts „von dem seltsamen Triebe, der so gern hinter Engelslarven wie Schinkel mit Genien die Leerheit der Lebensarchitektur verbirgt". (Brief vom 27. September 1821)

Bettine und die Familie Schinkel waren gut fünfzehn Jahre lang miteinander befreundet. Diese Freundschaft gründete sich auf gemeinsame künstlerische Interessen von Schinkel und Bettine, die neben Haushalt und Kindergeplärr noch Zeit zum Bildhauern und Malen fand; Bettine war intelligent und besaß ein gesundes Urteil. Mit Susanne unterhielt sie ein vertrautes Verhältnis, und sie freute sich ehrlich, als sie ihrem Mann nach Wiepersdorf berichten konnte: „Die Schinkel wollte mit mir und Seebalds ein Kränzchen für Musik einrichten, ich warte Deine Einwilligung ab, das könnte mir den Winter sehr angenehm machen" (Brief vom 18. August 1817). Bettine besuchte Schinkel oft im Atelier und war ihm für jede Aufmunterung und Anerkennung ihrer Malereien dankbar. Viele Zeichnungen schenkte sie Schinkel, so daß er mit den Jahren „eine mir sehr werthvolle Sammlung verschiedener Entwürfe in Umrissen von Ihrer Hand" zusammentragen konnte. (Schinkel an Bettine, 11.9.1837)

„Zeichnen tue ich nur mäßig", schrieb sie am 7. Januar 1823 an Arnim, „heute habe ich der Psyche ein gut Teil von ihrem Hintern hinweggenommen und sie dadurch verschönert, auch hab ich einen Amor, der ein Gespann Tauben durch die Lüfte jaget, mit der Peitsche, und einen andern, der mit einer großen Schere die Zügel abschneidet, erfunden. Erzähle dem Schinkel von meiner großen Kunstanlage, und wie ich mirs sauer werden lasse."

Umgekehrt schätzte Schinkel ihr intuitives Urteil. Nicht ohne Stolz erwähnt Bettine, „daß Schinkel vor ein paar Tagen bei mir war, ganz heimlich und mir ein Stück seiner Komposition [Fresken] für das Museum zeigte, mich veranlaßte, eine Gruppe Taunymphen zu komponieren; . . . Was ein groß Geheimnis ist von ihm, ist, daß er seinen Abschied fordern will von der Oberbaudeputation, um diese Komposition selbst zu malen, die schon über 100 Figuren zählt und noch nicht in der Hälfte ist." (An Arnim, 7. Mai 1828)

Auch Arnim in seiner ländlichen Abgeschiedenheit vergaß die Schinkels nicht. Von Bettine stets mit den neuesten Nachrichten versorgt, schickte er an die Schinkels zu den Festtagen Hase, Hirsch oder Reh. Und doch war die Atmosphäre eines Tages vergiftet. Das Gewitter entlud sich zehn Tage nach Schinkels 46. Geburtstag, zu dem Bettine ihm Trappenfedern für Schreibkiele geschenkt hatte. Anlaß gab eine diebische Köchin, die Frau Schinkel aus dem Haus gewiesen, trotzdem aber der Bettine empfohlen hatte; die Ursache dieser Boshaftigkeit war vermutlich Susannes Eifersucht auf die künstlerisch begabtere Bettine.

„Die Schinkel hat eine Köchin 3 Jahre", giftete Bettine, „während dieser ganzen Zeit hat die Gelegenheit gefunden, den Pult heimlich zu öffnen und Geld herauszunehmen, und erst jetzt wurde es entdeckt, das Lächerliche ist, daß die Schinkel sie mir als Köchin rekommandierte, ohne mir ein Wort von dieser Geschichte zu sagen, er [Schinkel] aber, der davon nichts wußte, sagte mir in seiner Frau Beisein, daß ich mich ja hüten solle, sie zu nehmen. Sie kam sehr in Verlegenheit." (23. März 1827, an Arnim)

Bettines Zunge war gefürchtet und ihre Klatschsucht stadtbekannt. Immer wieder fiel sie jetzt über die Schinkel her, mokierte sich über deren Krankengeschichten und bemerkte spitz, daß Frau Schinkel „garnicht daran denkt, daß der Geist doch etwas Gewalt über den Körper auszuüben habe. Ja, daß die Krankheiten gerade dazu geeignet sind, den Geist einmal daran zu üben, zumal, wenn er sonst auf keine Proben gesetzt wird". (An Arnim, 14. Juli 1829)

Bettine hat mit ihrer Boshaftigkeit das Verständnis vieler überfordert und gute Freunde verprellt. Selbst Schinkel, der sie trotz ihrer Eigenarten schätzte, äußerte schon 1818 nach einem Beisammensein bei der Frau Helvig über Bettine: „Ihr Egoismus, der sie nie verläßt. Ihre Gutmütigkeit, die aber niemandem zugute kommt, sondern von ihrer Willkür verzehrt wird. Sie möchte Fürstin sein, immer dominieren und dann willkürlich hinschlagen, wo es ihr einfiel . . ." (Tagebuch Ludwig von Gerlach, 5. Sept. 1818)

So scheint Bettine denn auch nach dem plötzlichen Tod ihres Mannes (am 21. Januar 1831) durch ihre nicht zu bändigende Lust am Intrigieren die Freundschaft mit den Schinkels zerstört zu haben. Denn als sie dem Fürsten Pückler ihre Freundschaft geradezu aufdrängte – er nannte ihre Briefe „Raserei aus Hirnsinnlichkeit" – intrigierte sie gleichzeitig gegen Schinkel.

Das Widersprüchliche ihres Charakters zeigt sich darin, daß sie zur gleichen Zeit ihre Gedanken über Schinkels allegorische Museumsfresken niederschrieb. Veröffentlicht wurden Bettines Elogen dann ausgerechnet in Pücklers berühmtem Werk *Andeutungen über Landschaftsgärtnerei* (1834). Es war Bettines erste, allerdings anonyme, schriftstellerische Arbeit.

Auch Schinkels Freundschaft zu Clemens Brentano gestaltete sich problematisch. Clemens Brentano legte im Februar 1817 die Generalbeichte ab und zeichnete seit 1818 in Dülmen (Westfalen) die Visionen der stigmatisierten Nonne Anna Katherina Emmerick auf.

Schinkel traf den Freund 1826 in Koblenz und berichtete Susanne: „Letzterer ist seinem Wesen nach noch ziemlich der Alte, nur quälte er etwas stark mit seiner Nonnengeschichte, und ich ließ ihn einige Zeit gewähren, um zu hören, was damit war."

Brentano vergaß den vergötterten Schinkel sein Leben lang nicht. „Schinkels gedenke ich oft mit großer Liebe und Rührung, er ist ein edles Herz, eine eigentlich Einsame Seele . . ." (An Arnim, Dülmen 1820)

Als Schinkel im August 1839 nach einer Kur Station in München machte, besuchte er Brentano, der seiner Freundin Emilie Linder berichtete: „Ich bin viel mit Schinkel, ich weiß nicht aus welcher Treue und Liebe . . ."

War die Freundschaft mit den Brentanos problematisch, so zählte Schinkel zu seinen Freunden doch auch verläßliche Männer von außerordentlicher Begabung, mit denen er bis ans Lebensende zusammengearbeitet hat. Da ist vor allem der Bildhauer Christian Rauch (1777–1857), der wie Schinkel zu Beginn der Laufbahn mit großen Schwierigkeiten zu kämpfen hatte: Beide kamen aus der Provinz, beide waren zur selben Zeit in Italien und gingen bei Humboldt in Rom ein und aus; beide kamen früh mit dem Hof in Berührung. Rauch, ein stattlicher, gutaussehender Mann, war eine Zeitlang Kammerdiener der Königin Luise; Schinkel richtete für die Königin 1810 einige Gemächer ein. Und schließlich war es wieder Humboldt, der ihrem Lebensweg fast zur gleichen Zeit die entscheidende Richtung gab: Schinkel wurde durch ihn Beamter, und Rauch bekam durch Humboldts Vermittlung 1811 den ehrenvollen Auftrag für den Sarkophag für die verstorbene Königin.

Dreißig Jahre lang arbeiteten Schinkel, der Architekt, und Rauch, der Bildhauer, harmonisch zusammen. Rauch schuf die Marmorstandbilder der Feldherren Scharnhorst und Bülow, die nach dem Plan Schinkels rechts und links der Neuen Wache aufgestellt wurden, und auch die Statue des Marschall Blücher auf der anderen Seite der Straße. Die Sockel für alle drei Standbilder stammen von Schinkel, hingegen lieferte Rauch das marmorne Bildwerk für den Umbau des Humboldt-Schlößchens in Tegel, darunter die vom Hausherrn so geliebte Sitzstatue seiner kleinen Tochter Adelheid als Psyche.

Während des Umbaus des Schlößchens sahen sich die Freunde auch privat besonders häufig. Als Schinkel seinen 40. Geburtstag feierte (1821), war Rauch unter den Gästen. Umgekehrt gab Rauch am 2. Januar 1822 zu seinem 45. Geburtstag ein Essen, zu dem Prof. Wach, der einige Partien im Schauspielhaus ausgemalt hatte, Schinkels Schwager Wilhelm Berger, der Bibliothekar Spiker und Schinkel eingeladen waren. Schinkel war bei der Verlobung und Hochzeit der Rauch-Tochter Agnes zu Gast, man feierte Silvester zusammen und unternahm Ausflüge zur Pfaueninsel, nach Pichelswerder oder Glienicke an der Havel. Der Kronprinz, ein witziger und kunstinteressierter Mann, lud sie beide oft an seine Tafel oder fuhr mit ihnen zum Sommersitz Charlottenhof bei Potsdam, wo man auch gemeinsam übernachtete. Ein andermal mußten sie am frühen Morgen nach Glienicke zum Prinzen Karl, wo sie den Standplatz eines Bronzeabgusses einer antiken Statue bestimmen sollten. Rauch notierte unter dem 30. Mai 1825 ins Tagebuch: „An diesem schönen Morgen waren sämmt[liche] Königss Söhne und auch der Herzog von Cumberland dort. Auf Steineseln wurde spazieren geritten!"

Im August 1820 fuhren Schinkel und seine Bildhauerfreunde Tieck und Rauch nach Jena zu Goethe. Rauch wollte die persönliche Bekanntschaft des Dichters machen und hoffte wie Tieck – ohne daß sie beide von der Absicht des anderen wußten – eine Büste machen zu dürfen.

Der Besuch der „jungen Freunde“ hat den alten Herrn ordentlich aufgemöbelt: „Tieck und Rauch sind zugleich angekommen“, schrieb Goethe seiner Schwiegertochter Ottilie, „und jeder hat eine Thonmasse gehäuft, um den Papa zu porträtiren; ... Sie speisen Mittags im Gasthause und sind Morgens und Abends gar mäßig ... Schinkel ... hat den Aufriß seines Theaters mitgebracht und von den Grundrissen etwas hier gezeichnet; du wirst dich verwundern, solches zu sehen.“ (Brief vom 19. August 1820)

Drei Tage dauerten die Sitzungen, zwischendurch betrachtete Goethe „herrliche Landschaften, gezeichnet von Schinkel“. Am 21. August fuhren die „Berliner Freunde“ wieder ab. „... die Thätigkeit der jungen Männer hat mich in's Leben zurückgerissen“, schrieb Goethe an den Staatsrat Schultz. „Daß schon, seit jener ersten persönlichen Bekanntschaft, mein Wunsch Berlin zu besuchen, die dortigen trefflichen Männer, die herrlichen Kunstbesitzungen und die übrige große Existenz einer bedeutenden Königstadt zu schauen, zu erkennen und zu verehren, sehnlichst gewachsen, dafür bedarf es wohl keiner wörtlichen Betheurung.“ Nach Schinkels Besuchen entwickelte Goethe recht unerwartet eine Altersliebe für das „lebendige, that- und geräuschvolle“ Berlin, das ihn im Mai 1778 bei seinem ersten Besuch wegen seiner Größe und der vielen Menschen so sehr bedrückt hatte, daß er niemehr dorthin zurückkehren wollte.

Aber mit Schinkel blieb er nun in reger Verbindung. Nicht nur, daß Goethe seine kritische Meinung zum Fronton der neuen Wache kundtat, er ließ sich von Schinkel auch Bildschmuck für den Jenaer Bibliothekssaal entwerfen und ereiferte sich über den Neubau des Schauspielhauses. So beschwor er den Staatsrat Schultz: „Thun Sie das Mögliche, zu verhindern, daß die Inschrift des Theaters aus zwey Zeilen bestehe“ – was Schinkel auch gar nicht beabsichtigte. Hatte Goethe bis dahin in Zelter einen witzigen und genauen Beobachter des Berliner Lebens, so fand er nun in Schinkel einen Baufachmann, der ihn fleißig mit den neuesten architektonischen Entwürfen versorgte, die Goethe dann zusammen mit Oberbaudirektor Coudray an langen Winterabenden genußvoll studierte.

Schinkel besuchte Goethe noch zweimal: im Dezember 1824 bei der Heimkehr aus Italien und im April 1826 zusammen mit seinem Reisegefährten Beuth. Schinkel berichtete seiner Frau: „Wir sprachen gleich ... Herrn von Goethe, welcher aber nicht ganz wohl war, auch wegen Geschwulst am Kinnbacken Pflaster trug. Er hatte die Tage zuvor niemanden angenommen und die junge Goethe sagte mir, daß er schwerlich die Krankenstube verlassen haben würde, wenn nicht solche Gäste gekommen wären. Übrigens unterhielt er sich zwei Stündchen sehr heiter mit uns ...“ (19. April 1826)

Goethes einziger Duzfreund Karl Friedrich Zelter, ein stämmiger Mann mit Stentorstimme und gewaltigen Pranken, wohnte von 1817 bis 1821 in der Friedrichstraße, wenige Häuser weiter als Schinkel. Die räumliche Nähe und gemeinsame Interessen haben den ehemaligen Maurermeister und den Architekten menschlich zusammengeführt. Im August 1817 unternahmen sie gemeinsam eine Fahrt, auf der sie ein morphologisches Heft von Goethe studierten. Zelter: „Auf einer kleinen Reise, von der ich mit Geh. Rath Schinkel so eben zurückkomme, haben wir uns das Heft wechselsweise vorgelesen, vorgesprochen, auseinander und sauber wieder eingewickelt, und hatten sechzehn Meilen zurückgelegt ohne den Weg zu bemerken.“ (Brief vom 26. August 1817)

Schinkel und Zelter gehörten zum Freundeskreis des bekannten Berliner Verlegers Friedrich Nicolai, der Goethe mit der Spottschrift *Freuden des jungen Werther* verärgert hatte. In Nicolais Haus in der Brüderstraße und in seinem Sommersitz in der Blumenstraße gab man regelmäßig kleine Konzerte, zu denen auch Schinkel, Rauch, Zelter, Prof. Wach, Friedrich Tieck und andere Berühmtheiten kamen.

Bei einer solchen Aufführung konnte sich Schinkel, der gerade das Schauspielhaus mit dem Konzertsaal baute, nicht genug über die hervorragende Akustik wundern. Er sagte, „es sei schlimm, daß man im geheimnißvollen Gebiete der Akustik nicht so, wie in andern Gebieten der Naturwissenschaften, im Großen experimentiren könne: denn weder Privatleute noch Regierungen seien im Stande, das Geld dazu herzugeben; einen fertig gebauten Saal umzubauen, sei um so mislicher, da man für den Erfolg der Aenderung nicht einstehn könne. Er notirte sich die Maaße des Saales an Länge, Breite und Höhe in sein Taschenbuch, fügte auch eine Zeichnung der schwachgewölbten Decke hinzu.“ (Gustav Parthey)

Später mußte Schinkel tatsächlich erleben, daß die von ihm gebaute Werdersche Kirche und die Potsdamer Nicolaikirche erhebliche Mängel in der Akustik hatten.

Im Hause Nicolais verkehrte auch Peter Beuth, Schinkels „Urfreund“. In den Freiheitskriegen kämpfte er als Kavallerie-Offizier bei den Lützower Jägern und schloß nach den Feldzügen mit Schinkel eine lebenslange Freundschaft. Dabei waren ihre Charaktere von Grund auf verschieden.

Schinkel war Idealist, Beuth ein Tatsachenmensch. Beuth, der Vater des preußischen Gewerbewesens, legte die Fundamente für die industrielle Revolution, Schinkel baute die steingewordenen Träume der untergehenden klassizistischen Welt. „Wie glücklich sich nun zwei solche Naturen“, sagt Schinkels Biograph Gustav Friedrich Waagen „in ihrem Zusammenwirken ergänzen mußten, leuchtet von selbst ein ... Ich war nämlich verschiedentlich Zeuge der Unterhaltungen, welche Sonntags nach dem Mittagsmahl, welches sie an diesem Tage in der einen oder andern Familie einzunehmen pflegten, zwischen ihnen stattfanden. In der vertraulichsten und zugleich freiesten Weise wurden hier die verschiedensten, Kunst und Industrie betreffenden Gegenstände durchgesprochen, und zum gegenseitigen Verständniß gebracht ... da gab es denn keinen Gegenstand, er mochte den directen Geschäftsverkehr zwischen beiden betreffen, oder nicht, welchen nicht Schinkel seinem Freunde mittheilte und seinen bewährten Rath darüber einholte, wobei er nach seiner Weise öfter zum Bleistift griff, um seinen Worten mit einigen Strichen größere Deutlichkeit zu geben. Aber auch Beuth versäumte seinerseits nicht, Schinkels Urtheil über alles Gewerbliche einzuholen, was in irgend einer Beziehung zur bildenden Kunst stand ... Sehr bezeichnend, sowohl für das Freundschafts-Verhältniß als für die angedeutete Geistes-Art beider Männer, sind eine Anzahl von ... Zeichnungen Schinkels, welche er eine Reihe von Jahren hindurch Beuth zum Geburtstag zu verehren pflegte. Der Inhalt derselben dreht sich in der Regel um den in Beuths Naturell so scharf ausgeprägten Gegensatz der idealen und realen Welt. Mit einer leisen, von Beuth immer sehr gut aufgenommenen Ironie wird darin die ideale Welt als das Gebiet der Träume und Schäume den unerbittlichen und lockenden Anforderungen der realen Welt gegenübergestellt ...“

Nur durch das Zusammenwirken beider kam damals eine Reihe von Projekten zustande, die der einzelne allein kaum durchgeführt hätte. Schinkel, der 1819 zum Mitglied der technischen Deputation im Ministerium für Handel, Gewerbe und Bauwesen ernannt wurde, war die Seele der *Vorbilder für Fabrikanten und Handwerker.* Andernfalls wäre die Bauakademie nicht zustande gekommen, wenn sich nicht Beuth mit der ihm eigenen Energie für die Beschaffung der Baugelder eingesetzt hätte.

Beuth war Junggeselle. Da mußte Susanne schon mal aus der Verlegenheit helfen. Am 22. April 1826, auf dem Weg nach England, bat Schinkel seine Frau um eine Gefälligkeit für den Freund: „Beuth bittet sich neue Hemden von Dir aus, weil gestern auf unserer Tour der Spannagel des Wagens sich gehoben und seinen ledernen Koffer stark verletzt hatte, so daß er tief eingedrungen war.“

Auf der dreistündigen Überfahrt nach Dover ereilte den Freund das nächste Malheur: Auf dem Dampfboot *His Majesty's Steam Packet Spitfire* wurde Beuth seekrank.

England zeigte sich den Freunden von seiner lieblichsten Seite: „Der erste Eindruck Englands ist höchst heimlich und angenehm ... In den Landhäusern sieht man Morgens die Töchter des Hauses in feiner Toilette in großen Haufen am Fenster, wenn die Stage-Coaches vorbeieilen. Am andern Morgen um 9 Uhr fuhren wir in einer solchen nach London; die Kutsche ist von höchster Eleganz; vier schöne Pferde lang gespannt, mit dem feinsten Geschirr, so wie es eben der englische Gesandte in Berlin hat ...“ (Brief aus London an Susanne, 26. Mai 1826)

Für die Kinder hatte Schinkel in Paris einige „Kleinigkeiten“ gekauft, „für Karl aber, wenn er sich recht gut benimmt, eine hübsche, kleine silberne Uhr, die ich auf der Reise selbst benutze und bis jetzt richtig gehend gefunden habe. Sag ihm dies, liebste Susanne . . .“ (Brief vom 26. Mai 1826)

Auf Schinkels Rückreise erhielt Susanne gleich noch einen Auftrag: „Ich bitte Dich einen großen Waschkorb und die beiden Mädchen [doch wohl die älteren Töchter Marie und Susanne?] bereit zu halten, die meine Sachen, welche in unserem Wagenkasten liegen, darinnen aufnehmen können, damit der Kasten wieder eingesetzt und Beuth darauf weiter zu seiner Wohnung Klosterstraße, im Gewerbeinstitut fahren kann, und unser Aufenthalt vor unsrer Hausthür [Unter den Linden 4 a] nicht zu lange dauere.“ (15. August 1826)

Schinkel besaß einen ausgeprägten Familiensinn. Seine zehn Jahre ältere Schwester Sophie, die einen Prediger geheiratet hatte, besuchte er regelmäßig im märkischen Krentzlin. Für die Angehörigen seiner Frau hat er umsichtig gesorgt. Seinem Schwager Wilhelm Berger verschaffte er Arbeiten an interessanten Objekten wie z. B. dem Bau des Schauspielhauses, die Schwiegermutter nahm er als 76jährige in seine Wohnung Unter den Linden auf; auch die Schwägerin Caroline zog nach dem Tode ihres Mannes zu den Schinkels.

Ein geselliges Leben führte Schinkel nicht. Dazu war er viel zu beschäftigt. Gelegentlich besuchte er jedoch mit seiner Frau die Oper, das Theater und die Singakademie, wo Susanne seit 1820 im Chor sang, und der er von 1813 bis 1826 als Ehrenmitglied angehörte – Stunden, die er sich selber stehlen mußte.

Sein Schwiegersohn Freiherr von Wolzogen, bezeichnete ihn als „niemals feiernden Mann“. Selbst als Schinkel 1827 einen Assessor zur Entlastung bekam, nutzte er die gewonnene Zeit nicht zur Erholung, sondern für die „collossalen Vorarbeiten“ zu seinem *Architektonischen Lehrbuch,* „welches gleichsam die Summe seines Strebens und Denkens enthalten sollte“.

Susanne und die Kinder hatten nicht viel von ihm. „Wie oft . . . zog er sich spät Abends noch von dem traulichen Theetisch seiner Familie zurück, um die Arbeit von neuem zu beginnen, und umsonst bat ich ihn verschiedentlich, . . . sich nicht mehr so viel zuzumuthen“, erzählt Waagen. Dabei stand „er oft um 4 Uhr auf, um vor Beginn der Berufsgeschäfte erst die seines Herzens in stiller Morgenfrühe abzuthun“, berichtet Wolzogen zum gleichen Thema. Gelesen hat Schinkel, wie Achim von Arnim schreibt, „fast nichts, was nicht ausschließlich auf seine Thätigkeit Bezug hat, und Zeitschriften kommen gar nicht in sein Haus.“ (An Jacob Grimm, 21. Januar 1829)

1830 konnte Schinkel endlich einen langgehegten Wunsch erfüllen und seiner Frau und den Kindern den Norden Italiens, vor allem aber Venedig zeigen. Zwar verband er auch diese Reise mit Dienstgeschäften, die ihn über Magdeburg, Elberfeld und Köln führten, aber ein kleines noch vorhandenes Reisetagebuch, von einer der beiden älteren Töchter sorgsam geführt, verrät dennoch biedermeierliches Familienglück.

Da sind die vielen kleinen Aufregungen und Freuden. Nach der Abfahrt in Berlin um fünf Uhr früh, „erwartete uns Schinkels Mitarbeiter Persius schon an der Post, um Abschied zu nehmen und gab uns eine Schachtel mit Annanas und Pommeranzen“. Da wird von den lästigen Kopfschmerzen der Mutter erzählt, vom Frühstück im Garten unter Lindenbäumen, von Himbeersirup und Kuchen, von den Riechfläschchen („Flacons“), die Vater zur Erfrischung kaufte. In Wilhelmshöhe bei Kassel wollte Schinkel mit den Seinen die zwanzig Meter hohe Springfontaine in Gang setzen. Drei Taler sollte das Vergnügen kosten. Doch Vater brauchte nicht zu zahlen, weil bereits jemand anders die Fontaine springen ließ. „Dies war sehr angenehm zu hören“.

Am 2. August stieg die Familie abends in Köln „im großen Rheinbergen ab, wo wir nur ein Zimmer bekamen, welches die Aussicht über den Rhein und die Schiffsbrücke bis nach den Siebengebirgen hat. Vater und Karl mußten eines von den hintern Zimmern nehmen.“ Am 4. August wurde der Dom bestiegen, und am 8. August ein „Dampfboot besehen und darauf gefrühstückt“.

Am 9. August unternahm man, ohne die Mutter, die sich erkältet oder den Magen verdorben hatte, eine Partie zum Drachenfels und fuhr mit einem Kahn hinüber. „Dort nahmen wir 6 Esel, welche roth gesattelt waren und ritten hinauf. Karl auf einem kleinen Pferde voran, die Herren gingen. Als wir oben ankamen war noch alles in dicken Nebel gehüllt.“

In Heidelberg besichtigten sie am 14. August das Schloß, die „schönste Ruine, die man sehen kann . . .“ Am 22. frühstückte die Familie in einer Sennerhütte (von fern hörte man „das Donnern der Lawinen“) in der Nähe vom Grindelwaldgletscher. Eine Woche danach wurde das Vorgespann des Reisewagens zurückgeschickt, denn jetzt ging es bergab hinunter nach Italien. „Zu Anfang war die Luft noch sehr rauh, aber nach und nach wurde sie immer milder und die Gegend immer reizender. In Isola nahmen wir das erste italienische Mittagsbrodt ein. Trauben und Pfirsiche . . .“ Mitte September erreichte die Familie Venedig.

Schinkels Sohn Karl erlebte die Italienreise als Sechzehnjähriger, Marie war knapp zwanzig, Susanne fast 19, und Lieschen, die Jüngste, wurde unterwegs acht Jahre alt (am 17. August).

Das Wesen der Schinkelkinder hat der Hamburger Architekt Chateauneuf acht Jahre später nach einem Besuch in Schinkels neuer Wohnung beschrieben:

„Noch immer bin ich in Gedanken in Ihrer schönen Wohnung, im Kreise Ihrer lieben Familie und denke der unbefangenen Unterhaltungen. Bitte empfehlen Sie mich Ihrer lieben Frau. Der Tokayer hat mir köstlich geschmeckt. Grüßen Sie die sorgsame Marie, die kunstreiche Susanne, das spröde Lieschen und Ihren bescheidenen Sohn, an den ich – durch ähnliches Gehaben und jetzt fast die Länge – immer durch meinen Bruder erinnert werde.“ (Brief vom Februar 1838)

Das tragische Ende ihres Vaters haben sie als junge Menschen miterlebt. Die Anzeichen für eine schwere Erkrankung hatten sich in erschreckendem Maße gehäuft. Im Frühjahr 1840 wurde er „auf einer Eisenbahnfahrt nach Potsdam, während welcher er sehr durchkältet worden war, von einer unvollkommenen Lähmung der rechten Hand befallen“. Anfang September 1840 kehrte er von einer Molkenkur in Meran nach Berlin zurück und besuchte am nächsten Tag Rauch im Atelier: Er „sah so wohl aus“, schrieb Rauch in sein Tagebuch, „daß ich ihm dazu Glück wünschte, klagte aber indem er das lebensgroße Studienmodell Zum Denk[mal] Friedrich II. betrachtete, daß er alles nur halb sähe, auch Farben des Regenbogens, welcher auf der Reise sich schon gezeigt habe etc., er begrüßte meine beiden ältesten Enckelchen, sah den Ausbau der neuen Werkstatt mit Prof. Tieck und schien ganz heiter . . .“

Schinkel machte nachmittags einen Spaziergang im Tiergarten, wo er dem Theaterinspektor Carl Gropius begegnete und ihm die Aufstellung eines Riesenpanoramas von 30 Meter Durchmesser vorschlug, das die größten und bedeutendsten Kulturdenkmäler aus Asien, Griechenland, Rom und dem deutschen Mittelalter in ihrer natürlichen Umgebung zeigen sollte. Dieses Panorama hätte die Kulturen verschiedener Zeiten und Völker in einem Rundblick vereint.

In der Nacht vom 8. zum 9. September wurde Schinkels Zustand bedenklich. Das eine Auge erblindete. Der Arzt befürchtete einen Schlaganfall. Der hinzugezogene Chirurg unternahm einen Aderlaß. Danach versank Schinkel in eine Ohnmacht, aus der er zu vollem Bewußtsein nicht wieder recht erwachte. Den Ärzten gelang es weder, die Ursache der Krankheit zu erkennen, noch das Leiden zu mildern.

„Was der arme Kranke an einem sehr grossen, furunkelartigen Geschwür im Nacken, an verschiedene Male eintretenden, heftigen Gehirnkrämpfen, bei denen er sich die Zunge blutig biss, wie an einem sehr heftigen Husten in den dreizehn Monaten, bevor seine Auflösung erfolgte, ausgestanden, will ich hier nicht näher beschreiben. Das Furchtbarste bleibt immer, dass ein Mann von einer Persönlichkeit wie Schinkel, dem Leben ohne Thätigkeit ärger als der Tod war, und der sich nie gern von Anderen bedienen liess, länger als ein Jahr in einem halbbewussten und gänzlich hülflosen Zustande zubringen musste. Es gehört dieses zu den Fällen, deren Unbegreiflichkeit die Theilnehmenden in starrem Schmerze verstummen lässt . . .

Als ich Schinkel zum letzten Male besuchte (es war am 2. September 1841), fand ich sein Aussehen ziemlich dasselbe und Niemand hätte ihm angesehen, dass er nun bereits fast ein Jahr in diesem Zustande zugebrachte hatte. Die Mittheilung, daß die Ausführung seiner Entwürfe für das Museum nun zuversichtlich im nächsten Frühjahr durch tüchtige Künstler ihren Anfang nehmen werde, machte sichtlich einen freudigen Eindruck auf ihn. Da ich ihm aber sagte, dass ich nach Italien ginge und von ihm Abschied nehmen wolle, fing er bitterlich an zu weinen, ein Anblick, der mir wahrhaft das Herz zerschnitt.

Nach einem wenige Tage darauf eingetretenen Blutsturz verschwand der Appetit, die Kräfte sanken, es trat Fieber ein und es erfolgte endlich ohne weitere heftige Erscheinungen am 9. October Nachmittags um halb drei Uhr ein sanfter Tod.

Die Obduction ergab als Hauptursache der Krankheit sehr bedeutende Zerstörungen im linken, grossen Gehirn, welche theils in Verknöcherungen der Arterien der Grundfläche des Gehirns, theils im Erweichen der Gehirnmasse und innerhalb derselben in einer Verhärtung bestanden und von der Art waren, dass sie nur die noch so lange Erhaltung des Lebens auffallend erscheinen liessen.

Während des ganzen Leidens hatte der Geheime Ober-Finanzrath Beuth dem Kranken wie der von dem langen Jammer fast aufgeriebenen Familie als ein treuer Freund zur Seite gestanden." (Gustav Friedrich Waagen)

Schinkel bezog als Oberbau-Direktor ein Gehalt von 2800 Talern. Die Miete für die Dienstwohnung in der neuen Bauakademie betrug 280 Taler, von der ihn der König jedoch als Ausgleich für nicht liquidierte Diäten und den Gebrauch von Bädern befreite.

Als er starb, hinterließ er „eine Witwe, einen Sohn, und drei Töchter, darunter eine minorenne", schrieb Beuth in einer Eingabe ans Ministerium am 20. November 1841. „Für diesen Hausstand von fünf Personen ist eine Einnahme aus der Witwenkasse von 400 Talern vorhanden, die mit dem Tode der Witwe aufhört; den Kindern bleibt dann nur ein durch eisernen Fleiß und kleine, den Töchtern gemachte Vermächtnisse erworbenes Vermögen, das höchstens auf 18 000 Taler anzuschlagen ist und mithin nach dem jetzigen Zinsfuße von $3^1/_2\%$ eine Einnahme von 630 Talern gewährt oder für jedes Kind von 157 Talern. Hiernach ist die Familie hauptsächlich auf die Verwertung des künstlerischen Nachlasses des Vaters gewiesen". Beuth begrüßte in seinem Promemoria den Wunsch Friedrich Wilhelms IV., „allen hinterlassenen Schinkelschen Bildern und Zeichnungen eine würdige Aufbewahrung zu sichern" (Brief des Kabinettsrat Müller vom 6. November 1841 an Beuth).

Laut Kabinettsorder vom 16. Januar 1842 kaufte der König den künstlerischen Nachlaß Schinkels und die Sammlung antiker Gipsabgüsse für 30 000 Taler. „Als Wohnung, welche der Witwe für Ihre Lebenszeit verbleibt, wurde derjenige Teil der Dienstwohnung des Verstorbenen abgezweigt, welcher in dem an der Werderstraße liegenden Flügel des Bauschulgebäudes belegen ist, einschließlich des Eckzimmers, von welchem ein Fenster nach der Werderstraße, zwei aber nach dem Wasser herausgehn. Der übrige Teil der Wohnung, welcher aus drei großen Zimmern, aus zwei Arbeitszimmern des Verstorbenen sowie aus einem Zimmer am Eingange besteht, wurde für Schinkels Museum reserviert." (Niederschrift der Verhandlung vom 8. Februar 1842 in der Wohnung Schinkels)

Schinkels Sohn, „ein tüchtiger junger Mann von Talent", hatte damals „die Befähigung für eine Anstellung im Forstfache erworben" . . ., erwähnte Beuth im Promemoria. „Ich darf verbürgen, daß er seinem Amte und dem Namen seines Vaters Ehre machen werde."

Karl wurde Oberförster. Von Schinkels drei Töchtern heiratete nur das „spröde" Lieschen. Am 10. Oktober 1847 wurde sie mit dem Königlich Preußischen Regierungsassessor Karl August Alfred Freiherr von Wolzogen getraut, der später Schinkels schriftlichen Nachlaß herausgab.

1 Karl Friedrich Schinkel und seine Frau Susanne.
Er zeichnete das Bild als 34jähriger für seinen Schwager Kuhberg in Stettin.

2 Schinkels Kinder Marie (mit Blumenstrauß), Susanne und Karl Raphael. Federzeichnung um 1820.

3 Schinkels Tochter Marie muschelspielend am Strand von Scheveningen. Dort verbrachte Schinkel mit seiner Frau und dem gerade sechs Jahre alt gewordenen Töchterchen während einer Kunstreise 1816 mehrere Ferientage.

4 Staatsrat Beuth am Kamin in seiner Wohnung im Gewerbe-Institut. Schinkel malte das heiter ironische Aquarell 1838 als Geburtstagsgeschenk für seinen Freund. Während Beuth, der ehemalige Kavallerieoffizier, in einem Pferdebuch blättert, umgaukeln ihn Traumgestalten: Weingott Bacchus verkündet die „letzte Lebensphilosophie des großen Staatsmanns", und eine Muse sinniert über die „verschwundenen Jugendträume des emsigen Staatsmanns", der sich ein Haus auf der Insel Ischia wünschte.

5 rechts: Schinkel als Oberbaudirektor 1832. „Schinkel war kein schöner Mann", schrieb sein Biograph Kugler, „aber der Geist der Schönheit, der in ihm lebte, war so mächtig und trat so lebendig nach aussen, dass man diesen Widerspruch der Form erst bemerkte, wenn man seine Erscheinung mit kalter Besonnenheit zergliederte." Lithographie von C. Brand.

6 *Komposition wie der Mailänder Dom gestellt sein müßte.* Schinkel versetzte den Bau auf eine Anhöhe am Meer. „Weil . . . nur in freier Luft . . . ein solcher weißer Marmorbau erst die rechte Wirkung thun würde".

7 Das Theater von Taormina mit Ätna. Schinkel sah es im Mai 1804 und schrieb ins Tagebuch: „Mächtiger als jemals ergriff mich der Eintritt in dies Theater: ich sah vor mir das Proszenium, über ihm und durch seine Öffnungen eine unendliche Ferne".

8 Die Porta Aurea in Pola (Halbinsel Istrien), ein Triumphbogen aus der Glanzperiode der Stadt unter römischer Herrschaft. Als Schinkel die Stadt 1803 besuchte, wurde die Porta als Stadttor benutzt.

9 Blick auf Rom, den Tiber mit der Engelsbrücke, die Engelsburg und die Peterskirche. Schinkel zeichnete die Brückenbogen nicht als Halbkreis, sondern deutete spiegelbildlich an, daß sie unter Wasser zum Vollkreis ausgemauert sind. Vermutlich handelt es sich um eine Vorzeichnung für ein Diorama.

# *Schinkel als Beamter*

Die Besucher des Museums, die um 1830 die Wandelhalle im ersten Stock mit dem Ausblick auf den von Schinkel neu angelegten Lustgarten betraten, erblickten dort die Schinkelbüste von Friedrich Tieck, die Graf Brühl mit allerhöchster Genehmigung dort hatte aufstellen lassen. Schinkels Zeitgenossen verglichen ihn wegen seiner umfassenden künstlerischen Tätigkeit gern mit Michelangelo, dem berühmten Bildhauer, Maler, Baumeister und Dichter der Renaissance. Darin lag ein Ausdruck aufrichtiger Verehrung, aber es war ein ungeschickter Vergleich. Der geniale Michelangelo war ungesellig, mißtrauisch, unordentlich und krankhaft stolz. Schinkel dagegen, der größte Baumeister seines Jahrhunderts, war „einfach, fleißig, bescheiden, und andern behülflich" (Brentano an Arnim, 9. Januar 1824). Er war korrekt und bis zur Selbstaufgabe pflichtbewußt – ein vorbildlicher Beamter!

Fast alle seine Bauten errichtete er in preußischen Diensten neben seiner überbordenden Verwaltungs- und Gutachtertätigkeit, die ihn die ganze zweite Hälfte seines Lebens begleitete.

Schon sein Äußeres entsprach – zumindest in seinen späteren Lebensjahren – vollkommen der landläufigen Vorstellung von einem Staatsdiener, eher spießig als genialisch: „Er war von mittlerer Größe und schlankem Körperbau; zu seiner gesunden Gesichtsfarbe paßte das früh schon silbergrau erglänzende, lockige Haupthaar vortrefflich. Meist trug er einen blauen Ueberrock und stets sehr saubere Wäsche." (Schinkels Schwiegersohn Wolzogen)

Auf den Beamtenstuhl hatte ihn Wilhelm von Humboldt gehoben, Schinkels Freund und Gönner während des Studienaufenthalts in Rom, der dann seit 1809 als Leiter der Sektion für Kultus und Unterricht zwischen Berlin und dem Regierungssitz Königsberg hin und her pendelnd, mit dem Freiherrn vom Stein die Neuordnung des veralteten preußischen Staates in die Wege leitete. Schinkel, der wohl auf die geregelten Einkünfte eines Beamten hoffte, hatte sich wegen der Staatsanstellung persönlich an Wilhelm von Humboldt gewandt, der ihm daraufhin in einem Brief aus Königsberg am 27. Oktober 1809 versicherte, „daß ich mich noch immer mit lebhaften Vergnügen der Zeit erinnere, welche Sie in meiner Nähe in Rom zubrachten". Humboldt aber meinte, daß er „es für besser hielte, mich erst mit Ihnen über die Gesuche, die Sie anbringen wollen, selbst zu besprechen. Je weniger Sie einer Empfehlung bedürfen, desto mehr bin ich natürlich zu derselben bereit; . . . Mein Rath ist daher, daß Sie unsere Ankunft in Berlin abwarten, alsdann mir Ihre Wünsche näher bekannt machen . . ."

Humboldt scheint sein Versprechen schon bald eingelöst zu haben, doch dachte er zunächst an eine Verwendung Schinkels in der Akademie der Künste, deren „schleunige Reform" ihm „höchst nöthig" schien. Dann kamen ihm jedoch Zweifel an Schinkels Eignung, so daß er den Staatsrat Uhden, seinen Vorgänger auf dem Residentenstuhl in Rom, am 28. November 1809 ins Vertrauen zog: „Schinkel bietet seine Dienste im Allgemeinen an. Ich zweifle aber an seiner Fähigkeit zu einem Lehramt. Auch würde er immer wohl nur für die schöne Baukunst zu brauchen seyn."

Humboldt besaß einen untrüglichen Instinkt für die im Verborgenen schlummernden Fähigkeiten eines Menschen. Diese Eigenschaft erst und sein diplomatisches Geschick ermöglichten es ihm, aus allen Teilen Deutschlands hervorragende Professoren für die 1809 begründete neue Berliner Universität zu gewinnen – und so hatte er auch Schinkel zu dem einzigen, ihm gemäßen Amt verholfen. Am 4. August 1810 berichtete Humboldt seiner Frau Caroline: „Ich glaube, ich schrieb Dir, daß es mir endlich gelungen ist, ihm eine Stelle hier zu verschaffen, und auch zu einem Anbau des Königspalais, der angefangen ist, habe ich gemacht, daß er zu Rate gezogen ist."

Als Schinkel am 15. Mai 1810 „zum Geheimen OberBau-Assessor mit Beilegung eines Jahrgehalts von EinTausendZweihundert Thaler“ ernannt worden war, zeigte Berlin fast schon wieder das altvertraute Gesicht. Der König und die vom Volk heiß verehrte Königin Luise waren am 23. Dezember 1809 mit Gepäck, Gefolge und Bediensteten – „Es war der klarste, sonnenhellste Dezembertag“ (Gräfin Schwerin) – in die Hauptstadt zurückgekehrt und residierten wieder im Schloß. Die Eröffnung der Universität war nur eine Frage von Monaten, das deprimierende Gefühl der Isolierung und die schlimmste Not waren gewichen. Auch Schinkel und seine Frau Susanne, die ihr erstes Kind erwartete, konnten, finanziell abgesichert, der Zukunft vertrauensvoll entgegenblicken. Sein Gehalt war auskömmlich. Der Oberbürgermeister von Berlin erhielt damals 5000 Taler im Jahr, der jüngste Stadtrat dagegen nur 800 Taler.

Schinkels neues Amtslokal war allerdings alles andere als ideal. Es lag in einem zweistöckigen ehemaligen Wohnhaus an der Zimmer- Ecke Charlottenstraße, im Süden der Friedrichstadt. Die Oberbaudeputation des Königreichs Preußen besaß hier im ersten Stockwerk nur zehn Räume: zwei Kammern für die Registratur, eine Schreibstube, einen Sitzungssaal, ein Zimmer für die Prüflinge, einen Botenraum nebst einem „finsteren Zimmer“; außerdem Lesezimmer, Bücherei und die Modellsammlung. In dieser spartanischen Umgebung arbeitete Schinkel über 25 Jahre, bis er 1836 seine Dienstwohnung in der Bauakademie beziehen konnte. 1810 wohnte Schinkel im Haus zum Hirschen am Alexanderplatz und hatte zur Behörde einen Fußweg von 30 Minuten. Die OBD lag verkehrsmäßig so ungünstig, daß Schinkel später anläßlich der hauptsächlich von ihm arrangierten Siegesfeier am 24. Mai 1814 sarkastisch bemerkte, „daß man bei der uninteressanten Lage dieses Gebäudes geglaubt habe, die Anordnung [des Festschmucks] möglichst klein zu machen, indem wenige Menschen diesen Platz besuchen werden.“

Welche Aufgaben und Pflichten auf ihn warteten, konnte der frischgebackene Bauassessor Schinkel der umständlichen Eidesformel entnehmen, die er am 19. Mai „zur Verpflichtung und Introduction“ in der „Ober-Bau-Deputation“ feierlich bekräftigen mußte. Schinkel gelobte, dem König treu, hold und gewärtig zu sein, alles was ihm, seinem Hause, seinen „sämtlichen Landen und dem Publico in Wasser-und Land-Bau-Sachen schädlich und nachtheilig seyn möchte“, abzuwenden und zu verhüten. Außerdem versprach er: „Die Bauanschläge auf das genaueste [zu] revidieren, Risse und Anschläge nach meinem besten Wißen und Vermögen jederzeit anfertigen, auf Verbeßerung des Bau-Wesens denken, und rafiniren, welchergestalt die Bauten tüchtiger und dauerhafter wie bisher, auch mit mehrerer Menage errichtet werden können, auch sonst alles dasjenige mit unermüdetem Fleiß und unbefleckter Treue erfüllen und praestiren will, was vermöge der Königl. Instruction und überhaupt mir zu thun, zu beobachten und zu verrichten oblieget. Ferner daß ich keine Giften, Gaben, Praesente, Pensiones oder Promessen, wegen meiner Amts-Verrichtungen und zur Bestechung, von was vor Natur oder Eigenschaften dieselben immer seyn mögen oder können, von keinem Menschen, weder von Auswärtigen noch von Einheimischen, weder von Hohen noch von Niedrigen, daß weder durch mich selbst noch durch andere, sie seyen meine Angehörige, Demestiquen, und Verwandte oder Fremde, empfangen oder annehmen, sondern so bald mir dergleichen offerieret, oder auch nur versprochen wird, oder so bald ich in Erfahrung bringe, daß andere, sie gehören mir an oder nicht, zu meinem Vortheil oder Genuß dergleichen geschehen, solches dem Collegio anzeigen, und im geringsten weder directe noch indirecte davon nicht profitiren, in specie auch niemandem von demjenigen, was mir sonst geheim zu halten vertraut wird, etwas offenbahren, mich auch aller unerlaubten Correspondenz, es sey mit Fremden oder Einheimischen, wodurch Sr. Königl. Majestät entweder directe oder per indirectum, Schaden und Nachtheil zugezogen werden könnte, enthalten, dagegen aber in allen Stücken mich dergestalt verhalten und betragen will, wie es einem getreuen und fleißigen Geheimen Ober-Bau-Assessor wohl anstehet und gebühret.“

Die neugegliederte Ober-Baudeputation umfaßte fünf Aufsichtsbereiche, für die jeweils ein Geheimer

Oberbaurat vorgesehen war. Ein Beamter sollte zuständig sein für den Landbau und ein anderer für den Wasserbau in den Provinzen Churmark, Neumark, Pommern, Preußen; ein dritter für beides in Schlesien, ein vierter für Vermessungssachen, Maße und Gewichte, und schließlich sollte ein fünfter den ästhetischen Teil der Baukunst bearbeiten, Gutachten über öffentliche Prachtgebäude abgeben und sich um die Pflege öffentlicher Denkmäler und historischer Bauten kümmern sowie die Hofbauangelegenheiten beaufsichtigen. Dieses „ästhetische Fach", das ihm am meisten zusagte, übernahm Schinkel.

Was nun die Kontrolle der Hofbauten betraf, waren Schinkels Kompetenzen durch das eifersüchtig über die eigenen Befugnisse wachende Hofmarschallsamt eingeengt. Eine Weisung vom 27. Oktober 1810 legte grundsätzlich fest: „Die Bauten bei Unseren Schlössern und Palais in und bei Berlin, Potsdam etc. gehören zum Hofmarschall-Amt unter dessen alleinigem Befehl die Schloßbau-Kommission steht: jedoch hat die technische Ober-Bau-Deputation bei solchen Bauten von Wichtigkeit die Verbindlichkeit zur Superrevision." Also zu einer mehr baupolizeilichen Kontrolle.

Darüber hinaus gehörten zum Aufsichtsbereich der Oberbaudirektion nach ihrem eigenen Gutachten vom 10. Mai 1817: Landesherrliche Schlösser, öffentliche Gebäude; Militärgebäude, Kirchen, Pfarr- und Schulgebäude, wovon der Staat Patron ist; Städtische und Gemeindebauten (wo noch nicht die neue Städteordnung eingeführt ist); Staatsgütergebäude, -Höfe, -Mühlen, Brücken, Land- und Poststraßen etc. Bei Bauanschlägen unter 500 Talern brauchte die OBD nicht befragt zu werden und auch nicht bei Reparaturarbeiten unter 1000 Talern. Die Kostenanschläge wurden von der Oberbaudirektion nur geprüft, die Gelder für den Bau genehmigten andere Stellen.

Die Befugnisse dieser Behörde waren noch in einem anderen Punkt entschieden eingegrenzt: Sie hatte lediglich beratende Funktion, wie Innenminister Graf Dohna am 25. Juli 1810 ausdrücklich betonte. Sie sei keine ausführende Behörde, und sie dürfe „niemals den Charakter einer bloß beurteilenden Behörde verleugnen und zu keiner Zeit durch Übernahme von positiven Anordnungen und Administrationen sich in die Reihe derjenigen Künstler stellen, über welche als Richter in Sachen der Wissenschaft und Kunst zu stehen sie vom Staat berufen ist".

Die Gutachtertätigkeit wurde so gehandhabt, daß jedes Mitglied die Angelegenheiten seines eigenen Fachs bearbeitete und dann seine Stellungnahme nach kollegialischer Verhandlung und gemeinschaftlichem Beschluß von mindestens drei Räten abzeichnen ließ. Für Schinkel bedeutete diese Praxis, daß er seine Bauentwürfe den Kollegen vorlegen mußte. Da sie jedoch keine Weisungsbefugnisse hatten, konnte er sich selber Gutachten ausstellen. So meinte er als Gutachter für Prachtbau am 30. April 1817 über die Neue Wache: „Im Ganzen finden wir die Art wie die hochlöbliche Regierung die Veranschlagung dieses Gebäudes bewirkt, dem Gegenstande vollkommen entsprechend . . ." Ein andermal stempelte er seinen eigenen Fensterentwurf für die Werdersche Kirche mit dem Prüfsiegel.

Diese ungewöhnliche Arbeitsweise führte denn auch am 8. November 1828 zu einem energischen Vorstoß des Ministers von Schuckmann, Schinkel als Mitglied der Oberbaudirektion die Aufführung eigener Bauten zu verbieten. Anlaß dazu gaben die Packhofplanungen, die im Zuständigkeitsbereich der Museumskomission lagen, der Schinkel angehörte. Aber Finanzminister von Motz setzte durch, daß die Kompetenzen nicht geändert wurden. So behielt Schinkel in Sachen Packhof freie Hand.

Es bleibt wohl ein einmaliges Phänomen in der Geschichte, daß ein Land wie Preußen unter den Augen der argwöhnischen Besatzungsmacht von wenigen entschlossenen Staatsmännern zu einem modernen Staatswesen umgestaltet wird. Zu den verschiedenen Reformen, die ständig von Napoleons erpresserischen Kontributionsforderungen und die Sorge um den Verlust Schlesiens überschattet waren, gehörte die Neuordnung des Bauwesens. Die Beamten litten zeitweilig große persönliche Not, denn der Hof hatte 1806 bei der Flucht nach Königsberg auch die Regierungskasse vor den Franzosen in Sicherheit gebracht. Jahrelang warteten nun die Beamten auf ihre Gehälter, bis endlich 1810 außer den schon gezahlten Unterstützungsgeldern die Gehaltsforderungen verrechnet wurden. Als Schinkel sein Amt antrat, war jedoch das Schlimmste behoben.

Kurz bevor Schinkel in den Staatsdienst eintrat, hatte er, wie es heißt durch Vermittlung der Königin Luise, einige Räume im Kronprinzenpalais, das die Königsfamilie bewohnte, eingerichtet. Doch dann mußte er lange Zeit auf repräsentative Aufträge warten. Nach dem Brand der Petrikirche im September 1809 hatte er einen eindrucksvollen Entwurf für einen Kuppelbau vorgelegt, den er später auf eigene Rechnung als Tafelwerk veröffentlichte. Aber der Neubau war dem König zu kostspielig, obwohl Schinkel die Baukosten nach einer entsprechenden Aufforderung senken konnte. Einen Monat nach der Ernennung zum Oberbauassessor sollte er im Auftrag der Schloßbaukommission den von Heinrich Gentz entworfenen Erweiterungsbau des Kronprinzenpalais überprüfen, geriet dabei jedoch in heftige Auseinandersetzungen mit dem berühmten älteren Kollegen, der die Berliner Münze gebaut hatte. Es gelang Schinkel nicht, sich durchzusetzen.

Im selben Jahr bearbeitete er ein Gutachten über das baufällige Orangeriegebäude im Botanischen Garten an der Potsdamer Straße in Schöneberg, lieferte zwei Gutachten zur Einrichtung der Universität, äußerte sich zu einem Gegenentwurf zum Neubau der Petrikirche, und wieder ein Jahr später, 1811, beschäftigte er sich mit Bagatellsachen wie der geplanten Turmuhr an der Universität. Aber das Jahr brachte ihm auch die ehrenvolle Ernennung zum Ordentlichen Mitglied der Akademie der Künste, immerhin war er dort ja mit seinem – ebenfalls nicht gebauten – romantischen Grabmal für die am 19. Juli 1810 gestorbene Königin Luise aufgefallen.

Bei der Kunstausstellung von 1812 versuchte Schinkel erneut, sich mit Entwürfen für die Singakademie als Architekt zu profilieren; als Gutachter befaßte er sich mit so bescheidenen Bauvorhaben wie dem Anatomischen Theater an der Ecke Dorotheen/Charlottenstraße, wofür der König nur 900 Taler bewilligen konnte. Während der Freiheitskriege arbeitete die Baubehörde in gewohnter Weise weiter. Zur Diskussion standen der Zustand der Werderschen Kirche sowie die Wiederherstellung der alten Klosterkirche.

Die Freiheitskriege inspirierten Schinkel zu einer Reihe von Entwürfen nationalen Charakters. Dazu gehören der romantisierende Entwurf zum Hermanns-Denkmal, der Michaels-Brunnen für den Lustgarten und der vom König gewünschte Plan zum Freiheitsdom. Hier kündigte Schinkel energisch seine Berufung zum Architekten an, doch weil er gleichzeitig Staatsbeamter war, bürdete er sich damit eine doppelte Arbeitslast auf. Erschwerend kam hinzu, daß es sehr häufig Reibereien mit den Architekten und Beamten in der Provinz gab, die sich bevormundet fühlten. Manchmal zu Recht. Ohne den guten Willen beider Seiten konnte die Zusammenarbeit nicht funktionieren. Als Schinkel am 12. März 1815 zum Geheimen Oberbaurat ernannt worden war und in den nach dem Krieg preußisch gewordenen Rheinprovinzen Bauten besichtigte und mit Fachleuten sprach, wurden ihm die Schwierigkeiten seiner Behörde deutlich vor Augen geführt. Auch hegten viele Rheinländer einen Groll gegen die neuen preußischen Herren.

Während seiner Gutachtertätigkeit erbitterten Schinkel am meisten die Eigenmächtigkeiten lokaler Bauherren, die ihm ins Handwerk pfuschten. So klagte er im Dienstreisebericht vom 3. August 1833 über Änderungen beim Bau der Kirche St. Georg in Schönberg (Malmedy) sie „sollte nach einem von mir in der Oberbaudeputation bearbeiteten Plan ausgeführt werden, ward aber sehr verändert und beschnitten . . . Es dürfte sehr ersprießlich sein, wenn die Regierungen für den Fall der späteren Einschränkung des Bauprojektes, nachdem diese bei der Oberbaudeputation schon festgestellt waren (was öfter vorzukommen scheint), sich über die Art und Weise dieser Einschränkungen mit der Oberbaudeputation vor der Ausführung in Korrespondenz setzten, damit Willkür und Mißgriffe vermieden werden.“

Oft hielten es die Provinzialbehörden nicht für nötig, Berlin über geplante Maßnahmen zu informieren: „Eine kurze Anzeige der Regierung an die Oberbaudeputation, ob ein Bau wirklich begonnen und welche Aussicht für die Fortsetzung des Baues vorhanden, dürfte notwendig sein, um bei Dienstreisen danach den Reiseplan sicherzustellen. Denn es tritt oft der Umstand ein, daß man sich von dem Gange eines Baues überzeugen will, der noch gar nicht begonnen hat.“ (3. August 1833, Dienstreisevermerk)

Ein weiterer Fall: 1823 revidierte Schinkel einen Entwurf für die Pfarrkirche St. Mennatis (Kreis Koblenz), aber die Koblenzer Regierung genehmigte einen weniger kostspieligen Entwurf, ohne die OBD zu verständigen. Oder: Die Kölner legten am 30. August 1830 den Grundstein zum Regierungsgebäude. Pläne und Kostenanschläge trafen jedoch erst am 30. Dezember in Berlin ein. So ließ sich am Grundriß nichts mehr ändern, denn die Grundmauern standen bereits, als die Kölner Entwürfe in Berlin vorlagen.

Schlimme Folgen hatte die Eigenmächtigkeit der Baubeamten in Solingen-Wald. Dort stürzte am 16. August 1820 das Gewölbe des Kirchenneubaus ein. Auch diesmal war die Oberbaudirektion über den Bauplan nicht unterrichtet worden, obwohl der König immerhin 10 000 Taler und Bauholz aus den königlichen Forsten gestiftet hatte.

Zu einem verhängnisvollen Zwischenfall kam es beim Bau der Kirche St. Kunibert in Köln. Der baufällige Turm, auf dem Schinkel 1816 die Vignette für Boisserées *Domwerk* gezeichnet hatte, stürzte am 28. April 1830 während der Sicherungsarbeiten ein, ehe die OBD eine Entscheidung über die Reparaturen getroffen hatte.

Noch fataler war der Einsturz des Kirchturms auf der Domäne Erdmannsdorf in Schlesien am 8. Juni 1838. Der König hatte den Besitz von den Erben des 1831 gestorbenen Generalfeldmarschalls Gneisenau gekauft und Schinkel verschiedene Bauaufträge gegeben. Schinkel hatte die Turmarbeiten noch kurz vor dem Unglück kontrolliert, ohne daß ihm schwere Versäumnisse aufgefallen waren. Als ihn die Nachricht erreichte, beim Einsturz seien zehn Arbeiter von Trümmern erschlagen worden, war er gerade nach Kissingen zur Kur unterwegs. Der König ordnete eine Untersuchung an, jedoch konnte die Ursache des Unglücks nicht exakt ermittelt werden.

Mit der Verwirklichung eigener Bauvorhaben mehrten sich bei Schinkel schon früh Anzeichen von Überlastung. Als er die Pläne fürs Schauspielhaus im Winter 1817/18 zeichnete, war er bereits ein abgearbeiteter Mann. Im Juli 1818 mußte er eine Besichtigungsreise zur Marienburg beim Staatskanzler Hardenberg absagen: „In diesem Augenblick aber fordert, unter anderen Geschäften, der Bau des Schauspielhauses vorzüglich meine ganze Tätigkeit und Zeit. Unter allen architektonischen Aufgaben ist die eines Schauspielhauses die komplizierteste . . .“ Dabei arbeitete er rasch, umsichtig und oft an mehreren Projekten zugleich. Noch im selben Jahr legte er die Entwürfe und Kostenrechnungen zur Dorfkirche in Hemer, Kreis Iserlohn, innerhalb von nur knapp sechs Wochen vor, verband aber sein Schreiben mit einem dringenden Hilferuf an Finanzminister von Bülow, „daß ich mich der ganzen Bearbeitung selbst unterziehen mußte, weil sich kein gescheiter junger Architekt zur Hilfe vorfand, ich aber bei einer großen Menge von anderen Geschäftsarbeiten, zu dieser mühsamen technischen Ausführung des Projekts nur wenig Zeit übrig behielt, und oft in der Arbeit unterbrochen wurde. Bei der gütigen Äußerung, welche Eure Exzellenz mich kürzlich hören ließen, daß Eure Exzellenz mir behilflich sein wollten, in diesen Arbeiten durch fremden Beistand, Erleichterung zu verschaffen, wage ich Eurer Exzellenz zu bekennen, daß die vielen Anforderungen, welche außer meinem Dienstgeschäft, teils vom Hofe, teils von allen Behörden an mich kommen, fast nicht mehr von meiner Seite mit dieser Sorgfalt befriedigt werden können, als ich es wünschte und es den Gegenständen vorteilhaft wäre. Daher glaube ich äußern zu dürfen, daß es zum allgemeinen Besten gereichen könnte, wenn mir die Mittel gegeben würden, mir wieder einen jungen Architekten zur Hilfe anziehen zu können, der, wie es in früherer Zeit, mit dem Bauinspektor Berger [Schinkels Schwager] der Fall war, stets sich Arbeiten unter meiner Leitung unterziehen müßte.“ (22. Dez. 1818)

Da die Regierung kein Entgegenkommen erkennen ließ, fügte sich Schinkel offenbar seinem Schicksal, bis er am 4. Februar 1821 ein weiteres dringendes Entlastungsgesuch abschickte, in dem er sein ganzes Dilemma als Beamter und Künstler bloßlegt. Schinkel schlug darin vor, die Geschäfte der Bauverwaltung so aufzuteilen, daß er sich künftig nur noch mit dem rein ästhetisch-künstlerischen Fach zu beschäftigen brauche, ohne sich wie bisher auch mit dem Wasserbau und dem Vermessungswesen etc. befassen zu müssen. Denn in einem so bedeutenden Reiche wie das Preußische und bei dem Standpunkt der Cultur, auf welchen sich dies Reich jetzt zu schwingen bestrebe, müsse der artistische Teil der Baukunst nach dem seit Jahrjunderten vorliegenden Beispiele der kultiviertesten europäischen Länder eine besondere Selbständigkeit behalten.

Dies Argument, ein Projekt zu Ruhm und Ehren des Vaterlandes verwirklichen zu wollen, benutzte Schinkel oft und meist immer dann, wenn er mit sachlichen Argumenten nicht weiterkam. Doch mehr noch überzeugte diesmal das offene Eingeständnis seiner Resignation: „Meiner Ansicht nach halte ich es für pflichtenwidrig mehr scheinen zu wollen als ich bin. Die Sphäre des Artistischen, welche allein mir zusagt, hat in meiner Ansicht eine so unendliche Ausdehnung, daß ein Menschenleben viel zu kurz für sie ist. Mit Bekümmernis fühle ich, daß ich unter anderen Verhältnissen noch mehr darinnen hätte leisten können, daß ich aber innerlich zerrissen werde durch Arbeiten, zu denen ich die Zeit meiner eigentlichen Bestimmung entziehen muß."

Bülow lehnte aber Schinkels Umgestaltungspläne der OBD ab; er bewilligte ihm lediglich eine Hilfskraft zur Errechnung der Baukosten und entband ihn von den Feldmesserprüfungen.

Im März 1828 war seine Gesundheit bereits so sehr angegriffen, daß er die Aufforderung zur Besichtigung der erneuerungsbedürftigen Stettiner gotischen Kirchen zurückweisen mußte, „weil mein Arzt mir nach dem in vergangener Woche eingetretenen Anfalle fürs erste jede Anstrengung und Erhitzung, die bei einer solchen Reise unvermeidlich ist, untersagt hat. Außerdem habe ich Sr. Majestät dem Könige durch den Herrn Minister von Altenstein Exzellenz Befehl zum schleunigen Entwurfe zweier Kirchen für das hiesige Voigtland und den Wedding erhalten . . . Hierneben fällt die Zeit für die Einleitungen eines unendlichen Details in dem Ausbau des Palais Sr. Königl. Hoheit des Prinzen Karl . . . Ein gleicher Fall ist es mit dem Museumsbau, wo gerade jetzt die Anordnungen der inneren Dekorationen, welche viele Versuche, denen ich persönlich beiwohnen muß, erfordern, mich nicht wohl von Berlin abwesend sein lassen."

Etwa zur gleichen Zeit, jedenfalls noch vor seinem Eintritt ins 50. Lebensjahr und der Beförderung zum Oberbaudirektor, formulierte er eine vermutlich direkt an den König gerichtete Eingabe, in der er sämtliche bisher geleisteten Arbeiten und die ihm erteilten Aufträge detailliert aufzählt.

Dieser imponierende Tätigkeitsbericht zeigt nicht nur die fast übermenschliche Arbeitsleistung Schinkels, sondern er läßt auch die Frage zu, warum er nicht von Anbeginn freier Architekt geblieben ist, wie ja auch die Bildhauer Schadow, Rauch und Tieck eigene Ateliers besaßen. Es kann darauf nur eine Antwort geben: Schinkel suchte Einfluß und wohl auch Macht, um seine Auffassung von der Baukunst durchzusetzen. Daß er als Gutachter seine Berufskollegen bevormundete, dafür gibt es Beispiele.

Zuerst aber nennt er seine Arbeit in der Ober-Bau-Deputation mit den „Begutachtungen aller Kirchenbauten im ganzen Königreiche und die dabei nothwendig werdenden Umarbeitungen und Vervollständigungen der Entwürfe und Anschläge". Ferner die künstlerische Beurteilung „der Projecte aller übrigen Baugegenstände des Landes, welche dann anderen Räten des Collegiums zu specieller Revision zugetheilt werden." Außerdem die „Abhaltung der Examina sämtlicher Baumeister in Beziehung auf schöne Architectur", sowie seine Tätigkeit in der Deputation für Gewerbe bei „Gegenständen, welche einer ästhetischen Hülfe bedürfen" und im Senat der Akademie der Künste.

Dann folgen die Aufträge verschiedener Behörden. So vom Kriegsministerium, dessen Unternehmungen „neben ihrem Hauptzwecke eine ästhetische Anordnung forderten als: Thore der Rheinfestungen, Fronten zu Casernen, Inneneinrichtung vom Zeughause, Bau der Artillerie- und Ingenieur Schule in Berlin". Dazu kommen die „Einrichtung einer Universität in der Moritzburg bei Halle, Herstellung der

Berliner Universität, der Dome zu Köln und Magdeburg". Außerdem habe er „verschiedene Bergwerksbehörden in Beziehung auf Eisengießereien, Bauten p. p. auf Verlangen seine Ansichten in Zeichnungen und Begutachtungen mitgeteilt".

Danach erwähnt Schinkel vor allem seine Leitung bei der Ausführung des von ihm entworfenen Schauspielhauses, des Museums „samt Brücken und Uferbauten, Academie-Gebäude und Packhofs-Anlagen", welche „tägliche zum Theil höchst bedeutende Geschäfte veranlaßten und noch veranlassen".

Ein großer Abschnitt umfaßt die ihm vom König oder durch die Prinzen anvertrauten Aufträge. Hierzu gehören: die Neue Wache, das Denkmal auf dem Kreuzberg, die Schloßbrücke, die Werdersche Kirche oder das Potsdamer Civilkasino u. a. Da die Entwürfe dazu von ihm geliefert worden seien, müsse er mit den betreffenden Baubeamten „berathen und für die gute Ausführung mit zu wachen, bei welchem Geschäft eine vielfache schriftliche und mündliche Correspondenz mit den Behörden unvermeidlich wird und viel Zeit kostet".

Schinkel weist auf die „durch Allerhöchst befohlene Modification gut doppelt und mehrfach gearbeiteten" Pläne hin, er nennt als weitere Aufgaben „den neuen Pavillon seiner Majestät in Charlottenburg", „die Einleitung der Granitarbeiten am Mausoleo in Charlottenburg", „die Capelle im Palais seiner Majestät", „Erweiterung des Cavaliershauses durch die Façade eines alten Danziger Hauses auf der Pfaueninsel", „Schweizerhaus und andere kleine Einrichtungen auf der Pfaueninsel", „Regulierung des Planes und der Innen-Einrichtung der griechischen Kirche bei Potsdam", die Nicolai-Kirche in Potsdam, zwei neue Kirchen in der Oranienburger Vorstadt, die Arbeiten für die Prinzen, die Tätigkeit im Ausschuß für die Einrichtung des Museums, die Anordnung und Auswahl der Gemälde sowie „deren Einrahmung, wozu es von meiner Seite einer großen Anzahl von Zeichnungen bedurfte", die vielen Einzelzeichnungen für Dekorationen, die in Naturgröße ausgeführt werden mußten und ständigen Kontakt mit den Malern und Handwerkern erforderten und nicht zuletzt die Altaranordnungen für Landkirchen, die Möbel, Kronleuchter, Zimmereinrichtungen, Denkmäler, Gedenkmünzen, Dekorationen für besondere Feste.

Schinkel hat seine Arbeit stets als Auftrag empfunden, den künstlerischen Geschmack zu fördern. „Gleichgültigkeit gegen bildende Kunst liegt nahe an Barbarei", sagt er in seinen Aphorismen. „Dies ist die sittliche Wirkung der schönen Kunst: Naivität und Unschuld des Lebens hervorzurufen, und diese auf die höchsten, großartigsten und auf liebliche und angenehme Gegenstände zu verbreiten." Aus dieser Verpflichtung heraus, fühlt er sich gar nicht in der Lage, auch nur einen Tupfer von der bunten Palette seiner vielen Tätigkeiten zu wischen. Da er, wie er in der Schlußfolgerung ausführt, mit Genugtuung seinen „Einfluß auf die gegenwärtige Lage der Kunst und die Bildung junger Künstler" erkannt habe, wolle er keine seiner Aufgaben missen. Nur möchte er künftig von einer bis ins Detail gehenden Leitung eines Objekts wie des Museums entbunden sein und für alle von seinen „übrigen Amtsgeschäften ganz getrennten Functionen" einen noch zu ernennenden Architekten zur Seite haben. Auch bitte er um die Zuweisung geschickter Hilfskräfte, die er ständig um sich behalten wolle. Dies sei notwendig „für die immer currenten sehr verschiedenartigen größeren und kleineren Arbeiten, die er gezwungen gewesen bis jetzt immer ganz allein bis ins Kleinste auszuführen, weil die Aufträge unerwartet kommen, die Gegenstände in der Regel schnell verlangt werden . . ."

Auch dieses Gesuch bewirkte nicht viel, ihm wurde lediglich der junge Bau-Inspector Busse zugeteilt. Nach dem Ausscheiden seines Vorgesetzten, Direktor Eytelwein, änderte sich ohnehin die Verteilung der Geschäfte. Schinkel rückte zum „Ober-Bau-Director" auf (16. Dezember 1830) und ließ von nun an den ästhetischen Teil der Bausachen unter seiner Aufsicht von einem jüngeren Kollegen bearbeiten.

Dafür begannen jetzt die Jahre der strapaziösen, wochenlangen Inspektionsreisen durch Preußens Provinzen. Von 1832 bis 1835 besichtigte er als Oberbaudirektor Kirchen, Rathäuser, Schulen und andere z. T. von ihm selbst entworfene Bauten, informierte sich über den Stand der Arbeiten, über die Straßenzustände, die Pflege der Kulturdenkmäler. Die Ergebnisse seiner Gespräche, seine Beurteilungen und Vorschläge notierte er täglich gewissenhaft in sein Dienstreisebuch, das dann nach der Heimkehr von den Beamten der Oberbaudeputation ausgewertet wurde.

Die erste Reise führte ihn vom 17. Juni bis 11. August 1832 nach Schlesien, wo ihm die miserable Ausbildung der Handwerker „durch die widrigsten Belege“ vor Augen geführt wurde. Nach einem privaten Abstecher zu dem mit ihm befreundeten Fürsten Pückler in Muskau, ging die Reise über Krakau, Oppeln, Breslau, Frankfurt/Oder wieder zurück nach Berlin.

Im nächsten Jahr, vom 5. Juli bis 7. September, wurden in zehnwöchiger anstrengender Tour gleich drei Provinzen – Sachsen, Westfalen und die Rheinlande – besucht.

Vom 8. Juli bis 1. September 1834 ging die Fahrt Richtung Osten, über Posen, Marienburg bis nach Memel und über Danzig, Kolberg, Stettin zurück.

Die letzte Besichtigungsreise war zeitlich und streckenmäßig die kürzeste: Sie führte vom 12. Juli bis 11. August 1835 durch die Altmark, Vorpommern und Neumark, wobei er u. a. Salzwedel, Stralsund, Greifswald und Pasewalk besuchte.

Im Frühjahr 1836 durften die Beamten der Oberbaudeputation endlich aus den engen Räumen an der Zimmer- Ecke Charlottenstraße in die nach Schinkels Entwürfen errichtete Allgemeine Bauschule (Bauakademie) umziehen. Schinkel erhielt hier im 3. Stock eine großzügige Amtswohnung. Schinkels Freund Rauch, der seine eigenen Ateliers samt Wohnung schon 1819 in der Klosterstraße eingerichtet hatte, wobei ihm Schinkel half, war voller Bewunderung: „Schinkel hat seine schöne Wohnung in der allgemeinen Bauschule bezogen“, schreibt er am 11. März 1836 in sein Tagebuch, „die ein Muster großartigeinfacher Wohnungsarchitektur ist und . . . außerdem aber auch durch die Lage derselben die schönste und angenehmste Künstlerwohnung, die ich je gesehen habe.“

Gustav Friedrich Waagen, Schinkels Reisegefährte in Italien, seit 1830 Direktor der Gemäldegalerie, beschreibt die Wohnung als „höchst einfach und dem modernen Sinne widerstrebend. Man findet dort weder prächtige Tapeten, noch kostbare Möbel, noch grosse Spiegel, gegen welche letztere Schinkel eine entscheidende Abneigung hatte. Der einzige Schmuck besteht in Kunstwerken. Das Wohnzimmer vereinigt eine Auswahl der schönsten Kupferstiche, besonders nach Raphael, zu welchem Genius Schinkel sich aus geistiger Verwandtschaft unter den Neueren am meisten hingezogen fühlte. Ein Saal davor enthält einen Theil seiner oben beschriebenen Landschaften, ein anderer, grösserer, Schinkel's Lieblingsraum, eine Anzahl von Gypsabgüssen, welche, auf einem in mässiger Höhe herumlaufenden Bord aufgestellt, und sich gegen einen rothbraunen Rund abhebend, eine sehr schöne Wirkung machen. Als charakteristisch für seine Auswahl nenne ich nur den sogenannten Sohn der Niobe nach dem Marmor in der Glyptothek zu München; Castor und Pollux, oder die sogenannten Genien von S. Ildefonso, den Apollino und den berühmten Pferdekopf vom Parthenon. Auf besonderen Postamenten sieht man die Juno von Ludovisi, die Zeusmaske aus dem Vatican und den anbetenden Knaben des hiesigen königlichen Museums. In seinem Studirzimmer daneben, von ansehnlicher Grösse und mit kunstreich ausgebildeter Balkendecke, hat er sich besonders in einem sehr langen Arbeitstische gütlich gethan, um die Sammlung trefflicher Kupferwerke, für welche er nach seinen Verhältnissen bedeutende Opfer gebracht, wie seine eigenen Zeichnungen bequem handhaben zu können. Diese Einrichtung musste ihm um so mehr behagen, als die Benutzung dieser Werke, welche in seiner letzten Wohnung Unter den Linden in ein kleines Cabinet, zugleich sein Arbeitszimmer, zusammengepfercht waren, ihm sehr beschwerlich und zeitraubend wurde.“

Schinkels Freunde sahen schon damals den bedenklichen Verfall seiner Gesundheit. Waagen: „. . . er fühlte sich indess schon damals körperlich sehr angegriffen und äusserte, als ich ihm meine Freude über die Wohnung bezeigte: ‚Wer weiss, wie lange ich sie geniessen werde‘.“

So unternahm Schinkel dann auch wegen seiner angegriffenen Gesundheit keine strapaziösen

Besichtigungsreisen mehr, sondern begnügte sich mit kürzeren Inspektionsfahrten zu wichtigen Bauvorhaben, vor allem aber erlaubte er sich endlich die von seinen Ärzten verordneten Badekuren. Im Juli und August 1836 verbrachte er mit seiner Familie einige Wochen in Hofgastein. „Die Kur bekommt mir sehr wohl", schreibt er seinem Schwager Berger, „aber der Arzt will, daß ich wenigstens 21 Bäder nehmen soll, und dies würde mich erst am 12. August nach Berlin kommen lassen, weshalb ich an Beuth und Rother um Verlängerung meines Urlaubes bis dahin geschrieben habe . . . Hier in Hofgastein sind wir alle wohl . . . Es steht uns noch die Partie der Besteigung mittelst Saumpferden von einer Alpe des Gamsgarkogels bevor, welches ich schon ohne Furcht vor Brustkrampf zu wagen imstande bin." (Brief vom 15. Juli)

Aber Schinkel war ein ungeduldiger Patient. Wenn er in einem Aphorismus von der „edlen Aufopferung der edelsten Kräfte" spricht, die allein Voraussetzung zum Gelingen eines Kunstwerks sei, so hat er, was seine eigene Person betraf, in eigentlich tragischer Weise danach gehandelt. „Schon seit einigen Jahren hatten sich indess bei ihm leider bedenkliche Symptome eingefunden; seine Kräfte nahmen sichtlich ab; er klagte viel über Abspannung und litt oft sehr an Beklemmungen auf der Brust. Bei weitem aber am schmerzlichsten aber war es ihm, dass er nur noch mit grosser Anstrengung arbeiten konnte. Zwar kehrte er aus den Bädern Marienbad und Kissingen . . . auf eine Zeit lang gestärkt zurück, indess fanden sich jene Symptome nicht allein von neuem ein, sondern es gesellten sich dazu bald noch ein unsicherer Gang, Beschwerlichkeit im Sprechen und öfteres Versagen der Hand beim Schreiben, was Alles auf eine tiefliegende Störung des Nerveneinflusses auf das allgemeine Muskelleben deutete." (Waagen)

Trotzdem gönnte Schinkel sich keine Schonung. Im Gegenteil! Er kombinierte die nächsten drei Kuren (1837 bis 1839) mit Dienstreisen, die er für unumgänglich hielt. So unterrichtete er den Breslauer Baurat Manger in einem Brief vom 30. Mai 1837: „Nach meiner diesjährigen Badereise beabsichtige ich von Teplitz aus über Zittau, Greiffenberg nach Warmbrunn zu gehen und Schlesien in einzelnen Teilen zu besuchen." Ferner kündigte er an, daß er am 18. und 19. Juni in Erdmannsdorf sein werde, „um den Kirchbau daselbst zu inspizieren, . . . da ich aber meine Frau, drei Töchter und einen Bedienten mitbringe", möge man doch den Wirt des Gasthofs entsprechend informieren.

Schinkel war dann nach beendeter Kur noch mehrere Wochen in Schlesien unterwegs. Denn erst am 21. Juli 1837 besichtigte er die dringend erneuerungsbedürftige Kapelle auf dem Zobtenberg, einer 718 Meter hohen bewaldeten Anhöhe bei Breslau.

Im April 1838 war Schinkel abermals unterwegs nach Erdmannsdorf und hielt sich dort sechs Tage zur Regelung wichtiger Bauarbeiten auf. Am 12. Juni reiste er nach Kissingen, um sich dort sechs Wochen unter ärztlicher Aufsicht zu erholen, schrieb aber bald einen ungeduldigen Brief an den Schwager Berger: „Bald, nemlich am kommenden Montag 23. Juli werde ich meine hiesige Kur beendet haben und von hier abgehen können. Die letzte Woche wird einem entsetzlich schwer, dies Einerlei der Tage, dies Nichtsthun oder vielmehr dies Nichtsthunkönnen wird am Ende unerträglich." Aber ganz so untätig war Schinkel in den Badeferien nicht. Zwischen den verordneten Bädern beschäftigte er sich mit dem Bau des Schlosses Kamenz (Schlesien) und schickte seine Weisungen mit der Post an den Architekten Martius, der dort die Bauaufsicht führte.

Schinkel war in jenen Tagen voller Zuversicht und mutete sich nach der Kur eine Dienstreise ins Rheinland zu, auf der ihn seine Familie begleitete. „Meine Kur ist mir gut bekommen, alle Menschen schreien mich wegen gesundes Ansehn an, und ich muß es glauben. Der Arzt will, daß ich langsam bis Cöln reise, es geht über Brückenau, Fulda, Gießen, Marburg, Gießen, Wetzlar, Limburg, Frankfurt, Wiesbaden, Lorch, Mainz, Coblenz, Bonn nach Cöln". „Matt vom Bade" („ich hoffe bis Cöln kräftiger zu sein", hatte er an Berger geschrieben), traf Schinkel am 4. August in Köln ein, wo er mit dem Bauleiter Zwirner den Rohausbau des Kölner Doms und die Finanzierung besprach. Die Kölner Amtsgeschäfte hielten ihn über zwei Wochen fest. Erst am 20. August reisten die Schinkels ab nach

Berlin. Als sie am 22. August wieder in der Hauptstadt eintrafen, waren sie fast drei Monate fort gewesen.

Im Oktober 1838 mußte er wieder nach Kamenz. Denn die Bauherrin, Prinzessin Marianne, griff immer wieder in die Bauarbeiten ein, so daß Schinkel dem bedrängten Bauleiter Martius zu Hilfe kommen mußte.

Der Ärger mit dem Kamenzer Schloß hat Schinkel über das erträgliche Maß belastet. Martius berichtete schon im Mai 1838 voller Sorge: „Schinkel, bei dem ich am 1. Mai eintraf, um die Pläne nach den Skizzen des Meisters auszuarbeiten, war kränklich und litt oft an heftigen Schmerzen, was seine Stimmung sehr trübte. Oft hörte ich ihn im Nebenzimmer stöhnen!“

Als Schinkel am 13.11 1838 zum „Oberlandes-Bau-Director“ ernannt wurde, damals der höchste Rang für einen beamteten Architekten, war er bereits unheilbar krank. Mit wenig Hoffnung auf eine Linderung seiner Beschwerden fuhr er nach Gastein; inzwischen war sein Geruchssinn erloschen. Trotzdem arbeitete er auch hier am Kamenzer Projekt.

„Meine erlahmte Hand erlaubt mir nur das Notwendigste zu erwidern“, antwortete er Martius auf den ihm zugesandten Baubericht. Und am 30. Juni 1839 entschuldigte er sich bei Prinzessin Marianne, sie möge ihm „allergnädigst . . . verzeihen, wenn ich mit einer gelähmten Hand es wage, die sehr gnädigen Äußerungen vom 25. Juni zu beantworten . . . obgleich ich in diesem Augenblick der Fähigkeit des Zeichnens ganz beraubt bin.“ Schinkel vergaß auch nicht, seinen Freund Rauch in einem Brief aus Bad Gastein an die beschleunigte Ausführung des Niebuhr-Grabmals in Bonn zu erinnern.

Waagen erzählt, daß er Schinkel gegen Ende des Jahres 1839 „in einem Zustande grosser Erschöpfung wiederfand. Dessenungeachtet liess Schinkel den Muth nicht sinken, sondern hoffte das Beste von einer Reise, welche er im Juli 1840 wieder über München nach Meran machte, um dort die Molkencur zu gebrauchen und sich in dem milden Klima und ‚im Genusse der schönen Natur Gesundheit und Kraft wieder zu holen‘, wie er zu seinem Arzt sagte. Während einiger Monate, welche er dort zubrachte, schien er sich scheinbar zu erholen. Er war sehr heiter und muthete sich in der stark bergigen Gegend die anstrengendsten Spaziergänge zu. Auf der Rückreise war er in München drei Tage eifrig beschäftigt, seinem alten Wirthe dort, der zwei schlechte, verbaute Häuser gern mit einander verbunden haben wollte, durch einen schönen Bauplan eine unerwartete Freude zu machen. Er ahnte damals nicht, dass dieses seine letzte Arbeit sein sollte!“

# *Panoramen und Schaubilder*

Am Spätnachmittag des 19. Dezember 1812, einem Samstag, drängte sich vor dem Gropius'schen Mechanischen Theater in der Französischen Straße Nr. 43 eine unübersehbare Menschenmenge. Franz Kugler berichtet: „Schon um sechs Uhr des Abends waren alle Strassen in der Nähe der Ausstellung mit Equipagen gefüllt, und nur mit wahrer Lebensgefahr vermochte man zum Eingange zu gelangen."

Ausgelöst worden war dieser Menschenauflauf durch eine Zeitungsanzeige des rührigen Theaterchefs Wilhelm Gropius, in der er als sein diesjähriges „Weihnachtsstück" bei einem Eintrittspreis von vier bzw. zwei Groschen Courant („Kinder zahlen ohne Ausnahme 2 Gr. Cour.") den *Brand von Moskau* ankündigte. Damit bewies er wieder einmal seinen außerordentlichen geschäftlichen Spürsinn, denn während seine Konkurrenten – der Konditor Fuchs Unter den Linden, der Buchbinder Hasselberg in der Breiten Straße und andere Kaufleute ihre Schaufenster und Geschäftsräume zum Weihnachtsfest mit idyllischen oder amüsanten Szenen ausschmückten, präsentierte Gropius den staunenden Berlinern ein realistisches Bild vom russischen Kriegsschauplatz. Dies Kunststück hatte noch keiner vor ihm fertiggebracht.

Wilhelm Gropius, der Impresario, und sein Mitarbeiter Schinkel hatten unerhört schnell gearbeitet. Am 29. September druckten die Berlinischen Nachrichten die erste Meldung vom Brand in Moskau. Und am 10. Oktober veröffentlichte das Blatt *Das zwanzigste Bulletin der großen Armee,* Moskwa, vom 17ten September 1812:

„. . . Moskwa, eine der schönsten und reichsten Städte der Welt, ist nicht mehr. Den 14ten steckten die Russen die Börse, die Kaufhallen (Bazar) und das Hospital in Brand. Den 16. erhob sich ein heftiger Wind; 3–400 Elende haben auf Befehl des Gouverneurs Rostopschin zugleich an 500 Stellen Feuer angelegt. Fünf Sechstheile der Häuser sind aus Balken zusammengesetzt: das Feuer hat sie mit unglaublicher Schnelligkeit ergriffen. Es war ein Feuermeer . . . Beinahe alles ist verzehrt. Der Kreml ist gerettet . . . Man hat einige Hundert Mordbrenner ergriffen und erschossen . . ."

Da ein „früher an Ort und Stelle aufgenommener Prospekt von Moskau" vorhanden war und die Zeitungen ergänzende Berichte aus Moskau brachten, konnten Schinkel und Gropius ein recht genaues Schaubild dieser Tragödie erstellen, das der Theatermechanikus mit kleinen beweglichen Figuren belebte.

Die Zuschauer, die sich einen Platz im Saal des mechanischen Theaters erkämpfen konnten und ihre ramponierten Kinder vorn auf besonderen Sitzplätzen in Sicherheit gebracht hatten, wurden dann auch mit einem feurigen Spektakel belohnt, das jedes patriotische Herz entflammte; denn der Rückzug der zerschlagenen französischen Armee durch die russischen Eiswüsten war in diesen Wochen Tagesgespräch.

Auch der Rezensent der *Berlinischen Nachrichten,* die seit Jahren regelmäßig über die Weihnachtsausstellungen berichtete, war überwältigt. „Man erblickt zur Linken den Kreml mit seinen vielen verschiedentlich gestalteten Thürmen, vor demselben die Moskwa mit ihrer schönen auf einer Reihe gewölbter Bogen ruhenden Brücke und, jenseits dieser, die weitgedehnte Stadt in einem Flammen-Meere. Der Effect des Feuers ist vortrefflich und fast noch schöner sind die Massen der Rauchwolken mit den Reflexen des Feuers! Der Brand wüthet an dem vom Zuschauer entferntesten Theile der Stadt . . . Auf der Brücke wogen die Menschen (kleine bewegliche Figuren) in großem Gedränge hin und zurück, und um die Einbildungskraft noch mehr in Anspruch zu nehmen hört man, während der

Musik, die, auf dem Fortepiano, der Flamme gleich, wirbelt und rollt, abwechselnd Kanonenschüsse." Aber dem vom Kriegsgetöse und Feuersbrunst tief beeindruckten Berichterstatter ist das Bild trotzdem nicht realistisch genug. Er schlägt vor, die Mechanik sollte Mittel ausfindig machen, die „höchst malerisch geformten Massen von Dampf und Rauch in wechselnder Gestalt erscheinen zu lassen" oder statt dessen könnten auch „sprühende Funken emporsteigen" und eine der vorderen Dekorationen „durch Theater-Feuerwerk in Brand gerathen und einstürzen." (Berlinische Nachrichten, 24. Dezember 1812)

*Der Brand von Moskau* war nicht Schinkels erstes „Schaustück" und auch nicht sein letztes. Danach folgten u. a. Prospekte von Napoleons Verbannungsinseln Elba (1814) und St. Helena (1815). Aber es war das spektakulärste in einer langen Kette von rund 50 Schaubildern, deren Produktion der rührige Schinkel aus wirtschaftlicher Not und künstlerischem Interesse schon 1807 in einer beengten Wohngemeinschaft noch während der französischen Einquartierung begann.

Schinkel wohnte damals in dem Haus Breite Straße 22, das dem Berliner Seidenfabrikanten Gabain gehörte. Wilhelm Gropius, ein Verwandter Gabains und seit 1806 Besitzer einer Maskenfabrik und eines Figurentheaters, hatte in der Beletage ein Café eingerichtet, wo die französischen Offiziere Billard spielten. Das dritte Geschoß, mit drei Zimmern, bewohnten zwei Gropius-Söhne gemeinsam mit Schinkel. Hier schon bahnte sich zwischen den drei jungen Männern die fruchtbare Zusammenarbeit späterer Jahre an: Carl Wilhelm Gropius wurde Hof-Theatermaler und baute das väterliche Unternehmen aus, sein Bruder Ferdinand wurde ebenfalls Dekorationsmaler. Der dritte Sohn, George, machte sich als Buchhänder und Verleger einen Namen.

Wer von ihnen die Anregung zu den Weihnachtsausstellungen gab, ist nicht festzustellen, aber sie lag jedenfalls in der Luft. Weihnachtsausstellungen waren in dieser Zeit ein typisches Berliner Volksvergnügen. Ursprünglich von geschäftstüchtigen Konditoren in der Hoffnung auf höhere Einnahmen gefördert, wurden sie von Jahr zu Jahr in wachsender Zahl von anderen Geschäftsleuten – Spielzeughändlern, Buchhändlern, Lederherstellern und Buchbindern – übernommen, obwohl gleichzeitig größere und besser ausstaffierte Weihnachtstheater eröffneten. Eine besondere Attraktion und liebenswürdige Spielerei in der Vor-Biedermeierzeit waren die jeweils „mitwirkenden" kunstvoll-possierlichen beweglichen Figuren, Reiter, Schiffchen, Kutschen, deren Mechanismus in den Zeitungskritiken genauso kritisch begutachtet wurde wie die Schaubilder selbst.

Den Zeitungsanzeigen zufolge muß Schinkel die Schaubildmalerei mit der ihm eigenen Schaffenswut eröffnet haben. 1807 malte er für das Theater von Gropius mehrere exotische Ansichten, darunter Konstantinopel und Jerusalem, aber diese Arbeiten, die übrigens sehr gelobt wurden, befriedigten seinen Ehrgeiz nicht. Schinkel wollte Größeres. Denn schon am 25. März 1808 schrieb er einen Brief an den in Königsberg residierenden König Friedrich Wilhelm III. „Um die Resultate meiner Reise durch Italien gemeinnütziger zu machen, habe ich unter anderen unternommen, ein Panorama der umliegenden Gegend von Palermo zu malen, die Entwürfe, nach der Natur gezeichnet und zu diesem Zweck bearbeitet, sind fertig da, es fehlt mir nur zu einer so großen Arbeit ein gehörig heller und großer Raum. Meine unterthänigste Bitte ginge dahin, daß Eure Königliche Majestät den weißen Saal im Schlosse, der schon für das Malen des Theatervorhangs diente, zu dieser Arbeit, durch die ich zugleich einen Theil meiner Subsistenz zu sichern glaube, erlaubte . . ."

Aber Seine Majestät gaben am 13. April 1808 in einem Brief zu erkennen, Sie fänden es „nicht rathsam, unter den jetzigen Umständen eine Disposition über den Gebrauch der Zimmer des Schlosses zu treffen."

Schinkel ließ nicht locker und setzte durch, daß er den Saal des Königlichen Opernhauses benutzen durfte, wo er das 30 Meter lange und 5 Meter hohe kreisrunde Panorama innerhalb von vier Monaten auf Zwillichleinwand malte. „Er war mit eisernem Fleisse vom Morgen bis zum Abend bei dieser Arbeit beschäftigt, ohne unterdessen eine andere Nahrung zu nehmen, als die er des Morgens zu sich gesteckt hatte, und ohne sich durch die unerträglichsten Kopfschmerzen, die ihn schon damals öfters heimsuchten, abhalten zu lassen.“ (Franz Kugler)

Baron Haller von Hallerstein, ein Fachmann für Perspektive, besichtigte es im Oktober 1808 am Opernplatz, wo es Schinkel in einer von seinem Freund Steinmeyer eigens dafür errichteten Bude zunächst auf eigene Rechnung ausstellte. Haller lobt, daß der Künstler einige häßliche, durch die Feuchtigkeit entstandene Flecke neu übermalt habe und fährt dann als Fachmann anerkennend fort: „Der Künstler hat wirklich hier ein Meisterstück hervorgebracht, wenn gleich ein noch kräftigeres und blühenderes Kolorit möglich und sogar zu wünschen seyn möchte. Zeichnung und Beleuchtung sind vortrefflich . . . Noch ein Wort vom Technischen dieses Panorama's. Es machte mir ungemeine Freude, über diesen Theil desselben mit dem Künstler, Herrn Schinkel, selbst zu sprechen. Ich lernte ihn hiebei als einen geübten Kenner der Perspektive kennen und bewunderte seinen Scharfsinn, indem er mir zeigte, wie er so manche schwere Aufgabe aus dieser Wissenschaft, die bei Verfertigung eines Panorama's sehr häufig vorkommt, auf eine vollkommen befriedigende und kurze Art aufgelöst hat. Auch die, die nicht Kenner von Perspektive sind, können sich einen Begriff machen, wie vortrefflich der Künstler auch diesen Theil seines Panoramas bearbeitet habe, wenn sie bemerken, daß alle die geraden Linien, die sie auf dem Panorama in großer Anzahl und von beträchtlicher Länge sehen – daß alle diese geraden Linien, mit Ausnahme der senkrechten – nur scheinbar gerade sind, und von dem Künstler nach sehr schwer mit Erfolg auszuübenden Regeln, auf die Leinwand krumm gezogen werden mußten . . . Bei seinem vorzüglichen Talente für die Landschaftsmahlerei, bei seinem ausgesuchten Geschmacke, seinem besonders glücklichen Erfolge in der malerischen Wirkung, und seinem reichen Vorrath von Zeichnungen, die er in Italien nach der Natur gemacht hat, kann man nur Vortrefliches von ihm erwarten.“ (Berl. Nachr. vom 27. Oktober 1808)

Noch bevor das Panorama von Palermo nach einigen Monaten wieder geschlossen wurde, legte Schinkel, durch den großen Erfolg angestachelt, ein ganzes Bündel neuer Schaubilder vor, und zwar gleich für drei verschiedene Auftraggeber. In der Breiten Straße 22, also unter dem eigenen Dach, zeigte er im Dezember 1808 – die französischen Besatzungstruppen waren am 3. Dezember abgerückt – im ersten Stock des Gabain'schen Hauses *Die Kunst-Ausstellung des Seehafens der Capstadt am Vorgebürge der guten Hoffnung* . . ., die „durch bewegliche, in ganz richtiges Costüm gekleidete, Figuren einen deutlichen Begriff von der Beschäftigung und Lebhaftigkeit an einem so besuchten Handelsplatze giebt. Vorüber segelnde Kriegs- und Kauffahrtei-Schiffe etc., welche von einem Reisenden nach der Natur durchaus richtig gezeichnet sind, werden auf der majestätisch ruhig wogenden See dem Zuschauer eine Unterhaltung verschaffen, welche ihn gewiß zu wiederholten Besuchen anreizen wird.“ (Berl. Nachr., 15. Dezember 1808)

Dem Buchbinder Kühn, der sein Geschäft drei Häuser weiter in der Nummer 25 betrieb, malte er das *Alpenfest in Interlachen,* das die Zeitschrift *Der Freimüthige* als eines der gelungensten unter den zahlreichen Werken der diesjährigen Weihnachtsausstellungen herausstellte: „der wackere Schinkel (Verfertiger des *Panoramas von Palermo*) hat dazu einen gelungenen Hintergrund gemalt, der den festlichen Platz täuschend darstellt, und mehr als 800 Figuren . . . tragen dazu bei, das ganze Fest anschaulich zu machen und zu beleben . . .“ (Berl. Nachr., 27. Dezember 1808)

Indessen sind die Panoramen keine Erfindung Schinkels. Sie kamen aus London, wo der Maler Robert Barker 1799 *Die Schlacht am Nil* vorführte, über Paris, Hamburg nach Berlin. In Berlin wurde schon 1800 ein Panorama gezeigt; es war eine Ansicht Roms, die Heinrich von Kleist im August d. J. in einem Brief an seine Verlobte Wilhelmine Zenge ausführlich und kritisch beschrieb.

Als echte Neuheit aber hat Schinkel die sogenannten perspektiv-optischen Bilder erfunden. Gottfried Schadow erinnerte sich noch Jahrzehnte später an die aufsehenerregende Premiere im Dezember 1808:

„Am 25sten paradirte das Schillsche Corps unter den Linden; zu gleicher Zeit war die Ausstellung von Schinkels Perspectiven, die Alles übertrafen, was man bis dahin in diesem Fache gesehen hatte. Es waren der Vesuv, der Montblanc, St. Peter zu Rom, der Dom von Mailand und das Capitol." Diese etwa 3 x 4 Meter großen Schaubilder, die Schinkel vorerst auf eigenes Risiko in der Gertraudenstraße Ecke Spittelmarkt 16 ausstellte und später an Gropius verkaufte, zeigten erstmals ausschließlich Motive seiner Italienreise und zwar in einem von ihm entwickelten perspektivisch-optischen Verfahren, das die Illusion der Wirklichkeit wiederum fast ins Märchenhafte steigerte.

Über die neue Kunst-Technik heißt es im Textblatt: „Einer unserer jetzt lebenden berühmtesten Künstler, Herr Schinkel in Berlin, suchte in einer eignen Gattung von Gemälden Gegenstände der Natur und Kunst dem Auge so darzustellen, dass die Wirkung, welche die Behandlung gewöhnlicher schon bekannter Panoramen für das Auge hat, in ihrer höchst möglichsten Vollkommenheit nicht nur erreicht, sondern auch bei weitem übertroffen werde."

Künstlern fällt es gewöhnlich schwer, ihre eigenen Werke zu erläutern. Kunstkritiker Ludwig Catel erklärt die Sache in den *Berlinischen Nachrichten* sehr viel anschaulicher: „Diese Vorstellungen befinden sich auf einer planen Bildfläche von circa 20 Fuß Länge und 13 Fuß Höhe. Der Zuschauer steht auf ohngefähr 30 Fuß vom Bilde ab, und erblickt dasselbe durch einen langen Säulengang, der durch seinen künstlichen perspektivischen Bau, weit über die Wirklichkeit verlängert erscheint. Eine kräftige Lampen-Erleuchtung, sowohl vor dem Bilde, als auch hinter demselben zu den Transparents, vermehren die Täuschung des Ganzen . . .", wobei sich „der Zuschauer wie bei den gewöhnlichen Bühnen, in einem besondern Raume [befindet], vor welchem sich der Zauber-Spiegel enthüllt, auf den sich das magische Blendwerk malt." (Berl. Nachr., 29. Dezember 1808)

Diese konsequente Anwendung der Perspektive zur Steigerung des künstlerischen Gesamteindrucks konnte wohl nur von einem ausgebildeten Architekten wie Schinkel kommen. Aber er verstand sich auch auf stimmungsvolle Beleuchtungseffekte: die Peterskirche in Rom bei Festbeleuchtung am Tage der Heiligen Paulus und Petrus, der Dom zu Mailand im Fackelschein, der Vesuv in höllischer Feuersglut, ein Schweizertal in der Morgensonne – daran berauschte sich das Publikum. „Das Ideal einer Feenwelt liegt vor uns", beschließt der Theaterzettel seine Erläuterung zum ersten Bilderzyklus „– und kehren wir zur Wirklichkeit zurück, so danken wir dem Künstler, der dies Bild uns schuf."

Ein zweiter Italien-Zyklus folgte zum Weihnachtsfest 1809. Inzwischen hatte Schinkel die Arbeitsräume gewechselt. Er wohnte jetzt im Haus zum Hirschen am Alexanderplatz, dem berühmten Gebäude mit den 99 Schafsköpfen. Dort befand sich ein Saal, in dem er größere Bilder von 4 mal 6 Metern herstellen konnte und die er dann „in einem sehr zweckmäßigen Local sinnreich angeordnet, in der breiten Straße, vom Schlosse her im zweiten Portal des alten Stallgebäudes", vorstellte. Hier soll sie auch das Königspaar besichtigt und Schinkel bei dieser Gelegenheit einige Dekorationsaufträge erteilt haben.

Carl Gropius erzählt: „Es machte große Schwierigkeiten, ein Lokal zu finden, worin diese so viel größeren Bilder Platz finden konnten. Die Einrichtung war so getroffen, daß die Bilder an einigen oder an zwei Tagen in der Woche mit Gesang begleitet wurden. Grell, Rungenhagen und andere der besten Quartettsänger hatten diese Musikbegleitung übernommen, die zusammen mit den Bildern einen nicht zu beschreibenden Eindruck hervorbrachte. Die Königin Louise hatte davon gehört und befahl eine Vorstellung, welche auch der König mit in Augenschein nahm. Die Königin wünschte die Erklärung aus Schinkel's Munde zu hören, und es war dies die Gelegenheit, von wo ab Schinkel's bisher sehr beschränkte Stellung eine andere wurde. Die sämmtlichen Bilder kaufte mein Vater von Steinmeyer an . . ."

Einige dieser Bilder sah auch der junge Dichter Joseph von Eichendorff, der eine juristische Laufbahn einschlagen sollte, sich aber während des Studiums als typischer Zugvogel der Romantik 1809 für kurze Zeit in Berlin niederließ. Vom November bis zum März führte er ein ungebundenes Leben in der Hauptstadt und machte die Bekanntschaft von Adam Müller, Brentano, Arnim und Heinrich von Kleist, dem späteren Herausgeber der *Berliner Abendblätter.* Buchstäblich in letzter Stunde, am Abend vor der schmerzlichen Trennung von seinen Berliner Freunden, besuchte er am 3. März 1810 Schinkels Guckkasten-Theater:

„Zu Hause dann unten Brentano getroffen (Watzd[orf]s Suspensorium) u. mit ihm, Wilh.: u. Watzdorf Abends ins Theater des talentvollen Mahlers Schinkel. – Bloß Parterre. Das plötzl: (Brentano so gefallende) Zuklappen der erleuchteten Avisos zu beiden Seiten. Mehrere Vorstellungen (die hintere Wand nemlich ein perspectivisches, herrliches Gemälde) mit Kirchenmusik. Die einsame Ansicht des morgenrothen Aetnas (im tiefen Vordergrunde die öde Ruine) mit Waldhorns-Echo. Das Innere der alten Domkirche zu Mantua (die unzählige Menge von Menschenfiguren unten (d[urch]s Fernglas) ganz täuschend). Kreuzeserleuchtung in der Peterskirche etc" (Tagebuchnotiz)

Wilhelm Gropius und Schinkel waren ein ideales Gespann. Der geradezu sensationelle Erfolg ihrer Veranstaltungen ließ Gropius Pläne für ein eigenes Theater in Angriff nehmen, was die *Berlinische Zeitung* lebhaft begrüßte, „weil er bei allen seinen Ausstellungen vom Herrn Geheimen Ober-Bau-Assessor Schinkel fortwährend werkthätig unterstützt werden, und der neue Bau vieles begünstigen wird, was in den bisherigen beschränkten und unpassenden Zimmern auszuführen nicht möglich war." (7. September 1811).

Im Februar 1811 fanden die beiden Dioramenkünstler, die wie die Artisten ständig auf Wanderschaft sind, endlich ein neues Lokal – in der Brüderstraße 12.

Dort überraschte Schinkel das Publikum mit dem poetischen Bild eines deutschen Domes, das er mit viel Liebe komponiert hatte. Ähnliche Motive malte er um diese Zeit auch in Öl.

„Gleich beim ersten Anblick ist nemlich Schinkel's Meisterhand nicht zu verkennen. Von einer am Abhange eines Felsen belegenen Seestadt, erblickt man eine gothische Kirche mit zweien Thürmen; vor derselben eine, über den Ausfluß des ins Meer sich ergießenden Stromes auf sehr hohe Bogen erbaute und auf jeder ihrer Pfeiler mit einer Heiligen-Capelle gezierten Brücke. Jenseits derselben wird man durch die Bogen-Oeffnungen die von dem Felsen nach dem Ufer herab sich ziehende Stadt und an deren äußerstem Ende den Leuchtthurm gewahr ... Die Scene ist von der aufgehenden Sonne erleuchtet, in deren Purpurlicht, die zackige und durchbrochene Bauart der gothischen Thürme um desto deutlicher sichtbar wird ... Nachdem auf dem Fluß mehrere Kähne vorübergerudert sind, auch ein Schwan vorbeigeschwommen ist, und auf dem vorgedachten Steindamme einige analoge Figuren, als ein Lastträger mit einem Ballen Waaren auf dem Rücken, eine Ablösung von Schildwachen, selbst eine ganze Militärwacht vorbeimarschirt ist, kommt unter dem Geläute des Dom's eine Prozession über die Brücke dahergezogen, um, wie es scheint, sich nach der gothischen Kirche zu begeben. Der langsam fortrückende Zug wird von Zeit zu Zeit mit Kanonenschüssen begrüßt, deren Zündfeuer man aufblitzen sieht, und endlich ertönt auch fern aus der Kirche her der Klang der Orgel ... Die Scene erinnert an Schinkels treffliche Darstellungen, welche dem Publikum im verwichenen Jahre in einem Saale des Königlichen Marstall-Gebäudes so vielfältigen Genuß verschaft haben ... Gegen die Schwierigkeit: ‚den Schreiten der Figuren das Eckige und das Stockende in den Bewegungen zu benehmen' kämpft Herr Gropius mit wachsendem Erfolge ... Um einen geringern, als den Eintrittspreis von zwei Groschen, kann man eine Viertelstunde nicht angenehmer hinbringen." (*Berlinische Nachrichten,* 26. Februar 1811)

Im Jahre 1812, als er Konstantinopel, den Ätna, eine norwegische Landschaft u. a. zeigte, konnte Gropius endlich sein neues „Mechanisches Theater" in der Französischen Straße 43, im ehemaligen Bölkischen Saal, beziehen. Was ihn und sein Theater auszeichneten, waren jedoch nicht nur sein Gespür für den Publikumsgeschmack sondern auch seine mechanischen Kenntnisse beim Arrangement der beweglichen Figuren, „die ihm und seinen Kindern [Carl und Geschw.], denn das sind seine Gehülfen, in der That Ehre machen ... Schon jetzt, beim ersten Entstehen dieses Kunstwerks, sind sie weit zusammengesetzter als der Referent sie bei anderen ähnlichen Ausstellungen, zum Beispiel vor etlichen dreißig Jahren von Gabriel, späterhin in der Stadt Paris, und neuerlich bei Robertson gesehen hat". heißt es in den *Berlinischen Nachrichten* in einer Besprechung vom 21. Dezember 1809. „Anstatt daß sie bei Robertson in beträchtlicher Entfernung vom Zuschauer durch eine Art von Nebel vor allzugroßer Beleuchtung geschützt sind, wodurch das mangelhafte Steife, u. Hölzerne der Bewegungen verdeckt und gemildert wird, zeigen sich die Figuren des Herrn Gropius in ungleich größerer Nähe und in stärkerer Hellung . . ."

Als Gropius im November 1811 den festlich illuminierten *Palast Belfonsi* im Haus Schloßplatz Nr. 3 im abgedunkelten Zuschauerraum bei Fortepianomusik ausstellte, rühmte der Rezensent, daß mehrere Figuren sich „durch die Leichtigkeit und Natürlichkeit aller ihrer Bewegungen ganz vorzüglich auszeichnen: ein Bauer, der im Vorübergehen die Mütze abnimmt; ein anderer, der auf einem Esel reitet, und dem 2 andere mit Säcken Mehl beladene Esel, sehr natürlich fortschreitend, folgen; ferner ein Mädchen, welches einen Topf mit Milch auf dem Kopfe trägt, und ein Bauer, der eine Karre vor sich her schiebt, welche ihm zur Erleichterung die Frau vorn an einem Stricke zieht. Bei diesen zuletzt genannten Figuren hat es die Kunst dahin gebracht, daß beim Schreiten derselben, namentlich bei den Frauen, das Faltenwerfen der Röcke und der Schürze deutlich zu erkennen ist, wodurch die Täuschung gar sehr befördert wird. Sicherlich würde Herr Gropius in diesem Zweige der Kunst noch ungleich mehr leisten, wenn er zu Ausstellungen solcher Art ein geräumiges und zweckmäßigeres Lokale hätte", weshalb der Rezensent noch einmal dringend dafür plädiert, „daß der Aktien-Bau des vorgeschlagenen kleinen Theaters dieser Art am Ende der Behrenstraße, hinter der katholischen Kirche, bald zu Stande komme." (*Berl. Nachr.,* 28. November 1811)

Von Schinkels Panoramen- und Schaubild-Malerei führt ein direkter Weg zur Bühnendekoration der späten Romantik. Acht Jahre Schaustellerei prägten sein Gespür für Bühnenwirksamkeit; es war eine einmalige Gelegenheit, praktische Erfahrung im Ausmalen überdimensional großer Leinwände zu sammeln und das Spiel von Licht und Schatten, die Wirkung der Perspektive zu studieren.

Den Kunstkritikern jener Tage, die diese Weihnachtsspielereien so ernst nahmen, fielen diese Zusammenhänge früh auf. Sie erhofften sich davon neue Impulse für Theatermalerei und Bühnendekoration, an die der Indendant Iffland vom Nationaltheater keinerlei gehobene künstlerische Ansprüche stellte.

So schrieb Ludwig Catel schon 1808 nach der Schinkel-Vorstellung am Spittelmarkt, deren Beleuchtungseffekte alles bis dahin Gesehene weit übertrafen: „bei dem bezaubernden Anblick dieser Vorstellungen wird einem jeden Kunstkenner der heimlich fromme Wunsch abgedrungen, daß doch unsre Bühnen bald ein Beispiel dieser Art der theatralischen Darstellung nachahmen und diese Vorzüge den Dekorationen des Theaters aneignen möchten." (*Berl. Nachr.,* 29. Dezember 1808)

Diese Anregung sollte denn auch tatsächlich von Schinkel kommen. Am 19. August 1813, bewarb er sich bei Iffland als Theatermaler, und am 11. Dezember folgte ein zweiter Brief. Iffland lehnte ab, er sah die kommende Entwicklung nicht. So blieb Schinkel auch in den nächsten zwei bis drei Jahren bei seinen perspektivisch-optischen Bildern. Zu Weihnachten 1813 malte der die *Völkerschlacht bei Leipzig,* 1814 die *Insel Elba* die *„sieben Wunderwerke der alten Welt"* und 1815 *St. Helena.*

Aber die Weihnachtsausstellungen verloren allmählich ihren Zauber. Schinkel hatte sich mehr und mehr der Ölmalerei zugewandt – ihm war die Sache ziemlich leid. Anfang März 1814 schreibt Arnim an Brentano über den gemeinsamen Freund: „Er ist fleißig, aber leider noch immer zuviel für den Gropius und ähnlichen Dreck."

10 *Dom hinter Bäumen,* Lithographie 1810. Aus dem Bild spricht romantisch-religiöses Naturempfinden. Die Rosen und Sonnenblumen neben dem Sarkophag sind Symbole des sich ewig erneuernden Lebens.

11 *Antike Stadt an einem Berg.* Im Vordergrund ein Opferfest vor einem Tempel. Das um 1805/07 gemalte Bild gehört zu den ersten großen Architekturlandschaften Schinkels. Es hing später in seiner Dienstwohnung in der von ihm gebauten Bauakademie.

12 *Altan mit weitem Fernblick.* Die romantisch aufgefaßte Ideallandschaft mit Burg und Figuren in altdeutscher Tracht entstand vermutlich um 1814. Später hing sie in der Wohnung von Schinkels Tochter Susanne in der Victoriastraße in Berlin.

13 Das *Spreeufer bei Stralau* malte Schinkel 1817 für den Feldmarschall von Gneisenau. In der Abendsonne erkennt man die Silhouette Berlins. Vorn im Boot zwei Männer, die gestopftes Waldhorn blasen.

14 *Blick auf den Montblanc aus einem Hochgebirgstal mit Bauernhof im Vordergrund.* Schinkel schenkte die Komposition seinem Freund Beuth vor dem Krieg von 1813/14 mit dem Hinweis, in diese grandiose Bergwelt könnten sie sich in Notzeiten zurückziehen.

15 *Blick in Griechenlands Blüte,* 1825. Von einem im Bau befindlichen Tempel überschaut man eine griechische Hafenstadt. Die Wohnviertel, Theater, Sportstätten und Tempel erstrecken sich weit in die bergige Landschaft. Links eine Anlage mit Denkmälern und Grabmalen. Das über zwei Meter breite Bild wurde mehrfach kopiert. Eine Kopie bestellte Kronprinz Friedrich Wilhelm bei dem Maler Karl Beckmann für das Schloß Charlottenhof. Die Abbildung ist eine Kopie von Wilhelm Ahlborn (1836).

16 Das *Felsentor* mit dem Eremiten, ein typisches Romantiker-Motiv, malte Schinkel 1818 für die Gemäldesammlung des Bankiers Wagener, die später den Grundstock für die Nationalgalerie bildete.

17 *Blick auf eine italienische Landschaft,* eine Auftragsarbeit für den Bankier Wagener (1817). Die Szenerie ist mit verschiedenen Figuren belebt, wie fast alle Landschaften Schinkels.

18 *Der Morgen,* um 1815 für Gneisenau gemalt. Auf eine südliche Landschaft deuten die überwucherten Säulentrümmer. Zwei Frauen gehen auf eine Gruppe spielender Kinder zu. Eine von ihnen trägt offenbar Landestracht, während die andere und ihre beiden Kinder mittelalterlich gekleidet sind. Oben auf dem Kamm des Hügels erscheinen zwei Reiter mit federgeschmücktem Barett.

19 rechts: *Triumphbogen für den Großen Kurfürsten und Friedrich den Großen,* beide in antiken Rüstungen (1817). Hinter den Herrschergestalten, den Begründern preußischer Macht, drängt sich eine riesige Menschenmenge, um die Heimkehr des Siegeswagens, den die Franzosen 1806 vom Brandenburger Tor geraubt hatten, zu feiern. Schinkel malte in das patriotische Bild den von ihm entworfenen Freiheitsdom, der jedoch nicht gebaut wurde.

20 *Gotischer Dom am Wasser,* in einer mittelalterlichen Stadt (1813). Um die Wirkung zu steigern, stellte Schinkel den Bau auf eine Bastei gegen die tiefstehende Sonne. Er zeigte das Ölgemälde 1814 auf der Akademie-Ausstellung. Ein Kritiker meinte, der Künstler habe den Zweck verfehlt, weil er den Dom mit der Rückseite und im Schlagschatten zeige: „Die Masse des Doms sieht wie vom Monde beleuchtet aus“.

21 *Landschaft mit gotischen Arkaden,* vermutlich um 1812. Die schattige Bogenhalle bildet einen reizvollen Kontrast zu der lichten Weite der Landschaft. Am Ufer eines Sees erkennt man die Türme eines Domes; am Berghang hinter dem altdeutsch gekleideten Paar erhebt sich ein Kastell.

22 Die *Landschaft mit Motiven aus dem Salzburgischen* malte Schinkel 1812 als Erinnerung an seine Reise ins Salzkammergut mit seiner Frau im Sommer 1811. Dabei hat er Einzelheiten der Umgebung Salzburgs verändert: Die Hohensalzburg ist so gezeichnet, wie man sie vom Süden her sieht.

23 *Gotische Kirche auf einem Felsen am Meer,* 1815. Das Ölgemälde war das erste der Sammlung des Bankiers Wagener. Das Neueste Conversations-Handbuch für Berlin und Potsdam von 1834 bezeichnet die Sammlung als „bedeutend“, jedoch seien seine Bilder „nur von lebenden Meistern“.

24 *Schloß am Strom,* 1820. Das Ölgemälde entstand nach einer Zeichnung, die Schinkel bei einem heiter-ernsthaften Wettstreit mit Brentano skizzierte. Es ging um die Frage, ob ein Maler die Poesie eines Dichters bildlich ausdrücken könne. Brentano erfand eine komplizierte Stegreiferzählung, die auf einem Jagdschloß spielte. Schinkel dürfte bei seinem Ölbild das Heidelberger Schloß vor Augen gehabt haben.

25 *Mittelalterliche Stadt an einem Fluß* – eine der großen Kathedralvisionen Schinkels (1815). Ein Regenbogen spannt sich über einen unvollendeten gotischen Dom und eine Stadt am Fluß. Die Lage von Stadt und Dom erinnert an Prag. Schinkel hat Prag 1803 auf seiner ersten Italienreise besucht. Links eine Kaiserpfalz, in die ein Fürst mit seinem Gefolge einzieht. Das Bild hing in Schinkels Wohnung in der Bauakademie.

26 Das Panorama von Palermo. Schinkel besuchte Palermo im Juni 1804 und schrieb in sein Reisetagebuch: „Ich würde Palermo auch ohne die vortreffliche Lage in einem Tal am Meer . . . für die schönste Stadt Italiens halten.“ Unten im Bild die Kathedrale von Monreale vor den Toren Palermos.

27 Mit dem Schaubild *Der Brand von Moskau* sorgte Schinkel 1812 in Berlin für eine Sensation. Das Bild wurde vom Veranstalter Gropius noch 1817 zusammen mit Schinkels berühmter Darstellung der *Sieben Weltwunder* auf einer Tournee in Königsberg gezeigt.

28, 29 Zwei allegorische Bilder aus dem Erinnerungsband an das Fest *Der Zauber der Weißen Rose,* das am 13. Juli 1829 zu Ehren der zu Besuch weilenden russischen Kaiserin Alexandra Feodorowna gegeben wurde. Eine Attraktion des Tages war ein „Zauberspiegel", auf dem bewegliche Bilder erschienen. Die Entwürfe dazu lieferte Schinkel.

# *Schinkel als Maler*

Schinkels Schaffensperiode als Maler und Zeichner währte rund vierzig Jahre. Seine frühesten überlieferten Bilder sind farbenreiche Blättchen mit überwiegend südlichen Motiven, die er als 16- bis 18jähriger nach der Phantasie entwarf, eines seiner letzten zeigt die Kurpromenade von Marienbad, die er 1837 als Erholungssuchender malte.

Diese Zeitspanne umfaßt etwa 3000 Skizzen und Zeichnungen, rund sechzig Ölgemälde sowie Riesenschaubilder wie das Panorama von Palermo und Dioramen.

Seine beliebtesten Motive: südliche Gefilde, aber auch nordisch-herbe Landschaften wie Stubbenkammer auf Rügen oder das Stettiner Haff. Außerdem mittelalterliche Stadtlandschaften mit gotischen Domen, antike Szenen mit griechischen Tempeln und Statuen, die harmonisch in die Umwelt eingebettet sind. Dazu kommen die Landschaftsbilder als Nachklang seiner Reisen ins nördliche Deutschland, das Salzburger Land oder auch nur in die unmittelbare Umgebung Berlins. Diese Vielfalt der Motive ist typisch für Schinkels malerisches Werk.

Als Maler war Schinkel Autodidakt. Das zeigt sich an den technischen Mängeln seiner Ölgemälde, an den stumpfen, übermäßig nachgedunkelten Flächen – ein untrügliches Zeichen für den reichlichen Auftrag von Firnis, wie es Dilettanten eigentümlich ist.

Durch mangelnde Übung und fehlende Technik waren seinem Eifer Grenzen gesetzt. Schon auf der Italienreise 1804 in Rom „konnte er der Versuchung, eine Landschaft in Oel auszuführen, nicht widerstehen, welche ihn indess so wenig befriedigte, dass er sie, immer strenge gegen sich, selbst in seinem Kamin verbrannte", erzählt sein Freund und Schüler Gustav Waagen. Und Achim von Arnim berichtet noch viele Jahre später von Schinkels „Malwuth, die ihn oft hindert, die Zeit des Trocknens abzuwarten", daß er „ganze Stellen dadurch verschwärzt". Selbst auf seinen besten Bildern blieb seine Farbgebung dem Zufall ausgeliefert, wie zum Beispiel bei der *Landschaft mit Motiven aus dem Salzburgischen* (1812), bei der er Reiseeindrücke vom Salzkammergut verarbeitete. „Schinkel freute sich stets, wenn er das Bild wiedersah, über das hier von ihm angewendete Grün und bedauerte, nicht mehr zu wissen, was er dazu genommen habe", erzählt sein Schwiegersohn Freiherr von Wolzogen.

Die erste größere Serie von Ölgemälden malte Schinkel nach seiner Ernennung zum Geheimen Oberbau-Assessor im Mai 1810, also in jenen bitteren Jahren, in denen Preußen an den ungeheuren Kriegskontributionen auszubluten drohte und an eine geregelte Bautätigkeit nicht zu denken war. Da die Beamten in den engen und muffigen Räumen der Baubehörde an der Zimmer- Ecke Charlottenstraße sich mit der Erstellung dürftiger Gutachten und routinemäßiger Aktenarbeit begnügen mußten, verlegte der 29jährige frischgebackene Assessor Schinkel, zuständig für das „ästhetische Fach", seine künstlerische Tätigkeit einstweilen aufs Malen.

Im selben Jahr entstand seine Lithographie *Dom hinter Bäumen,* die an Runges Stimmungswelt erinnert, und der Schinkel folgende poetische Worte, die an Wackenroders *Herzensergießungen eines kunstliebenden Klosterbruders* denken lassen, als Leitmotiv beifügt: „Versuch, die liebliche sehnsuchtsvolle Wehmuth auszudrücken, welche das Herz beim Klange des Gottesdienstes aus der Kirche herschallend erfüllt."

Eine romantische Bildwelt zeigt auch der etwas später gemalte *Morgen,* ein Rundbild mit schwärmerisch-idealisierter Naturbetrachtung, symbolischer Farbzuordnung und Blumenallegorien.

Nach dem Tod der preußischen Königin Luise (19. Juli 1810), die wie kaum eine andere Fürstin zuvor im Volk aufrichtig betrauert wurde, war Schinkel der erste unter den Künstlern, der einen Entwurf für eine Begräbniskapelle vorlegte: eine romantisierende von rosarotem Licht durchflutete Säulenhalle, deren gefächerte Spitzbögen die Empfindung eines schönen Palmenhains erregen sollten: „Die irdische Hülle der verewigten Königin der Nachwelt aufzubewahren, hierzu einen Ort zu weihen, der durch eine liebliche Feierlichkeit jeden, der ihn betritt, zu den Gefühlen erhebt, welche dem Andenken an das verehrte Leben entsprechen, war die Aufgabe zu dem vorliegenden Gegenstande", erläuterte Schinkel die neue romantische Architektur seines Mausoleums im Katalog der Akademie-Ausstellung, wo er das Blatt 1810 ausstellte.

Außerdem schickte er erst nach der Eröffnung (23. September 1810) die Lithographie *Dom hinter Bäumen* sowie verschiedene andere Proben von Steindrucken ein. Schinkel gehörte zu den wenigen romantischen Künstlern, die schon damals mit der neuen, vielversprechenden Technik des Steindrucks experimentierten.

Die alle zwei Jahre in den Sälen der Akademie Unter den Linden veranstaltete Ausstellung fand jedesmal ein lebhaftes Echo bei den Berlinern und auch bei Hofe. Brentano berichtet: „In den letzten sechs Wochen hat uns die ganze Stadt die Ausstellung der Gemälde dieses Jahres hier unterhalten. Buris Bilder und die Zeichnungen der Kurprinzessin waren alle da, zugleich eine Menge Porträts vom jungen Schadow. Von Kügelgen in Dresden waren fünf Bilder da, große und kleine, nach meiner Empfindung schlecht. Von Friedrich seltsame graue Winterkirchhöfe im Nebel, Mondschein mit Kapuziner, kleinen Kapellen, Leichenbegängnissen, vortrefflich usw . . ." (An die Brüder Grimm, 2. November 1810)

Caspar David Friedrich hatte zum erstenmal Bilder aus seinem Dresdner Atelier auf die Reise nach Berlin geschickt – mit dem überwältigenden Echo hatte er vermutlich nicht gerechnet: Die beiden Ölbilder *Abtei im Eichwald* und *Mondschein mit Kapuziner,* wie Brentano sich ausdrückte, konnte er durch Vermittlung des 15jährigen Kronprinzen an König Friedrich Wilhelm III. verkaufen. Auch Brentano hatte den künstlerischen Wert des *Mönch am Meer,* dem die Mehrzahl der Besucher verständnislos gegenüberstand, sofort erfaßt, wobei jedoch sein Bericht darüber im 12. Blatt der erstmals am 1. Oktober 1810 erschienenen *Berliner Abendblätter* mißglückte. Chefredakteur Heinrich von Kleist, hat das geistreichelnde Elaborat fast völlig neu geschrieben, bevor er die *Empfindungen vor Friedrichs Seelandschaft* am 13.10.1810 auf Seite 1 ins Blatt rückte und sich damit die Sympathien seines hochbegabten aber empfindlichen Mitarbeiters für lange Zeit verscherzte.

Dagegen fanden Schinkels Zeichnungen kaum Beachtung; sie wurden erst einen Monat danach in den *Abendblättern* erwähnt und auch nur im Rahmen einer allgemein kritischen Würdigung aller ausgestellten Werke. Es war Achim von Arnim, der sich am 13. November zu Wort meldete: „Den Landschaften schließen sich ein Paar treffliche architektonische Zeichnungen von Schinkel an. Der Plan seines Denkmals auf die verewigte Königinn vereinigt den Kirchendienst, der den Ort nach einer ehrwürdigen Volksgesinnung heiligen muß, wo die Herrscher begraben liegen, mit der Gesinnung, daß diese Kirche ausschließlich zu ihrem Andenken erbaut sey; allgemein war das Bedauern, daß derselbe nicht ausgeführt worden. Eine Zeichnung von ihm auf Stein, eine alte Kirche halb von Bäumen versteckt, hat gleichviel Verdienstliches in Erfindung und Ausführung."

Arnims Bericht ist bei aller Zustimmung doch recht zurückhaltend. Vermutlich wußte er mit der neuen Steindrucktechnik nicht viel anzufangen.

Mit dem romantisierenden Grabmal für Königin Luise, an das Schinkel seine ganze Hoffnung knüpfte, hatte er sich beim König nicht durchsetzen können. Ebenso blieb sein großzügiger Entwurf für den zur Diskussion stehenden Wiederaufbau der im September 1809 abgebrannten Petri-Kirche – Schinkel plante einen imposanten Kuppel-Neubau – schon aus Kostengründen in der Schublade liegen. Dagegen brachten ihm seine gewissermaßen privat gemalten Bilder überraschend schnell den Ruf eines genialen Landschafters ein. Allerdings ganz gegen seinen Willen.

Bei der nächsten Akademie-Ausstellung im Sept./Okt. 1812 war Schinkel deshalb nur mit zwei Entwürfen für die Zeltersche Singakademie vertreten. „Aus jungferlicher Scheu, weil er noch nicht als Maler, sondern immer nur als Architekt aufgetreten, hat [er] seine herrlichen Landschaften nicht ausgestellt, es thut mir recht leid", schreibt Arnim dem „Herzensfreund" Clemens, der in Prag an seinem Trauerspiel *Die Gründung Prags* arbeitete. „Es hätten ihn viele und darunter vielleicht auch die rechten kennen und beschäftigen gelernt. Er ist ein ungemeines Talent und ein eigner Fuchs, der sich immer anstellt, als wollte er von den Leuten lernen, und weiß doch alles besser zu machen . . . Er hat außer der schönen Waldlandschaft eine von Salzburg und noch ein hübsches Waldabendbild mit Kindern an einem Wasser beendigt, außerdem noch eine prächtige Stadtlandschaft mit herrlichen Thürmen, einem Wasserfall, am Meer."

Die Sorge, daß sein Ruf als Maler seiner Architektenlaufbahn schaden könnte, bedrückte Schinkel offenbar mehr als je zuvor. Nachhall jener schmerzlichen Erfahrung während seines Aufenthalts in Rom, wo der urwüchsige Tiroler Joseph Anton Koch Schinkels Talent eine Entdeckung von höchstem Rang nannte und sich der junge Italienreisende nach einer schnell arrangierten Privatausstellung seiner Skizze bitter beklagte, daß die Gäste „mich gegen meinen Willen und meine Bestimmung mehr als Landschaftsmaler als Architekt beurteilen".

Viele seiner Bilder entstanden denn auch gar nicht aus innerem Antrieb, sondern als Auftragsarbeiten für hochgestellte Persönlichkeiten in Berlin, darunter der damalige General Gneisenau, Konsul Wagener oder vermögende Kaufherren. Daß er sich bei der Wahl des Genres von den Wünschen seiner Kunden leiten ließ, ist sehr wahrscheinlich.

Für den Hofzimmermeister Glatz schuf er 1809 in der Rekordzeit von nur drei Wochen ein über sechs Meter breites Tapetenbild *Gotische Klosterruine und Baumgruppen,* das mit der Verflechtung von Bauwerk und Natur an die Bildwelt Caspar David Friedrichs erinnert. Auch auf Schinkels späteren Bildern sind die von mächtigen Baumwipfeln umfangenen Bauten ein beliebtes Motiv.

Den größten Auftrag aber, der ihn ein halbes Jahr lang in Anspruch nehmen sollte, erhielt er 1813 vom Seidenkaufmann Jean Paul Humbert, der sein Haus in der Brüderstraße 29 mit einem Bilderzyklus schmücken wollte, den Schinkel dann in unterschiedlichen, dem Raum angepaßten Formaten „in Gemäßheit" der Beleuchtung an den verschiedenen Stellen des Saales innerhalb von sechs Monaten fertigstellte. Die sechs Bilder zeigen die Tageszeiten in wechselnden Landschaften: ein oberitalienischer See im Morgenlicht, eine weidende Viehherde auf einer buchenumstandenen Lichtung in der Mittagshitze, eine nördliche Landschaft im Gewittersturm, Abend, Abendstimmung in den Tiroler Bergen und endlich die Nacht, die in effektvoller Stimmungsmalerei den kommenden Bühnendekorateur ahnen läßt – am Ufer eines im Mondschein glitzernden Sees, auf dem ein Ruderboot dahingleitet, erheben sich dunkle Baumgruppen und eine Klosterruine, deren Silhouette sich filigranartig gegen den fahlen nächtlichen Himmel abhebt.

Starke Hell-Dunkelkontraste wie bei der *Nacht* finden sich häufig auf Schinkels Bildern: auf den Riesenschaubildern ebenso wie auf Ölgemälden. Das läßt vermuten, daß er differenzierte Zwischentöne möglichst vermied, weil er die Farbgebung nicht sicher beherrschte. Trotzdem zählt der Humbert'sche Tageszeiten-Zyklus, in dem die Architektur noch nicht über die Landschaft dominiert, zu seinen gelungensten Werken. Leider sind die Wandbilder, bis auf die *Abenddämmerung,* 1945 bei Kriegsende verlorengegangen.

Mit dem Beginn der Freiheitskriege im März 1813 rückte auch Schinkel zusammen mit lokalen Berühmtheiten wie Fichte, Savigny, Schleiermacher und Vice-Bataillonchef Arnim zum neu aufgestellten, miserabel ausgerüsteten Landsturm ein, um im Ernstfall jeden Fußbreit mit Pike oder Bajonett zu verteidigen („Jeder ficht für seinen eigenen Herd"). Doch ließ ihm der militärische Drill im Lustgarten noch Muße für die Arbeit im Atelier.

Für den im Felde stehenden Gneisenau, einen großen Verehrer der schinkelschen Kunst, der sogar in den Kriegsmonaten mit Schinkel korrespondierte, malte er den *Abend* und andere Landschaften wie *Baumgruppe mit weiter Ferne im Sonnenaufgang* und die *Felslandschaft,* in denen er die Hoffnung auf den Sieg und glücklichere Zeiten anklingen läßt.

Wie sehr Schinkel damals unter den niederdrückenden Verhältnissen litt, daß er sogar erwog, die Heimat zu verlassen, berichten übereinstimmend Brentano und der „Ur-Freund" Beuth. Das Beweisstück dafür lieferte Schinkel selbst: das Ölbild *Blick auf den Mont Blanc aus einem Hochgebirgstal mit Bauernhof im Vordergrund.* Beuth erzählt darüber: „Schinkel malte sie [die Landschaft] vor dem Kriege 1813, als einen Ort, wohin wir uns in einer trüben Zeit zurückziehen könnten und schenkte sie mir, als ich 1814 aus dem Feldzuge zurückkehrte."

Und Brentano schreibt an Arnim am 3. August 1813: „Schinkel grüßt; er malt wieder recht brav, nachdem der Landsturm ihn frei gelassen, will aber auswandern, ich auch – nach schönen Gegenden – auf Felsen, wo nur der seltne Sturm den Sand des zerstiebten Vaterlandes in die Augen weht."

Mit dem Ende der Feldzüge und der Hoffnung auf die Besserung der wirtschaftlichen Verhältnisse wurde Schinkel des öfteren von der Ölmalerei abgelenkt. Im Mai 1814, acht Wochen vor der Heimkehr der siegreichen Truppen, erhielt er vom Magistrat der Stadt den Auftrag, die Aufstellung der Siegessäulen und die Ausschmückung der Straße Unter den Linden zu übernehmen. Achim von Arnim befürchtete Schlimmes:

„Schinkel ist durch die Illuminations- und Dekorationsspäße auf den Straßen von seiner Malerei sehr abgehalten worden", schrieb er am 25. August 1814 an Clemens. „Ich fürchte immer mehr, daß ihn sein Geschick zu solchen Kleinigkeiten, wenn jetzt die Wohlhabenheit zunimmt, von seiner malerischen Vollendung immer mehr abbringen wird, und wer seine Fortschritte beachtet, der muß das recht herzlich bedauern."

Das „Geschick zu solchen Kleinigkeiten", wie Achim von Arnim es ausdrückt, wird später für den vielbeschäftigten und vielseitigen Architekten Schinkel zu einer Bürde, die während seiner ganzen Laufbahn schwer auf ihm lastete, weil er sich um zu viele verschiedene Dinge kümmern mußte.

Doch in Bezug auf die Malerei waren Arnims Befürchtungen etwas verfrüht. Denn schon im Herbst 1814, getragen von der Idee einer nationalen Erneuerung und der „Triumphierenden Stimmung des Volkes" (Gottfried Schadow), trat Schinkel in der Akademie-Ausstellung erstmals als Maler an die Öffentlichkeit. Er zeigte zwei Ideallandschaften, Bekenntnisbilder seiner künstlerischen Gesinnung, die er dann auch im Katalog ausdrücklich als „Eigne Komposizion" deklarierte.

Es sind: *Ein altdeutscher Dom,* welcher sich auf einer mit großen Treppen versehenen Anhöhe am Wasser, in einer alten Stadt erhebt, und als Gegenstück *Ein Sonnenuntergang in einer reichen Gegend von italienischer Natur.*

Auf beiden Bildern stellt er den nördlichen und den südlichen Kulturkreis als gleichberechtigt und sich gegenseitig ergänzend gegenüber, womit er nunmehr als Maler idealisierender historischer Landschaften buchstäblich Farbe bekennt.

Die Gemälde wurden am 8. Dezember 1814 in der *Vossischen Zeitung* ausführlich gewürdigt:

„Idealisch rein schön ist die im Italienischen Charakter gehaltene Gegend, vom Herrn Ober-Bau-Assessor Schinkel [*Landschaft mit Pilger*].

Ueber ein waldiges Vorgebirge steigt der Blick in ein kühles Thal hinab, in welches sich von einer Substruktion herab ein reicher Wasserfall ergießt. Diese Substruktion unterstützt eine Platteform, worauf ein lieblicher Garten mit einer Wasserkunst ruht. Ein mit Säulenhallen umgebener Dom mit angrenzendem Pallast füllt den höheren Theil dieser Platteform aus. Ob dieses Gebäude eine Villa oder ein Kloster sey, läßt sich aus seinen Formen nicht sogleich erkennen. Baumreiche Gebirge bilden im Mittelgrunde eine mit Villen und Städten gezierte Bucht. Das Meer begränzt den Horizont; ein widernatürlich am Abhange des Berges schief gewachsener seine Zweige zu weit ausdehnender Baum füllt den linken Vorgrund. Ein Mönch sitzt am Abhange.

Ein etwas zu körperlich gemalter Himmel kontrastirt zu auffallend gegen den violetten Duft des Hintergrundes, der wolkenartig erscheint, und dem Bilde den Ton giebt, als wenn er durch ein violett gefärbtes Glas angeschaut würde."

Die unecht wirkende Farbgebung, ein Ausdruck mangelnden handwerklichen Könnens, wurde an Schinkels Bildern oft bemängelt. Dagegen fand seine Begabung für die Bühnenmalerei viel Beifall. In der *Vossischen* heißt es dann weiter:

„Eine reiche Komposition und die überaus große Schönheit der Linien erhebt dieses Bild zu einem der vorzüglichsten Kunstwerke der Ausstellung, dem zu seiner Vollendung nichts weiter abgeht, als Wahrheit in den Details und eine naturgemäßere Beleuchtung. Das vorwiegende Talent des genievollen Künstlers für die Theatermalerei scheint ihn noch etwas in der Landschaftsmalerei zu stören, und ihn von der Simplicität eines Claude Lorrain abzuführen."

Dagegen wurde das zweite Bild aus mehreren Gründen kritisiert:

„Mit der unverkennlichen Absicht ein Charakterbild darzustellen, hat Herr Schinkel seinen altdeutschen Dom gemalt, diesen Zweck aber dadurch verfehlt, daß er ihn mit der Rückseite zeigte, und ihn mit Gebäuden von der verschiedensten Bauart aus allen Zeitaltern umringte. Hat er etwa den Zweck gehabt, den altdeutschen Dom als Sieger im Wettkampf mit den Werken anderer Bauart zu zeigen? so lag diese Aufgabe mehr im Gebiet des Verstandes als des Gemüths, und bedingte eine geometrische Zusammenstellung dieser Gebäude nach einem Maaßstabe wie in der Parallèle d'architecture von Durau.

Die Charakterlandschaft bedingt Einheit des Gefühls; daher müßte alles, was das Gebäude umgab, ebenfalls von altdeutscher Bauart seyn. Der Dom von vorne genommen, als von der interessanteren Seite, auf Terrassen mit Stufen gelegen, sollte auf einem Platz mit altdeutschen Gebäuden stehen . . . Die zu sehr im Schlagschatten liegende Masse des Doms sieht wie vom Monde beleuchtet aus."

Wie sehr Schinkel von der Vereinbarkeit der antiken griechischen Welt mit der des Mittelalters überzeugt war, das führte er viele Jahre später seinen Besuchern auch in seiner privaten Umgebung bildhaft vor Augen: Im Vorsaal seiner mit antikischen Gipsabgüssen und Raffael-Nachdrucken dekorierten Dienstwohnung in der Bauakademie hingen zwei großformatige allegorisierende Zwillingsbilder. Wieder *Eine mittelalterliche Stadt nebst Dom an einem Fluß;* links im Vordergrund eine Burg; Gewitterhimmel mit Regenbogen; als Staffage der Einzug eines Fürsten in die Burg, im mittelalterlichen Kostüm.

Und als Pendant dazu: *Eine griechische Stadt am Meer;* in der Ferne Gebirge, rechts im Mittelgrund ein antikes Theater, links der Eingang zur Akropolis mit einem Säulenportikus, davor zwei Rossebändiger. Als Staffage eine Volksversammlung im griechischen Kostüm.

Mit beiden Bildgattungen folgte Schinkel den neuen geistigen Strömungen seiner Zeit, nämlich dem klassisch-humanistischen Bildungsideal, das sein Freund und Gönner Wilhelm von Humboldt an Schule und Universität eingeführt hatte, sowie dem „altdeutschen Styl", den die Romantiker wiederentdeckt hatten. „Altdeutsch" war gleichbedeutend mit Frömmigkeit und Redlichkeit, Charakterstärke und Tapferkeit, eben jenen christlich-ritterlichen Tugenden, die nun von den Patrioten mit dem Mittelalter in Zusammenhang gebracht wurden, als jener verklärten Zeit, in der Deutschland unter einem Kaiser geeint war.

Auch Schinkel war diesem romantisch-historisierenden Patriotismus mit Leib und Seele verfallen. In rascher Folge entstanden seine mittelalterlichen Kathedralvisionen, darunter *Gotische Kirche auf einem Felsen am Meer, Mittelalterliche Stadt nebst Dom an einem Fluß* (1815). Die Verbindung Meer, Felsfundament und aufstrebender Dom findet sich häufig; darin verrät er als Architekt ein fast gebieterisches Verhältnis zur Natur. Im Gegensatz dazu malte er für seine Auftraggeber Gneisenau und Wagener in den folgenden Jahren überwiegend idyllische Motive wie *Spreeufer bei Stralau* (1817), *Italienische Landschaft* oder *Felsentor.*

Doch Schinkel malte nur wenige Landschaften ohne Architektur. Franz Kugler, Verfasser der von Adolph von Menzel illustrierten Biographie Friedrich des Großen, und mit Schinkel persönlich bekannt, äußerte in seiner 1842 veröffentlichten, noch heute grundlegenden Biographie: „Er liebt es, grossartige Baulichkeiten zum Hauptgegenstande seiner landschaftlichen Darstellungen zu machen und die Scenen der offenen Natur und die des menschlichen Verkehrs in Uebereinstimmung mit ihnen zu gestalten; er giebt in diesen Bildern gewissermassen die Architektur in ihrem Verhältnisse zum Leben."

Schinkels um 1815 im Sog der nationalen Erneuerung entstandenen idealisierenden Bekenntnisbilder fügten sich harmonisch in das spätromantische Weltbild Brentanos und Arnims. Auch sie griffen auf historische Stoffe zurück, auf Chroniken, Legenden und Sagen, die sie dichterisch umformten, um neue geistige Kräfte für die Gegenwart freizusetzen. Ein Versuch in dieser Richtung ist Arnims im Mittelalter spielender Roman *Die Kronenwächter* (1816).

Noch während der Arbeit an diesem bilderreichen patriotischem Roman um einen Hohenstaufen-Sproß, in dem Arnim mit aktuellen Anspielungen auf seine Zeitgenossen nicht geizt (z. B. auf die Einfallslosigkeit vieler Architekten), besichtigte er drei neue Landschaften Schinkels: Eine davon war zweifellos durch Arnims Buch beeinflußt worden, wenn nicht gar erst durch seine Anregung zustandegekommen. Das Bild *(Landschaft mit Trauerweide)* zeigt eine italienische Landschaft mit mehreren Personen in altdeutscher Tracht und vor ihnen einen römisch-deutschen Kaiser im Hermelinpelz – wahrscheinlich eine freie Darstellung des Staufers Friedrich I. (Barbarossa). Den Buchtitel hatte noch Runge gemalt, Schinkel hat ihn dann später abgeändert.

Arnim schrieb im September 1815 Bettine: „Schinkel hat wieder ein paar schöne Landschaften gefertigt, eine Aussicht über italiänische Stadt und Meer, wo unter einem Baum ein Ritter dem Kaiser zwei Söhne vorstellt, ein herrliches Bild, und eine griechische Welt ist vollendet und eine gotische oder altdeutsche angelegt."

Arnims Berichte sind jedoch – im Gegensatz zu diesem Brief – meist eine Spur zu nüchtern. Das entspricht seiner herben, zurückhaltenden Natur. Wieviel schwärmerischer ist dagegen Brentanos Verhältnis zu Schinkel. Er bewunderte nicht nur Schinkels Werk, er achtete vor allem dessen in sich ruhende, gefestigte Persönlichkeit. Er ließ keine Gelegenheit aus, ihn seinen Freunden gegenüber in den wärmsten Farben zu schildern.

„Wie glücklich würdest Du sein, wenn Du des Umgangs eines Künstlers genießen könntest, dessen vertrauter Freundschaft ich hier genieße seit Jahren, und dessen unermeßlich reiches und herrliches Talent nach allen Seiten der bildenden Kunst, verbunden mit der größten Bescheidenheit und der lebendigsten und schnellsten Produktion, eigentlich das ist, was mich hier, nebst Savigny's Reinheit, Wahrheit und Tiefe eigentlich gern leben macht. Es ist der Geheime Oberbaurat Schinkel", schreibt er am 16. Januar 1816 seinem Bruder Georg. „. . . bei beständigen Anforderungen von tausend Privatleuten um Zeichnungen aller Art, malt er jährlich wenigstens sechs bis acht große Landschaften von einem bis jetzt nie gesehenen Reize. Wer ihn so kennt wie ich, weiß nicht, ob er mehr über den Fleiß oder die schnelle Produktion dieses herrlichen Mannes erstaunen soll . . ." Und weil Georg nicht nur Kaufmann, sondern auch leidenschaftlicher Kunstsammler war, schlug Clemens ihm eine Transaktion vor: „Wenn ich Dein Vertrauen besäße, so wäre es mir vielleicht möglich, ihn zu bewegen, ein Bild für Dich zu malen. Er wird es nicht leicht für einen anderen tun, denn die wenigen Bilder, die ihm seine vielen anderen Arbeiten erlauben, hat Graf Gneisenau einmal für allemal gekauft. So es Dich nicht ängstigt, ein Bild zu haben, welches, so es Dir nicht gefällt, ich gleich für den Preis behalte, will ich ihn dazu zu bewegen suchen und ihn etwa zu einer festlichen Landschaft im Mittelalter auffordern."

Auch für Jacob und Wilhelm Grimm, mit denen Brentano seit der gemeinsamen Marburger Studienzeit, in der er sie für die alte Poesie interessiert hatte, einen lebhaften Briefwechsel führte, wollte er sich bei Schinkel verwenden. Er riet den beiden, ihren jüngeren zur Malerei drängenden Bruder doch nach Berlin zu schicken: „Wenn Louis hier wäre, er könnte sehr vieles lernen und sich gewiß erhalten. Lernen würde er bei meinem geliebtesten Schinkel ... Hat er nicht Lust hieher?" (Brief vom 15. Februar 1815)

Und natürlich dachte Brentano auch an sich selbst, an die Verwirklichung seines romantischen Plans einer gemeinsamen Schöpfung von Dichtung und Zeichenkunst, für den er 1810 schon Philipp Otto Runge zu gewinnen versuchte.

Als Brentano nämlich im Februar 1816 dem Verleger Reimer in der Kochstraße seine Rheinmärchen anbot – allerdings nur die ersten Bogen, gab er zu bedenken: „Wären Sie geneigt, das Buch durch Schinkel's Zeichnungen zu verschönern, so bin ich bereit, mich mit Ihnen darüber zu beraten. Es ist viel Landschaftliches und Phantastisches und auch Architektonisches, viele Lokalität am Rhein in dem Buch, und er fände viele Verführung, gern zu arbeiten, besonders, wenn Sie ihm einigen Raum vergönnten, weil er nicht gern zu klein arbeitet. Gelänge es Ihnen, in Ihrem erweiterten Etablissement eine einfache Steindruckerei zu errichten, so könnte er die Zeichnungen gleich auf Stein machen ... Über Ihren Vertrag mit Schinkel, sollten Sie geneigt sein, sich seines Talents zur Verzierung bedienen zu wollen, bin ich bereit, mit ihm zu sprechen; er ist vertraulich mit mir ... Sein Preis würde gegen alle anderen unendlich billig sein." (Brief vom 26. Februar 1816)

Das Buch wurde durch Brentanos ständiges Hinauszögern und seine eigenartige Scheu vor Veröffentlichungen vorerst nicht gedruckt. Die Niederschrift der Märchen zog sich über Jahre hin, erst 1825 lieferte Schinkel einen Titelentwurf mit einem bunten Figurenreigen aus dem Märchen vom *Liebseelchen,* der jedoch nicht in die postume Märchenausgaben von 1846/47 übernommen wurde.

Schinkel muß einen unauslöschlichen Eindruck auf Brentano gemacht haben. Als er im Spätsommer 1816 die Kunstreise an den Rhein unternahm und sich mit dem Publizisten Görres in Koblenz traf, dichtete Clemens daheim: „Gehst Du wohl jetzt an meines Görres Hand, / Dem Liebe hier im Liede Dich gefügt, / Wo ernst der Rhein berauschte Ufer pflügt / ..." Es wurde ein hymnisches Gedicht *An Schinkel,* in dem Brentano u. a. Schinkels Bilder gegen Kritiker verteidigt: „Doch ach die liebe Zeit! mit Wortposaunen / Bläst sie Dein Bild des Griechenlebens an, / Und bleckt bei dem Gewitterdom den Zahn, / Wahrhaftig schön, altdeutsch, recht zum Erstaunen! / Doch Kritiker hört man ins Ohr sich raunen: / Phantastische Prospekte, nicht viel dran, / Im Kolorit hat er noch nichts getan, / Sein Blau will grauen nicht, sein Grün nicht braunen."

Schinkels letztes bedeutendes Bild war jedoch keine Huldigung des deutschen Mittelalters, sondern ein verklärter *Blick in Griechenlands Blüte.* Das über zwei Meter lange panoramaartige Bild malte er 1825 im Auftrag der Stadt Berlin als Hochzeitsgeschenk für Prinzessin Luise und Prinz Friedrich der Niederlande.

Wie bei den Entwürfen zu seinen Bauten hat Schinkel auch hier seine Absichten präzis erklärt. Das Bild enthält die Quintessenz seiner Theorie von der Landschaftsmalerei:

„Der Mensch hat den Beruf, die Natur weiter zu bilden nach der Consequenz ihrer Gesetze mit dem Bewußtsein und ohne Willkühr ... Der Reiz der Landschaft wird erhöht, indem man die Spuren des Menschlichen recht entschieden hervortreten läßt, entweder so, daß man ein Volk in seinem frühesten goldenen Zeitalter ganz naiv, ursprünglich und im schönsten Frieden die Herrlichkeit der Natur genießen sieht, ... oder die Landschaft läßt die ganze Fülle der Cultur eines höchst ausgebildeten Volkes sehen ... Hier kann man im Bilde mit diesem Volke leben und dasselbe in allen seinen rein menschlichen und politischen Verhältnissen verfolgen. Das Letztere sollte die Aufgabe des vorliegenden Bildes sein!"

Das Bild wurde eine kurze Zeit lang in Berlin öffentlich ausgestellt. Unter den Betrachtern war auch Bettine von Arnim. Überwältigt von ihren Eindrücken schickte sie einen langen Brief an Goethe:

„Eine Landschaft von Schinkel, der jüngsten Königstochter von der Stadt zur Hochzeit geschenkt, erregt allgemein Verwunderung und Bewunderung; bei mir aber innigere Liebe zu seinen frühesten zum Teil verschütteten Anlagen; der Vorgrund im märchenhaften Kindersinn eines enthusiastischen Weltverschönerers. Der Aufbau eines Tempels füllt ihn aus . . ."

Bettine beschreibt alle Einzelheiten, die unfertige Säulenreihe, das Dunkel der Zypressen, die Vorstädte, die Grotten, Fontänen, die Felsklüfte am Meer und rühmt Schinkel, der ein „so tiefes starkes Naturgefühl in der Darstellung einer phantastischen Erzeugung entwickelt." (Juni 1825)

Und an Arnim schreibt sie nach Wiepersdorf: „Wer diese Landschaft gesehen, war erstaunt, und ich möchte beinah sagen, daß sie ihm mehr Ruhm einbringen wird als seine Gebäude." (Brief vom 24. Mai 1825)

Die Kunstkritik betrachtete das inhaltsschwere Bild keineswegs nüchterner als die Mehrzahl der Besucher, deren Urteil befangen war durch ihre Sympathien für das tapfere Volk der Hellenen, das damals nach Jahrhunderten der Unterdrückung einen heldenmütigen Freiheitskampf gegen die Türken führte.

So schreibt Carl Seidel in seiner Abhandlung *Die schönen Künste zu Berlin im Jahre 1826:* „. . . poetische Erfindung fehlt recht häufig noch den jetzigen Historienmalern, sie ist aber auch eben so wenig häufig zu finden bei den heutigen Landschaftern.

Unser Schinkel nun muß in dieser Hinsicht betrachtet werden als ein wahrhafter Naturdichter; dazu stempeln ihn bereits viele frühere Werke dieser Art, und der eben erwähnte Hinblick auf Griechenland's Blüthenzeit bekundet neuerdings wiederum die poetische Fülle seines Geistes. Wie unendlich reich, wie großartig und originell ist diese viel umfassende Composition ausgestattet; es könnte aus derselben leicht der Stoff zu vielen anderen Gemälden genommen werden; eine ordentliche Verschwendung von Ideen wird hier sichtbar . . ."

Seidel bemängelt allerdings, in dem ganzen Gemälde sei „nicht ein einziger Punkt auf dem das Auge eigentlich ruhen könnte"; aber bei allen Einwänden betont er ausdrücklich, daß sich auf dem Bild alles so „ungesucht und wahr" zusammenfüge – als „sei das Ganze nur genau eben so aus der Natur entnommen". Denn entscheidend sei die poetische Idee und das große so kunstreich gedachte Ganze!

Bettine hatte intuitiv das malerische Bekenntnis des „enthusiastischen Weltverschönerers" gespürt. Mit dem *Blick in Griechenlands Blüte* erfüllte Schinkel einen an sich selbst gestellten Anspruch:

„Des Kunstwerks Bestimmung für die Nachwelt ist: es soll eigentlich darthun, wie man dachte und empfand."

# *Festdekorationen und lebende Bilder*

Die ersten öffentlichen Bauten, die Schinkel errichtete, bestanden aus Holzlatten, Leinwand, Pappe und Gips. Denn die Preußen und die verbündeten Österreicher und Russen hatten Napoleon endlich geschlagen, waren am 31. März 1814 in Paris einmarschiert – und nun sollte die Straße Unter den Linden zur Heimkehr der Truppen in eine Triumphstraße umgewandelt werden. Die Pläne dazu lieferte Schinkel, den die Berliner Stadtväter damit beauftragt hatten.

Auch der König, der mit den siegreichen Bataillonen in Paris einmarschiert war, steuerte ein Scherflein zum vaterländischen Triumphzug bei. Gunda Savigny, deren Mann die Berliner Universität 1809 mitbegründet hatte, weiß ihrer Schwester Bettina am 26. Mai zu berichten: „Zum Friedensfest hat der König für Illumination der öffentlichen Gebäude allein 75 000 Thal. bewilligt, Schinkel liefert die Pläne dazu, deren Kosten aber die große Summe noch übersteigen; der Opernplatz soll mit einem Regenbogen erleuchtet werden."

Doch den Tag der Siegesfeier legte der Preußenkönig vorerst nicht fest. Die Berliner rechneten mit seiner Heimkehr im Juni, sie mußten sich jedoch noch einige Wochen länger gedulden. Aber es gab wenigstens einen Vorgeschmack auf das geplante große Siegesfest: Denn schon „Am 17. April, an einem Sonntage, war ein großes Sieges- und Dankfest wegen der Einnahme von Paris; im Lustgarten fand eine große Parade statt und Abends war die Stadt glänzend erleuchtet", erinnert sich Gottfried Schadow in seinem Buch *Kunst-Werke und Kunst-Ansichten* (1849)

Zwei Wochen vor diesem Lustgartenfest hatte der preußische Generalkriegskommissar Staatsrat Ribbentrop aus Paris eine Freudennachricht nach Berlin geschickt: Preußische Soldaten hatten in Paris Schadows berühmte Quadriga aufgestöbert, die von den Franzosen im Unglücksjahr 1806 vom Brandenburger Tor heruntergeholt und als Trophäe entführt worden war. Auf Befehl Friedrich Wilhelms III. sollte der Siegeswagen unverzüglich zurückgebracht werden.

Außerdem „wurde angeordnet, der Quadriga auf dem Brandenburger Thore . . . das ‚Eiserne Kreuz' aufzusetzen. Hiezu hatte Schinkel die Zeichnung entworfen" (Schadow), der damit einen unmittelbar an ihn gerichteten Auftrag vom 16. Mai erfüllte.

Die Stiftung des Eisernen Kreuzes war insofern etwas besonders, als es vorher keine Auszeichnung gab, die allen militärischen Dienstgraden gleichmäßig verliehen werden konnte.

Diese gewissermaßen demokratische, vom Rang unabhängige Eigenschaft sicherte dem Eisernen Kreuz seine einmalige Bedeutung innerhalb der militärischen Ehrenzeichen.

Schinkel, der 1813 nach einem Entwurf des Königs die endgültige Form des Eisernen Kreuzes gestaltet hatte, gab nun der Viktoria in Erinnerung an den Befreiungskampf statt des bisherigen Triumphzeichens einen Stab mit einem Kranz aus Eichenblättern in die Hand, der das Eiserne Kreuz umschließt, während darüber der gekrönte preußische Adler die Schwingen spreizt. Dieser Vorschlag wurde vom Monarchen am 12. Juni 1814 genehmigt.

Inzwischen war die Quadriga, in fünfzehn Kisten auf sechs Wagen verpackt, über Brüssel, Düsseldorf, Hannover, Brandenburg unter dem Jubel der Bevölkerung am 8. Juni 1814 in Potsdam eingetroffen. An der Friedrich-Wilhelm-Brücke, zwischen dem Großen und dem Kleinen Wannsee, bestellte der mit der Wiederaufstellung beauftragte Oberbaurat Moser bei der Postexpedition in Zehlendorf 24 ausgeruhte Pferde, um im Grunewald besser voranzukommen. Das Jagdschloß Grunewald mit dem geräumigen Innenhof war die vorläufig letzte Station des Siegeswagens. Mit ihm zogen vierzehn

Das Eiserne Kreuz. Endgültiger Entwurf Schinkels, 1813

Schmiede in das Schloß, um die Transportschäden auszubessern. Die Siegesgöttin hatte während der Fahrt auf dem Rücken gelegen, so daß sich die Flügel gelockert hatten. Die Pferde hatten weniger gelitten, doch mußte das Zaumzeug ausgewechselt werden.

Schinkel notierte einen Monat später zufrieden: „Die von Seiner Majestät genehmigte Anbringung des Eisernen Kreuzes auf dem Brandenburger Tore ist in voller Arbeit und wird bis zum Einzug Sr. Majestät fertig geschafft werden.“ Allerdings bekam die Viktoria aus Zeitmangel vorerst nur ein Holzmodell, mit Ölfarbe angestrichen, in die Hand . . .

Indessen rüsteten die Berliner fieberhaft zur Siegesfeier. Gunda von Savigny schrieb an ihren Schwager Arnim, der sich vor wenigen Wochen aus Unbehagen am Berliner Stadtleben in die Stille seines märkischen Gutes Wiepersdorf zurückgezogen hatte, ein paar aufmunternde Zeilen: „Zu dem Friedensfest werden unerhörte Anstalten gemacht, Schinkel hat das meiste zu besorgen, der König giebt nichts dazu, alles nur die Stadt. Überlegt Euch nur, ob Ihr nicht auch hier seyn wollt bey uns, Fremde aus allen Gegenden ziehen her, um mit zu jubeln.“ (24. Juni 1814)

„Anfang Juni hatte Schinkel die Zeichnungen zu den Siegessäulen angefertigt.“ Auf der Linden-Promenade wurden nach seinen Entwürfen vom Brandenburger Tor „drittehalbtausend Schritte“ bis zum 25 Meter emporragenden „Siegesaltar“ am Königlichen Schloß im Abstand von fünf Metern abwechselnd Feuerbecken auf Kandelabern und Festfahnen aufgestellt und diese wiederum mit Girlanden von Tannenzweigen und Moos miteinander verbunden. Auch in Schadows Atelier in der Kleinen Wallstraße wurde fieberhaft gearbeitet.

Gottfried Schadow: „Ende des Monats wurden die colossalen Sieges-Göttinnen bestellt, bestimmt die Siegessäulen an der Opernbrücke zu krönen, deren Aufstellung ein gefahrvolles Unternehmen war . . . . Unter den Besuchern der Werkstatt kamen russische Officiere von der Drugina oder Landwehr, die wegen ihrer Artigkeit und Bildung uns in Verwunderung setzten. In der Werkstatt hatten wir vollauf zu thun, um die colossalen geflügelten Siegesgöttinnen zu Stande zu bringen. Andere von meinen Leuten hatten Kanonen zu machen von Pappe; . . . Außer den erwähnten colossalen Siegesgöttinnen hatten wir das Modell einer solchen auch in natürlicher Größe angefertigt. Von diesem Modell wurden zehn

Exemplare in Steinpappe ausgedrückt, welche Ende des Monats bei Gropius fertig zu sehen waren." Diese Siegesgöttinnen wurden auf zehn dorischen Säulen plaziert, „in jeder ihrer beiden lieblich vorgestreckten Hände einen Lorbeerkranz", die halbkreisförmig vor dem Brandenburger Tor errichtet wurden. „In der Mitte jeder Säule war ein römischer, runder Schild aufgehängt, der, auf einem hellblauen Grunde, mit goldenen Sternen umgeben, mit goldener Schrift den Namen einer merkwürdigen Schlacht aus dem vergangenen Kriege zeigte ... Groß-Beeren, Möckern, La Rothiere ..." (Berlinische Zeitung vom 9. August 1814).

Zwei gewaltige, 22 Meter hohe Siegessäulen flankierten die Opernbrücke. Schinkel hatte sie – entgegen seiner sanften „raphaelischen" Natur – in waffenstrotzende Türme verwandelt. Die Säulenschäfte wurden durch umlaufende Adlerfriese in vier Geschosse unterteilt. Zuunterst waren Geschützrohre senkrecht aneinandergereiht, nach obenhin bildeten Gewehre (dahinter „ein Gitterwerk von Latten, welches wie Stahl gemalt wird", Anmerkung Schinkels), Säbel, gekreuzte Degen und Lanzen den Abschluß.

Schadow war des Lobes voll. „Nie hab ich was schöneres gesehen". Aber der König dachte darüber anders:

„Am 5. August um 9 Uhr Morgens kam Seine Majestät zu Pferde in die Stadt, und zwar unerwartet. Beim Anblick der Säulen, die gleich Thürmen dastanden, hielt er stille, gab sogleich Befehl, die Trophäen, welche in eroberten Fahnen bestanden, so wie die vielen Gewehre, womit die Säulen rund herum verkleidet waren, ins Zeughaus wieder abzuliefern. Um einigermaßen diese mißfällige Decorirung vergessen zu machen, wurde Tag und Nacht daran gearbeitet, die Säulen mit Festons von grünem Laube zu umziehen."

Am 7. August, frühmorgens, setzte sich der König im Tiergarten an die Spitze seiner Truppen, um in die Hauptstadt einzuziehen. „In diesem Augenblick fiel die zeltähnliche Bedachung, durch welche bis dahin der Siegeswagen der Victoria auf dem Brandenburger Thor verschleiert geblieben war, wie durch einen Zauberschlag vermittelst einer nach Art der Theaterversenkungen angebrachten Vorrichtung herab. Sie stand nun, im Angesicht des Heeres und des Volks, in ihrer neu errungenen Glorie da!" (Berlinische Zeitung 9. August 1814)

Schadow: „In den Theatern waren Festspiele, die Ballets bestanden in National-Tänzen, und die Stadt war prachtvoll illuminiert. Am 11ten war Festlichkeit in Charlottenburg; am 14ten sah man unter den Linden die russischen Fußgarden paradiren, und am 15ten dieselben an Tafeln mit unsern Garden vereint. Das schöne Wetter begünstigte alle diese Feierlichkeiten, und der Künstler hatte viele Gegenstände seiner Aufmerksamkeit werth, indem wohl selten eine solche Menge ungewöhnlich großer Menschengestalten vorkommen, und wie an jenem Tage, in freier Bewegung. Alle übertreffend und hervorragend, waren es die Flügelmänner der preußischen und russischen Garden, die gleich dem Castor und Pollux brüderlich zusammenhielten. Außer den Tafeln waren noch russische Schaukeln angebracht."

Schinkels Verdienste um die Siegesfeier wurden von Schadow hoch eingeschätzt: „Das mehrste war von Schinkel angegeben, – ein Mensch von stupendem Genie."

Ein Jahr später mußte Schinkel erneut eine Stadt drapieren. Diesmal allerdings war die Sache delikat. Es ging um die Ausrichtung der Huldigungsfeier in Merseburg, das mit der Teilung Sachsens beim Wiener Kongreß an das siegreiche Preußen gekommen war. Beharrlich hatte der sächsische König Friedrich August sich gegen das Zerreißen seines Landes gewehrt, bis er sich schließlich am 6. April 1815 dem Willen der Mächte beugte und seine abgetretenen Untertanen am 22. Mai aus ihrer Pflicht entließ.

Die Wunden der Sachsen, die mit Napoleon auf die falsche Karte gesetzt hatten, waren noch frisch, als Schinkel in Merseburg eintraf; mit wieviel Fingerspitzengefühl und diplomatischem Geschick er die neuen preußischen Untertanen zu nehmen wußte, das bezeugt ein Brief Brentanos an Achim von Arnim.

Am 29. Juli 1815 schickte Brentano eine Vorausmeldung an seinen Freund: „Schinkel ist bereits seit vier Wochen mit Berger in Merseburg, um die Huldigungsfeier zu dekoriren."

Wilhelm Berger, ein Bruder von Schinkels Frau Susanne, wuchs damals unter Schinkels Obhut zum Architekten heran. Auch nach dem Merseburger Abenteuer schätzte Schinkel den Schwager als Mann seines Vertrauens, dem er verantwortungsvolle Aufgaben übertrug.

Am 14. August folgte dann ein ausführlicher Bericht über Merseburg. „... Schinkel ist da. Er hat mir ungemein viel Herrliches und Lustiges erzählt. Er hat mit Berger und wenigen Handwerkern enorme Dinge zu Stand gebracht. Auf allen Türmen brannten Kronen und dazwischen in freier Luft das FWR. Bei der Tafel von 700 Gedecken saß Bürger, Bauer, Domherr und Edelmann durcheinander, Rex' Tochter tanzte mit einem Merseburger Bäckermeister, die Dachdecker huldigten von den Dachzinnen herab. Die Bürger, die sich von Schinkel neue Zunftfahnen erfinden ließen, knieten auf dem Markt freiwillig und sangen das Tedeum. Kurz, die Sachsen haben sich umgewandt. Schinkel hat alles selbst eingekauft und zuletzt, als gar keine Verzierung der Tafeln da war, auf einer Polterkammer des Schlosses ein Dutzend uralter Kronleuchter gefunden, welche er zerstückend und mit allerlei Salatieren durch Blumenkränze verbindend in eine Reihe von Früchte tragenden Kandelabern verwandelte, über die alles erstaunte. Er hat beim ganzen Fest den *Cavalier servente* gemacht und am Ende selbst die Speisezettel verteilt. Die Vermischung aller Stände, welche die Sachsen so sehr erfreute, haben sie ihm auch zu verdanken. Das Merkwürdigste ist, daß die Geschichte so wenig gekostet hat und doch so prächtig war, daß man es sich zu sagen schämt. Die Sachsen haben ihn so lieb gewonnen, daß ihm Amtleute auf seinen kleinen Ausflügen vorgeritten sind."

„Es ist einer der schönsten Züge im Charakter der Berliner", schrieb Heinrich Heine 1822 in seinen amüsanten *Berliner Briefen,* „daß sie den König und das königliche Haus ganz unbeschreiblich lieben. Die Prinzen und Prinzessinnen sind hier ein Hauptgegenstand der Unterhaltung in den geringsten Bürgerhäusern. Ein echter Berliner wird auch nie anders sprechen, als ‚unsre' Charlotte, ‚unsre' Alexandrine, ‚unser' Prinz Karl usw. Der Berliner lebt gleichsam in die königliche Familie hinein, alle Glieder derselben kommen ihm wie gute Bekannte vor ..." (7. Juni)

Der König tat ein Übriges zur Hebung seiner Volkstümlichkeit: „Einen einzigen, allen Ständen gemeinsamen Ball gibt es hier seit einiger Zeit", berichtet Heine, „nämlich die Subskriptionsbälle, oder die scherzhaft ‚unmaskierte Maskeraden' genannten Bälle im Konzertsaale des neuen Schauspielhauses. Der König und der Hof beehren dieselben mit ihrer Gegenwart, letzterer eröffnet sie gewöhnlich, und für ein geringes Entrée kann jeder anständige Mensch daran teilnehmen." (Berliner Briefe 16. März 1822)

Als Heine seine Beobachtungen niederschrieb, war ‚unsre' Charlotte längst nicht mehr im Vaterland, sondern seit 1817 in Petersburg als Alexandra Feodorowna mit dem russischen Großfürsten Nikolaus verheiratet. Aber alle Berliner erinnerten sich lebhaft an das prunkvolle orientalische Märchenfest *Lalla Rookh,* das ihr zu Ehren bei dem Besuch am 27. Januar 1821 im Königlichen Schloß am Lustgarten gegeben worden war.

Wenige Tage nach dem Fest schickte Friedrich Karl von Savigny, Professor des Rechts, dem mit ihm befreundeten Altertumsforscher Creuzer, der einst mit Bettines Freundin Karoline von Günderode in tragischer Liebe verbunden war, einen kurzen Bericht (6. Februar 1821):

„Dieser Winter ist hier ganz besonders glänzend, so z. B. hat der König eine Redoute gegeben, wozu 3000–4000 Gäste zugelassen und reichlich bewirthet wurden und wobey die höchsten Herrschaften und ihre Umgebung in Maskenzügen und *tableaux* auftraten, nach Schinkels Angabe, und in der That mit einer Pracht und einem Geschmack, der alle Erwartung noch übertraf."

Zu den Glücklichen, die eine Einladung ins Schloß erhielten, gehörte die Verlegerstochter Lili

Parthey, Nachbarin und Freundin der Tochter Jean Paul Humberts, für den Schinkel einen großen Tageszeiten-Zyklus gemalt hatte.

Lilis Tagebuch: „26.1.: Heute war unter Brühls Leitung die große lange vorbereitete Aufführung auf dem Schloß, der Großfürstin Charlotte zu Ehren. Aufzug und tableaux vivants aus meiner lieben *Lalla Rookh,* im weißen Saal. Es war wirklich das herrlichste, was man sehen kann. Die Großfürstin, als Lalla Rookh, die Krone des ganzen, mit Brillanten bedeckt, aber unendlich schön, Elisa Radziwill als Peri hinreißend. Wir sahen viel Bekannte, aber man verlor sich immer wieder."

Die tableaux vivants, die Lebenden Bilder, waren wieder einmal ein Gemeinschaftswerk des prominenten Gespanns Graf Brühl und Karl Friedrich Schinkel. Brühl hatte die indischen Kostüme der Darsteller nach Originalzeichnungen sowie nach Vorlagen aus Forbes' *Oriental memoirs* und der Beschreibung der Stadt Kabul von Lord Elphinstone schneidern lassen.

Schinkel dagegen hatte im weißen Saal des Schlosses eine kleine Bühne aufgebaut und „mit einer zierlichen im orientalischen Geschmack gemahlten Drapperie vom übrigen Raume des Saales abgeschlossen. Zu jedem lebenden Bilde waren nach Möglichkeit passende Decorationen aufgestellt, um den Hintergrund so malerisch als möglich zu füllen. Die Beleuchtung war höchst effectvoll angebracht und bewirkte in der That bei manchem Bilde einen magischen Eindruck." (Berlinische Nachrichten vom 30. Januar 1821)

Die Aufführung der Romanze von *Lalla Rookh* empfanden die Mitwirkenden als äußerst reizvolle Aufgabe. Vorlage war Thomas Moore's 1817 erschienenes gleichnamiges Versepos nach orientalischer Manier, das zwanzig Jahre hindurch neu aufgelegt wurde. *Lalla Rookh* wurde von der derben Küchenmamsell genauso wie von der empfindsamen Gräfin mit Tränen und Seufzern gelesen. Der preußische Kronprinz schlief, wie eine Tagebucheintragung verrät, mit einer *Lalla Rookh*-Ausgabe unter dem Kopfkissen.

Das indische Fieber, die romantisch-erhitzte Schwärmerei für alles Fremdartig-Orientalische, hatte aus England kommend den preußischen Hof angesteckt. Die Mitglieder der königlichen Familie – der Kronprinz, der Bruder des Königs, genannt „Onkel" Wilhelm, Prinzessin Alexandrine – hielten es nicht für unter ihrer Würde, in orientalischen Kostümen in dem von 186 Personen gebildeten Festzug nach Spontinis Marschmusik zur *Lalla Rookh*-Aufführung in den weißen Saal zu marschieren.

Die lebenden Bilder hatte der begabte junge Maler Wilhelm Hensel arrangiert. Für ihn wurde das Fest zum Wendepunkt seines Lebens. Er mußte bei einer Wiederaufführung am 11. Februar 1821 die Teilnehmer porträtieren und erhielt als Auszeichnung für die gelungenen Skizzen ein fünfjähriges Kunststipendium in Italien.

Schinkels Dekorationen aber erkannten die Festgäste im darauffolgenden Jahr in der Oper *Nurmahal oder Das Rosenfest von Kaschmir* wieder, die nach *Lalla Rookh* konzipiert worden war.

„Ein anderes Erinnerungszeichen an dieses Zauberfest ist ein Porzellan-Gefäss, auf welchem man den Festzug gemalt sieht, wozu die Zeichnung von Professor v. Klöber geliefert wurde", erinnerte sich Gottfried Schadow. „Von Herrn Schinkel wurde die Zeichnung zu diesem Gefässe verlangt. Bei seiner grossen Gewandtheit in diesem Fache begehrte er dennoch von mir, ihm eine Idee hierzu anzugeben. Hierüber war ich natürlich verwundert; er behauptete dagegen, meine Idee würde in ihm die hierher gehörige erwecken. Dieses Gefäss befindet sich im Palais des Königs."

Lebende Bilder oder Tableaux vivants waren damals ein beliebtes gesellschaftliches Vergnügen. Dabei wurden antike Skulpturen, Szenen aus Sagen, berühmten Gemälden oder Allegorien vor dazugehörigen Kulissen von lebenden Personen dargestellt.

Schadow erwähnt schon 1812, daß die Lebenden Bilder „zu den öffentlichen Divertissements gehören." Im März 1816 soll in der Oper ein Tableaux „mit einer großen Zahl von Figuren, nach einem Gedicht des Professor Gubitz, welches die Hülfe von mehreren zeichnenden Künstlern erforderte", aufgeführt worden sein. 1830 sollten bei Hofe Tableaux vivants gestellt werden, „zu welchen man die

Motive aus Gemälden dieser Ausstellung entnehmen wollte." Und für 1834 erwähnt Schadow ein Fest beim Kronprinzen mit mittelalterlichen Kostümen; von den lebenden Bildern waren „die sieben Mädchen am Brunnen nach einer Zeichnung von Schinkel".

Die Berliner Bühne machte damals als erste den Versuch, Lebende Bilder öffentlich vor dem Theaterpublikum zu zeigen. Auch Schinkel versuchte sich in diesem Genre – hatte dabei offenbar aber keine glückliche Hand. So gab es am 6. März 1826 im Schauspielhaus einen Zyklus Lebender Bilder, die schon bei Hofe zur Geburtstagsfeier der Großherzogin Alexandrine von Mecklenburg-Schwerin aufgeführt worden waren. Diese Bilder, darunter Schinkels *Die Bekränzung Apollo's,* sah sich die schriftstellernde Goethe-Freundin und Nichte Frau von Steins, Amalie von Helvig, an. Sie war der Meinung, „daß ein großer Theil, selbst der gebildeteren Zuschauer, eigentlich noch gar nicht über den Eindruck mit sich im Reinen sey, den man von dieser neuen Art der Kunstleistungen zu erwarten habe" (3. August im *Kunst-Blatt*). Damit hatte sie gar nicht so unrecht. Denn sogar Schinkel, sonst ein Meister in der sparsamen Anwendung der Mittel, überlud das Apollo-Bild mit überflüssigem Beiwerk. Amalie von Helvig lieferte eine genaue Beschreibung des *Apollo,* wobei sie Vorbehalte anklingen läßt, ohne Schinkel direkt zu kritisieren.

„Nach einer kurzen, eigentlich unnöthigen und daher auch später weggelassenen Einleitung in dramatischer Form, erschien unter musikalischer Begleitung, mild und einfach, gleichsam den ungewöhnten Sinn vorbereitend, als erstes Bild die *Bekränzung Apollo's* nach dem Entwurfe des Geh. Oberbauraths Schinkel, als Relief angeordnet, auf stark rothem Hintergrunde, in einer architektonisch gemalten Bogeneinfassung . . . Rauch's schöne Büste der durchlauchtigsten Königstochter hatte im Palaste des erhabenen Vaters die Stelle auf dem erhöhten Fußgestelle in der Mitte eingenommen, zu dessen beyden Seiten zwey liebliche Nymphen im antiken Faltenwurf sich zeigten, indeß sich um jeden der rechts und links stehenden Kandelaber, in Form des niedersteigenden Bogens eine knieende Mädchengestalt in anmuthig motivirter Symmetrie gruppirte, wie die Jungfrau dem Beschauer zur Rechten den schönen, ausdrucksvollen Kopf, dithyrambisch lebhaft, nach dem eben bekränzten Brustbilde hob, dagegen sinnende Andacht, das liebliche Haupt der zur Linken knieenden Gespielin zu senken schien, auf deren rein gezeichnetem Profile jungfräuliche Demuth mit priesterlicher Weihe sich rührend vermählte. Die natürliche Färbung der Gesichter, Haare und Arme wirkte hier keineswegs störend, wie das tiefe Roth des Hintergrundes sehr zweckmäßig das lebendige Colorit mäßigte, zugleich aber der schmale leuchtende Goldsaum der Oberkleider mit dem goldgewirkten Gürtel, die Gestalten gefällig hob, indem er die strenge Plastik der Gewänder erheiternd, diese in näheren Einklang mit den vom organischen Leben gefärbten Formen versetzte. Wenn daher auch die Wahl des Gegenstandes, durch früher gegebene Umstände bedingt, vielleicht im Ganzen nicht auf strengen antiken Charakter Anspruch machen konnte: so ruhete nichts desto weniger der Blick mit Wohlgefallen auf den schönen Einzelheiten, wo Geschmack und Schule sich durchgehends in den Motiven der verschiedenen Draperien kund gab."

Amalie konnte sich mit der noch unausgereiften Kunstform nicht befreunden. Doch dem romantischen Fouqué, dem Dichter der *Undine* und unzähliger Ritterromane, gefielen die allegorischen Spielereien. Schinkels *Apollo* sah er sich gleich bei der Premiere an. Amalies Landsmännin Malla Montgomery-Silfverstolpe, die sich gerade für längere Zeit zu Besuch in der preußischen Hauptstadt befand, begegnete Fouqué zufällig bei den Helvigs und schrieb in ihr Tagebuch:

6. März: „als ich vor dem Mittagsessen zu Helvigs kam, war de la Motte Fouqué da. Freute mich, die Bekanntschaft dieses Mannes zu machen, dessen *Zauberring* und *Undine* mir so viel Vergnügen bereitet hatten. Er sprach interessant und gut für die ‚lebenden Gemälde', die er im Theater gesehen, und mit geschmeichelter Eigenliebe von der Übersetzung von *Lalla Rookh,* die die Kaiserin Alexandra ihm aufgetragen."

Am nächsten Abend begegnete die Schwedin zufällig dem berühmten Schöpfer des Apollo-Bildes.

Malla sah im Schauspielhaus *Alexis und Susette,* „eine schöne Balettpantomime ... Schinkels waren meine unmittelbaren Nachbarn, und ich fand die Frau überaus angenehm.“

Es verging kein größeres Fest, zu dem Schinkel nicht den Saalschmuck oder irgendwelche andere Dekorationen beisteuerte. Zum 300. Todestag von Albrecht Dürer am 18. April 1828, der mit einer Feierstunde in der Singakademie begangen wurde, entwarf Schinkel ein religiöses Bild für die Hauptwand, unter dem die Statue Dürers und vier allegorische Figuren aufgestellt wurden, die Tieck und Ludwig Wichmann modelliert hatten. Der Tag wurde „durch die Gegenwart der Prinzen und Prinzessinnen, anderer fürstlicher Personen, hoher Staatsbeamten und aller Freunde der Kunst, ... einer der glänzendsten in den Annalen unserer vaterländischen Kunst“, berichtet Gottfried Schadow, damals Direktor der Kunstakademie.

Als sich gegen Ende des Jahres die deutschen und nordischen Naturforscher, Physiker und Astronomen vom 18. bis 26. September in Berlin zu einer Tagung mit dem berühmten Naturforscher Alexander von Humboldt versammelten, war es selbstverständlich Schinkel, der zum feierlichen Eröffnungsabend im Konzertsaal des Schauspielhauses hinter der Empore eine vielbewunderte Darstellung eines blauen Himmelsgewölbes mit flammenden Nordlicht und rhythmisch geordneten Sternen anbringen ließ.

Auch der König mochte nicht auf die Dekorationskünste seines Baumeisters verzichten. Als seine Tochter Alexandra Feodorowna 1829 aus Petersburg zu Besuch kam, ließ der sonst so sparsame Monarch eines der prunkvollsten Feste ausrichten, die je am preußischen Hof gefeiert worden waren. Nach der Lieblingsblume der Kaiserin erhielt es den Namen *Der Zauber der weißen Rose.* Die Festlichkeiten begannen am Morgen des 13. Juli mit einem Gottesdienst. Es war der Geburtstag der Kaiserin.

Für einen Tag fühlten sich die Festgäste und Zaungäste ins ritterliche Mittelalter zurückversetzt. Der ganze Hof und die geladenen Gäste waren in einem endlosen Zug in Kutschen und Kaleschen von Berlin nach Potsdam gefahren. Dort hatte man das Neue Palais zu einem mittelalterlichen Schloß umdekoriert. Auf dem geräumigen Schloßplatz waren ringsum Tribünen aufgestellt; über ihnen flatterten die Fahnen mit den Farben der einziehenden Ritter. Eine unübersehbare Menge drängte sich, die angekündigten Turnierspiele zu sehen. Die Kaiserin und die Prinzessinnen beobachteten das bunte Treiben in mittelalterlichen Gewändern aus einer Loge, über den sich ein grüner, goldverzierter Baldachin spannte. Alle Fenster des Schlosses waren mit Damen besetzt.

Um sechs Uhr nachmittags begann das Turnier, zu dem alle vier Söhne des Königs, Grafen, Herzöge und andere Mitglieder des Adels in bunten Waffenröcken mit ihren Schilden und offenem Helm der Ritterzeit einritten. Auf dem Turnierplatz standen Ringsäulen, Türkenköpfe und Scheiben. An ihnen sollten die Ritter im Wettkampf ihre Geschicklichkeit mit Wurfspeer, Lanze und Schwert erproben.

Schinkel aber war die Aufgabe zugefallen, lebende Bilder zu gestalten, die am Abend gezeigt werden sollten, bevor der große Ball begann. Er erfand dazu „das bewegliche Bild im Zauberspiegel“, „zu welchem schon am Ende des Caroussells ein Gesangchor die hohen Herrschaften“ in den Schauspielsaal des Palastes einlud. Als erstes Bild wurde auf dunklem Grunde das Bild der Erinnerung sichtbar, das die Schauspielerin Mad. Wolff darstellte. Doch nach den spannenden Wettkämpfen im Hof fanden die allegorischen Darbietungen bei den Zuschauern nur geteiltes Interesse.

Gräfin Elise Bernstorff erzählt: „Als sich endlich der Sieg entschieden hatte, saßen die Ritter ab und führten ihre Damen in einem langen Zuge zurück in das Schloß, wo uns ein zweites, leider recht herzlich langweiliges Schauspiel bereitet war, ein allegorisches Festspiel, worin Genien und Nixen, Feen und Ritter, gute und böse Engel in einem unsinnigen Gemisch tätig waren, der Gefeierten viele Jahre des Glückes zu bereiten. Darauf sah man sie in dem Spiegel der

Vergangenheit, Gegenwart und Zukunft auftreten, alles durch Tableaus dargestellt. Wir priesen uns glücklich, als wir der Gegenwart zurückgegeben wurden und einer frischeren freieren als der in dem engen Raum des sonst recht hübschen Theaters.“

Daß die lebenden Bilder mißglückten, war nicht allein Schinkels Verschulden. Ursprünglich hatte er nämlich andere Bilder geplant, die der König aber verbot. Bettine von Arnim hatte es von ihrem Schwager „Pitt“ gehört, einem Bruder Achims, der als Indendant der Königlichen Schauspiele gewiß gut informiert war. Sie schrieb an Arnim (21. Juli 1829):

„Alle Menschen, die mit der Kaiserin zu tun hatten, haben von ihr Geschenke erhalten, Hensel bekam eine goldne Dose, bloß weil er ihr eine kleine Zeichnung aus alter Zeit vorbrachte; alle, die bei dem Fest waren, bekamen Uhren, Ringe, Ketten, Becher; Schinkel aber, der das ganze Fest besorgt hatte, für die Kaiserin den Plan zu einer Kapelle in drei ganz ausgezeichneten Bildern gemacht, wurde nur mit der Ehre bezahlt, es getan zu haben, auch war das Museum der einzige Ort, den die Kaiserin nicht besuchte; dies hat ihn abgespannt, der König war böse auf ihn, daß er die lebenden Bilder zu nackt und in schwarze Kulissen eingerahmt hatte und ließ sie nach eigenem Gutdünken umändern; Schinkel war daher auch nicht bei dem Fest.“

30 Drei Pokale und zwei Leuchter, Entwürfe von 1820. Der reich verzierte Leuchter sollte in Bronze ausgeführt werden, der schlichte in Silber oder plattiertem Kupfer. – Darüber eine Pokalverzierung: ein Fries für einen Kelchrand mit Motiven aus der antiken Mythologie und ein Bacchanal als Knauf. (Vgl. Abb. 36)

31 Das Geländer der Schloßbrücke in Berlin. Auch hier sind mythologische Motive verwendet: Der Delphin galt im Altertum als Begleiter des Meergottes Poseidon, und die Tritonen mit Menschenleib, Pferdefüßen und gespaltenem Fischschwanz regierten nach der griechischen Sage durch Blasen auf ihrem Muschelhorn Stürme, Winde und Wellen.

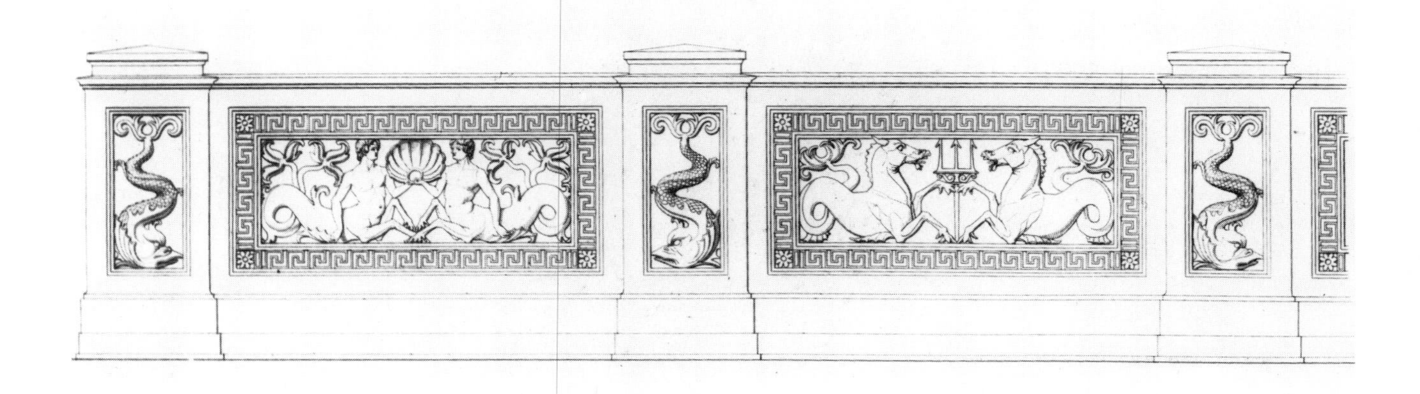

32 Entwurf für eine Prachtvase zur Erinnerung an das Hoffest *Lalla Rookh*. Den Festzug malte August v. Kloeber, der im Schauspielhaus Fries- und Kasettenbilder gemalt hat. Die Vase wurde 1824 nach Schinkels Entwurf in der Königlichen Porzellanmanufaktur gefertigt.

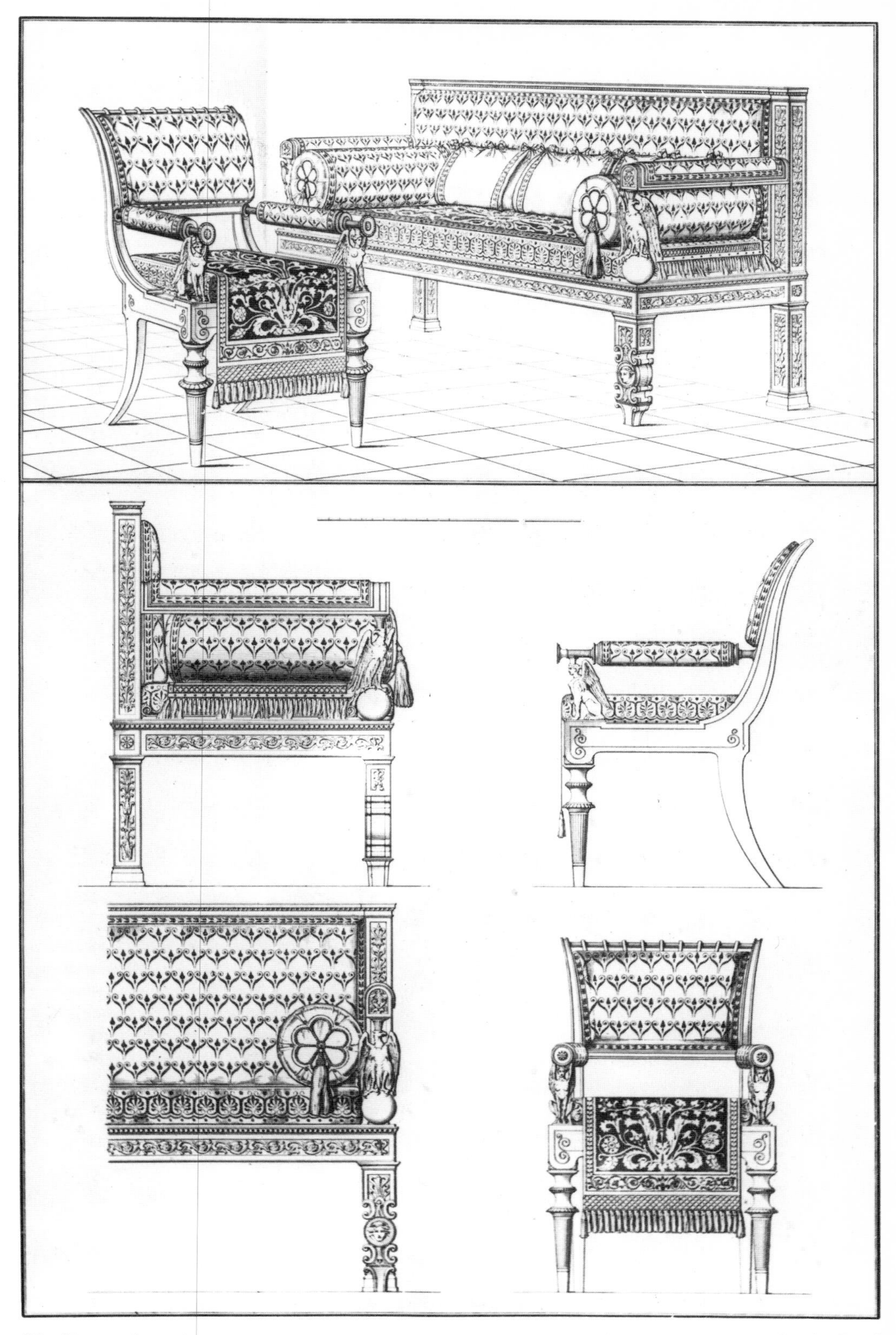

33 Entwurf zu einem Prunksofa mit Stuhl. Es wirkt mit seinen kantigen Formen wie ein Stück Architektur. Die Ornamente – Akanthusranke, Adler und geflügelte Sphinx – sind vom Empire übernommen.

34 Eine Schale mit figürlichen Henkeln. Dargestellt sind zwei Momente aus dem Kampf des Herakles mit dem kretischen Stier.

35 Textilentwurf mit arabeskenartigen Delphinen auf chamoisfarbenen Untergrund. Das Muster ist aus dem dritten Teil der *Vorbilder,* in dem Teppiche, Stoffe, Tapeten vorgestellt werden.

36 „Ein Pokal in Silber oder Gold auszuführen." Schinkels Prunkkelche waren beliebte Jubiläumsgeschenke. Ein ähnlicher Pokal wurde z. B. als Ehrengabe der Stadt Stuttgart für den Politiker Paul Pfizer hergestellt, ein anderer für Baurat Redtel in Berlin.

37 Dekoration zum Gretchenzimmer in Goethes *Faust.* Fürst Radziwill gab als erster einige Szenen daraus in einer Privataufführung am 24.5.1819. Im folgenden Jahr wurde die Aufführung um einige Szenen vermehrt im Schloß Monbijou wiederholt.

38 Dekoration zur Oper *Olympia:* Tempel der Jagdgöttin Diana mit Nebentempeln. Die Handlung der tragischen Oper Spontinis spielt in Ephesus (Kleinasien). Die Tempelanlagen der Stadt sind genau rekonstruiert.

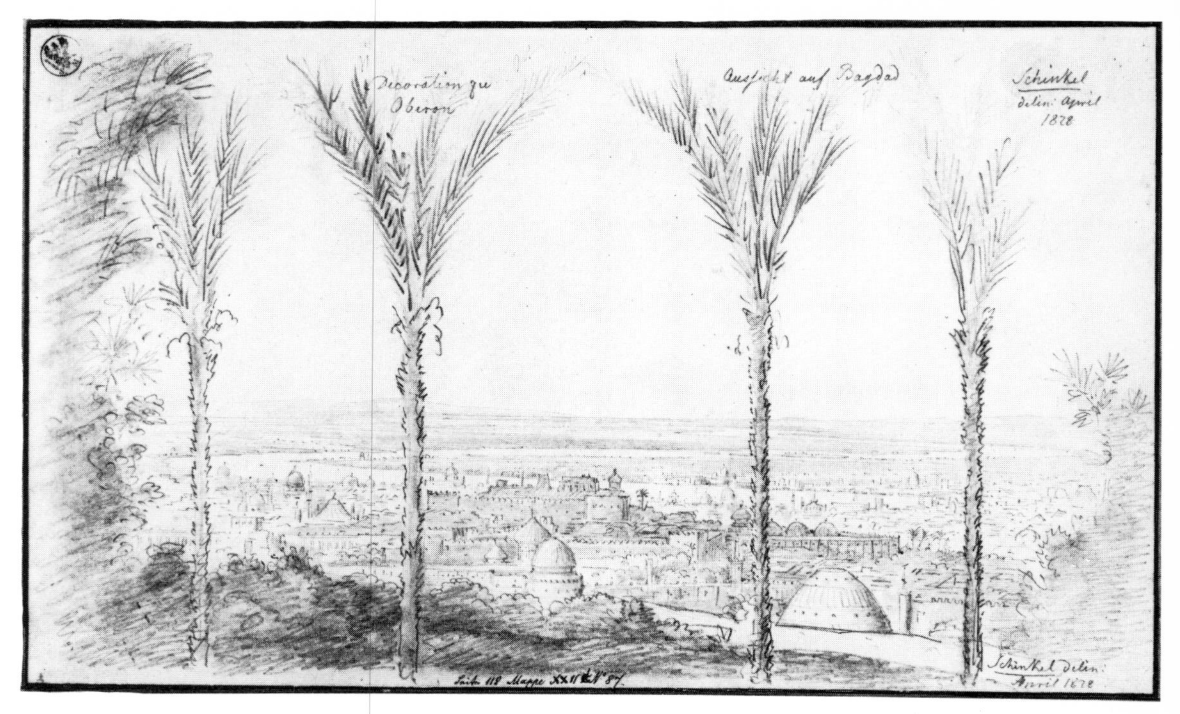


39 Blick auf Bagdad – durch Palmenarkaden, ein Bühnenbild zur romantischen Feenoper *Oberon* von Carl Maria von Weber. Schinkel zeichnete derartige Prospekte nach originalen Vorlagen.

40 Das Zimmer der Prinzessin Eboli in Schillers *Don Carlos.* Das Gemach ist mit Skulpturen, Gesimsen und Bildern vollgestopft. Den meisten Besuchern mißfiel dieser Trend zur Prachtoper.

41 Tempel der Vesta, der Göttin des Herdfeuers, aus der Oper *Die Vestalin.* Die Tempeldekoration hat große Ähnlichkeit mit der Rotunde des Museums am Lustgarten, die ebenfalls einen Säulenkranz aufweist und von einer Kuppel überwölbt ist nach dem Vorbild des Pantheon in Rom.

42 Indianischer Feuertempel aus der Oper *Fernand Cortez.* Die Dekoration ist erfunden. Intendant Graf Brühl berichtet, daß damals keine zeitgenössischen Bilder zu bekommen waren. Später hat er Alexander von Humboldts Reisebücher als Vorlage benutzt.

43 Das Sonnenheiligtum aus der *Zauberflöte.* In der Mitte der streng symmetrischen Tempelanlage steht die Statue des Osiris. In der Schlußszene erscheint hinter der Pyramide ein Sonnenball, der die Kultstätte in gleißendes Licht taucht.

44 Eingang in die Hallen des Palastes der Königin der Nacht. Sie regiert unter einem blauen Himmelsgewölbe, das mit regelmäßigen Sternenbahnen geschmückt ist. – Eins der zwölf Bühnenbilder Schinkels zu Mozarts *Zauberflöte.*

45 *Die Zauberflöte:* die Sphinx in den Gärten des Sarastro vom Mondlicht beleuchtet. Die Wüste ist in fruchtbares Land mit Gewässern und tropischer Vegetation verwandelt. Eine ähnliche Nachtszene zeigte Schinkel in dem Schaubild-Zyklus *Die sieben Weltwunder:* Er ließ neben den Pyramiden Palmen grünen und erfand dazu einen See, an dem ein Krokodil den Rachen aufsperrt.

# Bühnenbilder

Nach der Entlassung vom Landsturm im Sommer 1813 machte sich Schinkel an die unterschiedlichsten Arbeiten. Seine Dienststelle, die Oberbaudeputation, verlangte Gutachten für die Wiederherstellung der alten Klosterkirche beim Gymnasium, ein Frl. Friederike Koch wünschte ein Grabmal für ihren verstorbenen Verlobten („Schinkel . . . hat schöne aber kostspielige Ideen"), und er malte wieder Ölgemälde – als wolle er vergessen, daß Preußen seit Monaten einen Freiheitskrieg führte. Viele Berliner Familienväter hatten Frau und Kind aus Angst vor erneuter französischer Besetzung aufs Land nach Pommern oder Mecklenburg geschickt. Gunda Savigny war nach Bukowan, dem böhmischen Familiengut der Brentanos, abgereist. Bettine von Arnim blieb „als einzige Frau von unserer ganzen Bekanntschaft" in der ungenügend befestigten Hauptstadt zurück.

Wie ernst die Lage war, bekundete eine Proklamation, die am 19. August 1813 an den Straßenecken angeschlagen wurde:

„Wir eilen, die treuen Untertanen Sr. Maj. des Königs hierdurch zu unterrichten, daß in der Nacht vom 10. zum 11. d. M. die Kriegserklärung Österreichs gegen Frankreich erfolgt und der Waffenstillstand ebenso kaiserlich-russischer- wie unsererseits gekündigt worden ist. Die Zeit der Waffenruhe ist mithin überstanden und der gerechteste Krieg, der jemals geführt worden, hat wieder begonnen.
Berlin, 18. August 1813.
Allerhöchstverordnetes Militär-Gouvernement für das Land zwischen der Elbe und Oder.
von L'Estocq-Sack."

Am selben Tag schickte Schinkel einen Brief an August Wilhelm Iffland, den Direktor des Nationaltheaters am Gendarmenmarkt, in dem er um eine Anstellung als Dekorationsmaler bat, denn durch den Tod des Malers Verona war an Ifflands Theater eine Stelle frei geworden. Schinkel fühlte sich auch durch Pressestimmen in seinem Entschluß bestärkt. So hatte z. B. der Rezensent der *Vossischen Zeitung* 1812 über Schinkels auf der Akademieausstellung gezeigte Singakademie-Entwürfe geschrieben: „Der Wunsch aller Künstler ist, daß dieser vortreffliche Künstler ein weites Feld zu bearbeiten hätte, nämlich die Scenen eines Theaters. Es ist kein Zweifel, daß ein Theater, bei welchem derselbe die Malerei zu besorgen hätte, alle andere an Zauberwerken dieser Art übertreffen würde. Seine Imagination ist unerschöpflich, und er besitzt alle Wissenschaft, die erforderlich ist, um die vielfachen Arten der Baue und der Landschaft nach Beschaffenheit des Orts und Kostüms darzustellen." (29. Oktober)

Warum gerade er sich zur Bühnenmalerei berufen fühlte, erläutert er am Anfang des Briefes:

„Die von Jugend auf in mir vorhandene Neigung für Baukunst und Landschaftsmalerei veranlaßte mich zur Bearbeitung mehrerer Gegenstände in der Form der Theatermalerei, welche sich den Beifall des Publikums erwarben, sodaß von vielen Seiten her und besonders bei Hofe der Wunsch geäußert ward: unser Nationaltheater in dieser Hinsicht von mir bearbeitet zu sehen. Es fehlte früher in mancherlei Rücksicht die Gelegenheit dazu; in dieser Zeit, wo meine Amtsgeschäfte nicht meine gesamte Zeit wegnehmen und manche anderen Rücksichten weggefallen sind, ist der Wunsch in mir wieder sehr lebhaft geworden, und ich nehme mir die Freiheit, bei einer Hochlöblichen Interimistischen Theaterkommission ergebenst anzufragen: ob es mir jetzt wohl gestattet würde, eine Dekoration zu malen . . ."

Schinkel war ein Idealist. Als Punkt 1 seiner geplanten Theaterarbeit bot er Iffland an: „Meine Arbeit würde unentgeltlich dabei sein." Und schließlich versicherte er: „Es würde mich sehr glücklich machen, wenn ich zum Vergnügen und zur Bildung des Publikums in diesem Zweige das Meinige beitragen könnte, besonders da mir scheint, daß darin noch manches geleistet werden könnte."

Doch der Zeitpunkt der Bittschrift konnte nicht ungünstiger sein. Die französischen Truppen rückten wieder nach Berlin vor.

Am 22. August 1813 schrieb der volkstümliche Arzt Ernst Ludwig Heim ins Tagebuch:

„Diese Nacht um 1 Uhr wurde Generalmarsch geschlagen; alle unsere Truppen zogen aus. Wegen des großen Lärmens nur wenig geschlafen. Die Franzosen stehen nur 4–5 Meilen von hier und sollen entschlossen sein, alles zu wagen, um nach Berlin zu kommen. Heute den ganzen Nachmittag hat man beständig kanonieren gehört. Die ganze Stadt ist in Unruhe."

„Den 23. August. Meine Frau mit der ganzen Familie ist aus dem Tiergarten in die Stadt gezogen, da sie draußen nicht mehr sicher zu sein glaubte."

Iffland aber, der erfahrene und besonnene Theatermann, setzte die heitere Operette *Fanchon, das Leyermädchen* von Friedrich Heinrich Himmel auf den Spielplan – um die Stimmung zu paralysieren! Am 23. August besiegten preußische Truppen unter Bülow bei Großbeeren, einem Dorf nahe Teltow, eine französische Armee und bewahrten Berlin vor dem abermaligen Zugriff der Franzosen.

Trotz der Wendung zum Guten hatte Iffland für Schinkel keine Verwendung. Seine Absage war höflich, enthielt eine Reihe sachlicher Argumente, ließ aber wenig Hoffnung. Schinkels Hinweis auf seine guten Beziehungen zum Hof waren taktisch ungeschickt, denn nun konnte Iffland den Eindruck gewinnen, man wolle ihn insgeheim beaufsichtigen, nachdem ihm des öfteren eine Neigung zur Verschwendung vorgeworfen worden war. Ausstattungsexperimente, wie sie Schinkel vorschwebten, konnte er sich finanziell nicht leisten.

Aber Iffland gewährte Schinkel eine hoch einzuschätzende Vergünstigung: Er schenkte ihm ein kostenloses Jahresabonnement.

„Mit Vergnügen bieten wir dem Herrn Schinkel die Entree in das Parterre des Hauses am Gendarmenmarkt und auf das Theater daselbst, für seine Person, auf ein Jahr, der Verfassung gemäß, an. Die Herren der Kommission wollen den Herrn Schinkel, die Königliche Hauptkasse und diese die Offizianten unterrichten."

Schinkel hat von dem Freibillet reichlich Gebrauch gemacht, indem er nicht nur die Aufführungen anschaute, sondern auch das Theater selbst, speziell den Bau der Bühne, untersuchte. Im Herbst 1813 beendete er eine umfassende Denkschrift, in der er Verbesserungsvorschläge vorbrachte. Im dazugehörigen Begleitschreiben plädiert er „für eine mit großer Einsparung, Vereinfachung und Verschönerung verbundene(n) neue(n) Behandlung der Szene . . . Zu jener Einrichtung würde dann die Bearbeitung ganz neuer Dekorationen nach der im Aufsatz angefügten Aufzählung gehören . . ."

Diese Denkschrift, deren Original verschollen ist, enthält die Grundidee der von Schinkel angestrebten Bühnenreform: Nur noch eine einzige Bildwand im Bühnenhintergrund, Erweiterung der Vorbühne (Proszenium) und Wegschaffung sämtlicher Kulissen!

„Wenn wir daher unsere Szene in den mehrsten Fällen mit einer einzigen großen Bildwand verzieren könnten, so gingen wir schon unendlich weiter als die Alten, indem auf einer solchen selbst die vollkommenste physische Täuschung einer Ortsversetzung durch Mittel der Kunst erzwungen werden kann, und besser und leichter als auf einer Szene mit Kulissen und Soffitten, die überall auseinanderfallen und bei der besten Anordnung nie aus einem einzigen Punkt einen Zusammenhang bilden können. Der größte Vorteil, der dadurch entsteht, würde aber der sein, daß das Bild der Szene in jeder Hinsicht künstlerisch behandelt werden könnte und dennoch als ein mitwirkender Nebenteil der Handlung weniger Abbruch täte, da es sich nicht prahlend vordrängt, sondern als symbolischer Hintergrund immer nur die für die Phantasie wohltätige Ferne hält."

Doch auch diese ideenreiche Denkschrift wurde von Iffland nicht gewürdigt. Er blieb bis zu seinem Tode (22. September 1814) in seinem Herzen der Komödiant und der Mann des gesprochenen Wortes; Dekorationen betrachtete er als Nebensache und mokierte sich darüber, wenn aus den Zuhörern doch nur Zuschauer gemacht werden.

Ein anderer, der Schinkels Pläne tatkräftig unterstützte und ihn zu großen Triumphen führte, trat etwa dreizehn Monate später auf den Plan. Es war der 43jährige Karl Graf von Brühl.

Die Wahl dieses Mannes, den der König noch beim Wiener Kongreß mit Wirkung vom 10. Januar 1815 zum neuen Generaldirektor der Königlichen Schauspiele ernannte, war ein Glücksgriff. Brühl war umfassend gebildet, weitgereist und theaterbesessen; er hatte in Weimar bei Goethe am Theater gespielt und war mehrere Jahre lang Kammerherr am preußischen Hofe, zuletzt bei Königin Luise.

Goethe war dann auch unter den ersten, die Graf Brühl, der inzwischen auf eigenen Wunsch den Titel eines Generalintendanten erhalten hatte, gratulierte:

„Ihrer Amtsführung traue ich das Beste zu, und weissage ihr Glück. Das Theaterwesen ist ein Geschäft, das vorzüglich mit Großheit behandelt seyn will; eben weil es fast aus lauter Kleinheiten besteht, von denen zuletzt eine große Wirkung gefordert wird. Jene Kleinlichkeiten, Verschränkungen und Verfitzungen zu beseitigen, zurechtzulegen und durchzuhauen ist freylich ein unangenehmes Geschäft, es ist aber nicht undankbar, weil zuletzt das Gute und Rechte wie von selbst entspringt." (12. März 1815)

Tatsächlich waren Brühls erste Amtsjahre, wie Goethe voraussah, von unerfreulichen Auseinandersetzungen geprägt. Heimlicher Widerstand und offene Aufsässigkeit gegen den Hofmann, Intrigen, Eifersüchteleien, Schrullen und oft lächerliche Eitelkeiten der Schauspieler sowie der Kampf gegen das Rollenmonopol, den Brühl mit Diplomatie und fester Hand für sich entschied, kennzeichneten diese Zeit.

Der Goethe-Intimus Karl Friedrich Zelter, Direktor der Singakademie, war ein wacher Beobachter der Szene: Am 22. April 1815 schrieb er nach Weimar: „Das neue Regiment läßt sich freylich etwas laut hören, doch hat Jeder seine Weise, die hier eigentlich nur gegen die ehemalige allzugroße Stille absticht."

Und am 8. November meldet er sich noch einmal in Sachen Brühl: „Unsere Theaterleute finden sich von der neuen Direction wenig erbaut und klagen ohne Ausnahme. Wahrscheinlich sucht Brühl sich von ihnen unabhängig zu machen, indem er fremde Schauspieler anhero ruft."

Wie die Zusammenarbeit zwischen Schinkel und Brühl zustande kam, läßt sich aktenmäßig nicht belegen. Aber sie ergänzten sich auf glückliche Weise. Schinkel, Ästhet und Praktiker, wollte die entrümpelte Bühne mit symbolischem Hintergrundbild. Brühl strebte parallel dazu eine durchgreifende Kostümreform an. Während Iffland alles ziemlich willkürlich und ohne tiefere Prüfung behandelte, verlangte Brühl historisch echte, materialgerechte Kostüme. Den Cäsar mit der Allongeperücke durfte es nicht mehr geben!

Seine Absichten hat Brühl in dem von ihm selbst herausgegebenen farbig bebilderten *Kostümwerk* erläutert:

„Warum soll unser Auge nicht auch durch die äußere Form in das Zeitalter oder das Land versetzt werden, wohin uns der Dichter durch sein Geistes-Product zu versetzen strebt? Warum soll das Publikum nicht im Theater Gelegenheit finden zu jeder Art von wissenschaftlicher Bildung?"

„In Hinsicht auf Kostüme thut dem kunstgewöhnten Auge die Wahrheit gewöhnlich sehr wohl; und die bestimmte Beibehaltung des Haupt-Characters jeder nationalen Eigenthümlichkeit bringt Mannigfaltigkeit auf die Bühne – giebt dem Künstler einen kritischen Kunstgenuß – und dem Layen in der bildenden Kunst, Gelegenheit seine Kenntnisse zu erweitern." (Kostümwerk, 1819)

Brühl nahm hier einen Lieblingsgedanken der Romantiker auf, dem auch Schinkel folgte. Sie glaubten an die nahezu unbeschränkte Bildungsfähigkeit und den steten Fortschritt des menschlichen Geistes.

Mit dem ersten Stück, das Schinkel und Brühl nach dem neuen Konzept ausstatteten, landeten sie buchstäblich einen Theatercoup. Mit glücklichem Griff hatte Brühl Mozarts *Zauberflöte* gewählt, die der Phantasie des Bühnenbildners weiten Spielraum läßt.

Da der Schauplatz der Handlung von Mozart und dem Operndichter Schikaneder nicht eindeutig bestimmt ist, konnten Schinkel und Brühl das Geschehen unbedenklich in das exotische Ägypten verlegen. Denn – so erklärt Brühl in seinem Kostümwerk –:

„In der Oper: ‚die Zauberflöte', führt alles sehr natürlich auf die Idee, daß die Scene nach Egypten verlegt werden müsse, da von Einweihungen, von Feuer- und Wasserproben, von Pyramiden u.s.w. die Rede ist. Man hat diesem Winke folgen zu dürfen geglaubt, und da Kleidung, Architectur, Naturerscheinungen und Pflanzenreich in jenem wunderbaren Lande dem Künstler ein weites Feld lassen, und fremdartige Formen auf der Bühne zuweilen sehr wohlthuend wirken; so wurde das egyptische Wesen mit ganzer Genauigkeit nachzuahmen beschlossen."

Schinkel nahm sich Zeit. Ein Jahr lang arbeitete er an den Entwürfen und dem Ausmalen der Bilder. Er entwarf souverän eine stilecht nachempfundene Architektur mit Säulenhallen und Pyramiden, zauberte auf die Leinwand eine phantastische tropische Vegetation und erfand als Palast der Königin der Nacht ein mit regelmäßigen Sternenbahnen besätes blaues Himmelsgewölbe. Die Oper wurde mit insgesamt zwölf Bühnenbildern ausgestattet, die jeweils den ganzen Hintergrund ausfüllten. Dagegen blieben die Seitenwände in Gestalt einer dunkelgrauen Felsgrotte, in allen landschaftlichen Szenen unverändert, so daß sich die Aussicht auf den Hintergrund malerisch öffnete und die Blicke des Zuschauers nicht abgelenkt wurden.

Die Premiere fand am 18. Januar 1816 im Opernhaus Unter den Linden in Gegenwart des Königs, sämtlicher königlichen Prinzen und Prinzessinnen statt.

Die glanzvolle Einstudierung, in der Schinkel erstmals sein Konzept von der Einheit von Bühnenbild, Musik und Kostüm durchgesetzt hatte, wurde ein Triumph. Die *Vossische Zeitung* (20.1.) meldete, daß die Dekorationen, „vorzüglich aber der herrliche Palmenwald mit der Mondbeleuchtung, mit Recht den einstimmigsten Beifall des vollen Hauses erhielten . . ." Niemals wieder sind Schinkels Dekorationen so gefeiert worden. Entgegen der sonst üblichen Theaterberichterstattung brachte das offiziöse *Dramaturgische Wochenblatt* für seine Leser eine detaillierte Beschreibung aller zwölf Bühnenbilder. So heißt es über die Gärten des Sarastro:

„Ein herrliches Nachtstück mit Mondbeleuchtung, ganz in der reinen Klarheit des südlichen Himmels, doch ohne alle Blendung fürs Auge, von der sanftesten Wirkung. Auf einer Insel an einem See erhebt sich in der Entfernung auf einem hohen Unterbau ein großer Sphinx, seitwärts vom Vollmonde beleuchtet. Ernst und feierlich schaut der geheimnißvolle Koloß auf die Stille der Natur." (2. März 1816)

Mit den historischen Kostümen konnten die Schauspieler sich allerdings nicht so ohne Weiteres anfreunden. Sie wurden von den Darstellern oft mit Widerwillen getragen, weil sie fürchteten, darin lächerlich zu wirken. Brühl mußte einen langwierigen Kampf hinter den Kulissen führen, bis die Kostüme endlich stimmten. Anfangs wurden sie von den eitlen Mimen oft heimlich zu ihrem Vorteil abgeändert. Brühl:

„Gewöhnlich protestiren die Frauen am mehresten gegen die Entfremdung und Abweichung von der bestehenden Mode, weil es ihnen oft an gehöriger Kunstkenntnis und wissenschaftlicher Bildung fehlt, woran übrigens die männlichen Bühnen-Künstler gleichfalls keinen Ueberfluß haben! . . . Manchen Frauen beim Theater ist vorzüglich daran gelegen, einzelne schöne Theile ihres Körpers zu zeigen, und sie würden daher, um einen schönen Arm oder Busen sehen zu lassen, lieber eine Nonne ohne Ermel und ohne Halstuch darstellen, als sich in das Nothwendige fügen. Die griechischen Gewänder sind ihnen daher am liebsten, weil sie die Form am meisten sehen lassen. Es ist nicht übertrieben, und vollkommen wahr, daß oft Schauspielerinnen, statt in der Kleidung des 14ten, 15ten und 16ten Jahrhunderts, in leichten griechischen Musselin-Tuniken oder fliegenden Krepp-Kleidern und Petinet-Ermeln erscheinen möchten, wenn es zugelassen würde." *(Kostümwerk)*

„Unter den Händen eines so einsichtsvollen Künstlers, als unser Schinkel ist, könnte hier nicht anders, als eine äußerst wohlthätige Reform der äußern Gestalt unserer Bühne hervorgehen", folgerte das *Dramaturgische Wochenblatt,* „. . .Wir bitten den trefflichen Architekten, diese Idee, die schon oft mündlich und schriftlich angeregt worden ist und von ihm selbst schon öfter überdacht, nicht ganz zu übersehen, oder bei Seite zu schieben . . ." (2. März 1816)

Für Brühl brachte diese Aufführung endlich die öffentliche Unterstützung und Anerkennung seiner Leistungen als Intendant. Selbst der König, der kein Freund der Oper war, sondern mit der leichten Muse kokettierte, ließ sich von der *Zauberflöte* überzeugen. Vor der Premiere äußerte er, bei solchen immensen Ausstattungskosten solle man doch lieber gleich eine ganz neue Oper inszenieren. Aber als Brühl ihm nach zwölf überfüllten Vorstellungen den Kassenbericht vorlegte, meinte der König freundlich: „. . . der Rapport beweist, daß ich es nicht verstehe, was das Publikum will; künftig werde ich mich mit meiner Meinung nicht mehr in Verwaltungsangelegenheiten mischen."

Brühl wußte sehr genau, welch wertvollen und ideenreichen Mitarbeiter er in Schinkel hatte; er stellte sich aber auch gern selbst ins Rampenlicht. Knapp sechs Wochen nach der *Zauberflöten*-Premiere, schrieb er an den Archäologen Böttiger in Dresden:

„Unser Schinkel ist fürwahr ein wirklicher Zauberer, und ich habe mit seiner Hilfe angefangen, das ganze bisher bestandene System der Dekorationsmalerei über den Haufen zu werfen, wozu ich mir nicht wenig Glück wünsche." (1. März 1816)

Und am 27. Dezember 1819 nach 15 weiteren gemeinsamen Einstudierungen, teilte er Böttiger mit:

„. . . und so will ich denn auch hier nicht unbescheiden bemerken, dass das Berliner Theater mir allein diese scenischen Kunstwerke dankt, denn ich habe Schinkel auf unserer Bühne heimisch gemacht . . ., ich habe mit ihm das richtige Costume der architektonischen Decorationen besprochen und kritisch beleuchtet."

Brühl hatte endlich freie Bahn. Als er die Leitung der Berliner Bühnen übernahm, soll Staatsminister Fürst Hardenberg zu ihm gesagt haben: „Machen Sie das beste Theater in Deutschland, und danach sagen Sie mir, was es kostet." Das ist sicher nur eine Anekdote, aber sie kommt der Wahrheit nahe.

Gleich im ersten Amtsjahr (1815) überschritt Graf Brühl den Etat um die fürstliche Summe von 36 279 Talern. Die Ausgaben für Garderoben und Dekorationen verschlangen ein Sechstel aller Ausgaben. Aus den Schulden kam er in seiner ganzen Intendantenzeit nicht mehr heraus.

„Fremde, welche eine Residenz wie Berlin besuchen, können mit Recht erwarten, daß sie auf einem großen Königlichen Theater Glanz und einen gewissen Überfluß bemerken", rechtfertigte sich Brühl erfolgreich vor dem König. Dieselben Argumente gebrauchte wenige Jahre später Schinkel, als er um Gelder für die Schmuckwerke an seinem Museum kämpfte.

Auch die nächste Oper, die Schinkel ausstattete, hat ein phantastisches Grundmotiv, während die Handlung im Gegensatz zur *Zauberflöte* im mittelalterlichen Norden angesiedelt ist: Es ist die tragische Liebesgeschichte des schönen Meerfräuleins *Undine* zu dem jungen Ritter Huldbrand.

Dies volkstümliche romantische Märchen schrieb der heute fast vergessene Baron de la Motte Fouqué, ein fleißiger Schreiber damals vielgelesener Ritterromane, nach einer alten Vorlage. Daß die *Undine* auf die Opernbühne kam, verdankte Fouqué seinem Freund E.T.A. Hoffmann, der die Musik für Fouqués Libretto schrieb und sich für Schinkel als Bühnenbildner einsetzte. „. . . ich wüßte in der That nicht, wer besser dazu geeignet seyn sollte, als dieser in das Wahrhaft Romantische so tief eindringende Künstler", schrieb Hoffmann an Brühl. (29. Januar 1816)

Schinkel entwarf dann zusammen mit Hoffmann innerhalb von vier Monaten die Bühnenbilder, darunter das von Wasser umgebene Schloß Ringstädten, den gotischen Marktplatz, den Wasserpalast des Meergeistes Kühleborn, des Onkels von Undine.

Graf Brühl kümmerte sich derweil um die Kostüme, die er zum Teil nach eigenen Zeichnungen, die er auf Kunstreisen nach Bildern alter Meister aufgenommen, von den Theaterschneidern anfertigen ließ.

Auch *Undine* feierte an einem Festtag Premiere: Sie wurde am 3. August 1816 zur Feier des Geburtsfestes Sr. Majestät, der 46 Jahre alt wurde, im Schauspielhaus am Gendarmenmarkt gegeben.

Bei den Berlinern fand die Opernmusik nur mäßigen Beifall. Desto größer war das Entzücken über die schinkelschen Dekorationen. Ludwig Catel, ein Fachmann auf diesem Gebiet, schrieb in der *Vossischen Zeitung* vom 8. August 1816:

„Die Dekorationen der Zauber-Oper Undine rechtfertigen abermals den von mir in dem Aufsatz über die Zauberflöte aufgestellten Satz, ‚daß das Dekorationswesen ein unbedingt nothwendiges Eigenthum der neuern Schauspielkunst sey'. In welchem innigen Bunde tritt hier die romantische Dichtung Undines mit dem wunderbaren der Tonsetzung und dem Zauber der Bühnen-Darstellung, in ein Ganzes der Kunsteinheit zusammen! . . . In der romantischen Dichtung, dramatisch behandelt, befindet sich ebenfalls wie in der Zauberflöte, die nähere Veranlassung zur Anwendung der Dekorations-Malerei im Gebiete der Schauspielkunst . . . Hier tritt nun Musik und Dekoration dazu, den Zauber der Dichtung zu steigern . . . Eben die Treue und Wahrheit des Charakters, die in der Hütte des Fischers vorwaltete, trat mit mehrerem Reichthum hervor in den hochgewölbten Sälen, mit ihren gotischen Verzierungen, Bildwerken und Malereien. Besonders aber erfüllten ihren Zweck, das Romantische der Dichtung zu heben, die Waldgegend mit den Wasserfällen bei Mondenschein, und der wogende See von Gletschern und Felsmassen umgeben. Wie in den Dekorationen der *Zauberflöte,* die Folgereihe ein Ganzes der Darstellung ist, das in sich vollendet zum Brennpunkt den Sonnentempel hat, so steht an der Spitze dieser Darstellung der Pallast der Wassergötter. Er entschwindet in nebelnder Nacht, und enthüllt sich in seiner ganzen Pracht dem irdischen Auge. Von Korallen und Kristallen erbaut, thront in ihm das liebende Paar, aber Kühleborn herrscht dennoch über das Ganze, andeutend, daß die Verbindung der Geisterwelt mit der irdischen nimmer vollendet werden kann."

Die Schriftstellerin Amalie von Helvig sah sich die neue Oper gleich zweimal an. „Die Decoration ist mit wirklicher Magie angeordnet", schrieb sie am 30. Dezember 1816 an ihren Freund Geijer und gestand: „ . . . aber ich weinte doch leise über Undinen".

Ludwig von Gerlach, 21 Jahre alt und vor sich eine politische Karriere, schreibt: „. . .ein ganz verdrehtes confuses Stück. – Die schöne Stadt-Decoration. Nachher waren wir bei dem Cafetier Holzapfel, wo Brentano hinkam. Streit üb[er] das Stück." (Tagebuch vom 30. August 1816)

Staatsrat Stägemann konnte sich ebenfalls nicht recht erwärmen: „Fouqués *‚Undine'* als Oper, hat einen sehr getheilten Beifall. Mir hat es, trotz der vorzüglichen Dekorationen nach Scheibels [Schinkels] Angabe, nicht gefallen." (An Varnhagen, 28. August 1816)

Aber den Komponisten, Kammerjustizrat Hoffmann, focht das nicht an: „Mein Undinchen wurde in einem Zeitraum von vierthalb Wochen gestern zum sechstenmahl bei überfülltem Hause gegeben . . . alle rühmen die Musik und – die Dekorationen die aber auch das genialste der Art sind, die ich jemahls gesehen." (An Hippel, 30. August 1816)

Die Gretchenfrage stellt erst der Kritiker vom *Dramaturgischen Wochenblatt:* „ . . . Recensent gesteht sehr gern, daß ihm in landschaftlicher Hinsicht, noch auf keiner Bühne etwas ähnliches vorgekommen ist . . . Es mögte die Frage seyn, welch ein Schicksal, trotz der genialen Musik und der guten Darstellung überhaupt, diese Oper gehabt hätte, wenn sie mit andern, minder poetisch und kunstmäßig ausgeführten Dekorationen zur Vorstellung gebracht worden wäre." (24. August 1816)

Hoffmanns Undinchen führte nur ein kurzes Leben. Nach 15 Aufführungen wurden sämtliche Dekorationen beim Brand des Schauspielhauses am 29 Juli ein Raub der Flammen: „Der ganze

Reichthum an Dekorazionen über 400 Stück, unter diesen noch manche von berühmten Meistern sind vernichtet ... ach, die schöne Dekorazion zu Undine!" (Sprickmann an seine Schwiegertochter, 5. August 1817)

E.T.A. Hoffmann, der an der Ecke Tauben- und Charlottenstraße wohnte, berichtete Hippel, daß beinahe auch seine eigene Wohnung von den Flammen erfaßt wurde:

„Da mir hiebey das abgebrannte Theater einfällt, so melde ich Dir mit kurzem, daß ich mich in der augenscheinlichsten Gefahr befand, aufs neue ganz ruinirt zu werden. Das Dach des Hauses, in dem ich im zweiten Stock wohne (Tauben und Charlottenstraßen-Ecke) brannte bereits von der entsetzlichen Gluth, die das ungeheure brennende Bohlendach des Theaters verbreitete, und nur der Gewalt von drey wohldirigirten Schlauchspritzen gelang es, das Feuer zu löschen und das Haus, so wie wohl das ganze Viertel zu retten. Ich saß gerade am Schreibtisch, als meine Frau aus dem Eckkabinett etwas erblaßt eintrat und sagte: Mein Gott das Theater brennt! – Weder sie noch ich verlohren indessen nur eine Sekunde den Kopf. Als Feuerarbeiter, zu denen sich Freunde gesellt hatten, an meine Thüre schlugen, hatten wir mit Hülfe der Köchin schon Gardienen, Betten und die mehrsten Meubles in die hinteren, der Gefahr weniger ausgesezten Zimmer getragen, wo sie stehen blieben, da ich nur im letzten Moment alles heraustragen lassen wollte. In den vorderen Zimmern sprangen nachher sämmtliche Fensterscheiben und die Oelfarbe an den Fensterrahmen und Thüren tröpfelte von der Hitze herab. Nur beständiges Gießen bewirkte, daß das Holzwerk nicht vom Feuer anging. – Meinen Nachbarn, die zu eilig forttragen ließen, wurde vieles verdorben und gestohlen, mir gar nichts." (Brief vom 15. Dezember 1817)

Als das Feuer ausbrach, befand sich der junge, schwedische Dichter Atterbom, ein Schützling der Amalie Helvig, in der Nähe. Zu seinem Bedauern hatte er bis dahin nie die Gelegenheit, dem berühmten Verfasser der *Elixiere des Teufels* vorgestellt zu werden – „aber einmal wurde er mir von ferne gezeigt ... Er hatte sich aus dem Fenster seiner am Gendarmenmarkte gelegenen Wohnung gelehnt, und der Feuerschein beleuchtete das kleine, magere Antlitz, unter dessen Larve in jenem Augenblick gewiß einige Dutzend Wunder und Märchen spukten. ... Zwei Dekorationen ... werde ich nie vergessen: die brausenden Waldgewässer und die von ihnen gebildete Insel, auf welcher Undine und Huldbrand zum ersten Male in der Nacht, unter den Klagerufen des alten Fischers, zusammentrafen, sowie den farbenschimmernden, durchsichtigen Palast auf dem Grunde des Mittelmeeres ..." (Reiseerinnerungen, August 1817)

Nach diesen phantastischen Dekorationen schuf Schinkel im darauffolgenden Jahr seine ersten Bühnenbilder mit Darstellungen klassischer griechischer Bauformen, und zwar für die festliche Aufführung der Gluck-Oper *Alceste* am 15. Oktober 1817, dem Geburtstag des Kronprinzen. Gerühmt wurde vor allem die gelungene Restaurierung eines griechischen Hypäthraltempels, dessen Innenraum nicht überdacht ist. Zur gleichen Zeit wurde dem Opernhaus schräg gegenüber Schinkels *Neue Wache* errichtet, ebenfalls im antikischen Stil.

Gotische Dekorationen präsentierte Schinkel bei der Neueinstudierung der *Jungfrau von Orleans* am 18.1.1818, darunter das naturgetreue Abbild der Kathedrale von Reims; ein deutliches Beispiel für Schinkels geänderte Auffassung, der jetzt die historisierende, belehrende Darstellung gegenüber der freien, phantasievollen Schöpfung bevorzugte.

Diese Übergenauigkeit führte dann auch nach der Aufführung des *Don Carlos* im Januar 1819 zu bissigen Kritiken. Der Unmut richtete sich gegen phantasielose Nachahmung der Natur, gegen die realistische Fontaine auf offener Bühne und die häßlichen Zimmer im Schloß.

„Die Kostüme des Stücks sind passend; die Dekorazionen nur theilweis. Der Garten von Aranjuez ist nicht übel, nur sollte die Fontaine hinweg oder doch wenigstens nicht lauter sprechen als der Dichter. Daß übrigens die Zeichnung ‚an Ort und Stelle aufgenommen ist', kann auf ihren Werth oder Unwerth, von gar keinem Einfluß sein. Das Zimmer des Königs ist, in seiner edlen Anspruchlosigkeit, zu loben.

Ganz verfehlt dagegen sind die Zimmer der Königin und der Eboli. Ersteres stellt eine seltsame Winkelei dar und wenn gleich es Vorsäle der Art in irgendeinem alten Schlosse geben mag, so bleibt doch die Form unschicklich und häßlich. Letzteres soll ein ‚Kabinet' der Eboli sein, und was erblickt man? Durch gebrochene Wände, schweres hängendes Getäfel, Massen von Polstern und Vorhängen, mächtige brennende Girandolen und überhaupt ein so überladenes Ameublement, daß man eine prachtvolle Tapezierwerkstätte zu sehen glaubt und die gute Eboli aus alle dem, trefflich gemalten Wust, kaum herausfinden kann . . . Ich verlange überhaupt: daß der Dekorationsmahler sich bescheide, daß er zum Bühnen-Gemälde den anspruchlosen, eher zu einfachen als zu bunten Hintergrund, gebe und daß er den Dichter nicht verdränge. Wenn wir aber so wie bisher fortfahren, Talente, Mühe, Zeit und Geld, für einen, mehrentheils verkehrten, Zweck, in Anspruch zu nehmen, . . . dann kann unsre Bühne . . . höchstens eine Musterkarte einer bunten Garderobe und glänzender Bildwerke werden, aber nie eine dramatische Kunstanstalt im höheren Sinne . . ." *(Berlinische Nachrichten* 12. Januar 1819)

Der massive Vorwurf des Rezensenten bestand zu Recht. Doch elf Tage später veröffentlichte er im gleichen Blatt eine umständliche und langatmige Erklärung, er sei falsch verstanden worden, sein „Tadeln und Schelten [sei] nur weise verstecktes Lob und mühsam cachirtes Entzücken gewesen!" (23. Januar 1819)

Die Leser hatten ihn bestimmt richtig verstanden. Mit Sicherheit war der Kritiker durch einen energischen Wink belehrt worden, daß man eine Aufführung am königlichen Opernhaus nicht auf diese Weise herunterputzen dürfe. (Friedrich Wilhelm III. hat ja öfter unliebsame Kritiken per Kabinettsorder unterdrückt).

Aber schon einige Tage vorher konnte die Zeitung den Lesern berichten: „Im Ganzen wurde D. Carlos mit noch größerer Sorgfalt gegeben . . . Die störende und zu laut sprudelnde Fontaine war aus dem Garten von Aranjuez entfernt, ein Opfer, welches die portraitmäßige Treue der idealen Dichtung wohl gern gebracht haben wird." (Berl. Nachrichten, 21. Januar 1819)

Der romantische Dichter Graf August von Platen, der wandernde Rhapsode, wie er sich selber nannte, schrieb denn auch gleich eine spöttische *Don Carlos*-Rhapsodie:

„So mußte neulich aus Berlin sogar,
Bis Aranjuez ein Mann mit Extrapost
Begeben, bloß um nachzusehen im Garten dort
Wo die von Schillers buhlerischer Eboli
Gepflückte Hyazinthe steht."

Im Frühjahr 1820 betrat ein hochbegabter, vor Ehrgeiz brennender Mann die Berliner Bühnenszene: der 45jährige italienische Komponist und Dirigent Gasparo Spontini! Der König persönlich hatte den temperamentvollen Südländer, den er 1817 bei einer Vorstellung in Paris bewundert hatte, als Generalmusikdirektor nach Berlin geholt und ihn mit umfangreichen Vollmachten ausgestattet, die dem Grafen Brühl de facto die Leitung des Opernhauses so erschwerten, daß er nach jahrelangen, entnervenden Kämpfen mit Spontini schließlich als der Sensiblere kapitulierte und sein Amt 1828 zur Verfügung stellte.

Doch Spontini hatte den Zenit seiner Karriere schon überschritten. Den Triumph seiner Oper *Die Vestalin* (1807) konnte Napoleons Lieblingskomponist, der für den Spanienfeldzug seines Kaisers die Oper *Cortez* komponiert hatte, in Berlin nicht mehr wiederholen. Sein Verhältnis zur Bevölkerung blieb trotz mancher musikalischer Erfolge verkrampft.

Spontini brachte aus Paris, wo man ihn nicht ungern scheiden ließ, seine dort nur lau aufgenommene Oper *Olympia* mit, ein klassischer Stoff nach Voltaire, den er den Berlinern in einer überarbeiteten Fassung, wonach sich das Ganze in Freuden endigte, anbieten wollte.

Auf ausdrücklichen Wunsch des neuen Generalmusikdirektors sollte Schinkel neue Dekorationen entwerfen; E.T.A. Hoffmann erklärte sich bereit, das Libretto ins Deutsche zu übertragen.

Die Vorbesprechungen und Vorarbeiten zogen sich gut sechs Monate hin. Da Schinkel und Brühl im Winter 1820 und Frühjahr mit dem Innenausbau des neuen Schauspielhauses voll beschäftigt waren, wurden die Konferenzen mit Vorliebe auf das Wochenende oder in die frühen Morgenstunden gelegt. Brühl, Spontini, Schinkel und Hoffmann trafen sich zu den Dekorationsbesprechungen gewöhnlich im Malersaal des Opernhauses.

Am 15. Februar 1821 schickte Brühl Spontini einen Brief, in dem die Differenzen zwischen den beiden anklingen: „Da Sie bei unserer letzten Konferenz zwischen Herrn Schinkel, Herrn Hoffmann und mir nicht mit anwesend waren, schicke ich Ihnen beiliegend die Zeichnung für die neuen Szene, die Herr Hoffmann für Sie gemacht hat. Herr Hoffmann war sehr zufrieden mit der Skizze und Herr Gropius ist gerade dabei, sie groß zu malen. Wenn Sie indessen einige Änderungen wünschen sollten, würde ich es Herrn Schinkel wissen lassen, mit dem wir morgen in den Morgenstunden eine Besprechung haben könnten.“

Spontini liebte die verschwenderische Prachtentfaltung auf der Bühne, die dramatischen musikalischen Effekte. Entsprechend aufwendig waren die Kulissen, die Schinkel für Spontini lieferte. Auffallend ist, daß die Zeitungskritiker sich kaum über die Qualität der Bühnenmalerei äußerten, sondern sich damit zufrieden gaben, nach Art der Hofberichte die äußere Prunkentfaltung und die wahrhaft königliche Pracht der Ausstattung, die geschmackvolle Anordnung des Ganzen, zu loben.

Die Anpassung an die Wünsche des Königshauses, die Zurschaustellung von Pomp und üppiger Kleiderpracht führte zu einer künstlerischen Verflachung, und der Abkehr von der verheißungsvoll begonnenen Bühnenreform.

Spontini hat für das Königshaus drei Prachtopern komponiert, zu denen Schinkel Dekorationen für die Galaaufführung entwarf:
Zur Vermählung der Prinzessin Alexandrine mit dem Erbgroßherzog von Mecklenburg-Schwerin wurde am 27. Mai 1822 das lyrische Drama *Nurmahal oder Das Rosenfest zu Kaschmir* gegeben, zu dem Schinkel eine Fernsicht auf Kaschmir malte.

Als die Prinzessin Luise von Preußen und Prinz Friedrich der Niederlande heirateten, gab es am 23. Mai 1825 die Zauberoper *Alcidor* („Allzudoll“ witzelten die Berliner) nach einer Erzählung aus 1001 Nacht.

Und nach der Hochzeit des Prinzen Karl und Prinzessin Marie von Sachsen-Weimar wurde am 28. Mai 1827 das lyrische Drama *Agnes von Hohenstaufen* aufgeführt.

Schinkel hat insgesamt Dekorationen zu 42 Stücken geliefert und zwar von 1816 bis 1834. Höhepunkte waren seine allerersten Schöpfungen wie die *Zauberflöte* oder *Undine.* Bis zum Jahre 1821, solange er noch das neue Theater baute, entfaltete er auch seine größte Produktivität als Bühnenmaler: In diesem kurzen Zeitraum stattete er schon fast dreißig Stücke aus, zu den meisten lieferte er jedoch nur ein oder zwei Dekorationen.

Im Jahre 1817 wurde seine ägyptisierenden Tempeldekoration in *Athalia* (nach Racine), der antike Tempel in *Alceste* (Gluck), das Bühnenbild zum Turnierplatz in der Oper *Rittertreue* (Romberg) und die Eingangsszene zum Trauerspiel *König Yngurd* (Müllner) besonders gelobt.

1818 glänzte er u. a. mit den Bühnenbildern zur *Jungfrau von Orleans* (Schiller) mit der Kathedrale von Reims, mit dem zum Geburtstag des Königs aufgeführte heroischen Singspiel *Lodoiska* (Cherubini), sowie mit *Orpheus und Eurydike* (Gluck).

Schinkel hat häufig eigene Vorlagen für seine Bühnenbilder benutzt. Verbindungen zu seinen Schaubildern sind besonders augenfällig. Die Innenansicht des Zeustempels (1814 als eines der sieben Weltwunder gezeigt) ist als Vorlage zur *Alceste*-Dekoration von 1817 zu verstehen; die gelungene

Restauration des ephesischen Dianentempels in der Oper *Olympia* hat ebenfalls ein Gegenstück in einem Schaubild von 1812. Auch der Stadtprospekt in *Oberon* knüpft an Dioramen an.

Selbst Zeichnungen von noch nicht ausgeführten oder bereits fertiggestellten Bauten finden sich auf der Bühnenleinwand wieder. Das Vestibül des von Schinkel umgebauten Tegeler Schlößchens erscheint in dem dramatischen Gedicht *Dido*; die Rotunde seines Museums ist bereits in der *Vestalin* angedeutet; der gotisierende Brunnen in *Undine* klingt an das Kreuzbergdenkmal von 1821 an; und die Ähnlichkeit der gotisierenden Fensterumkleidungen am Kavalierhaus auf der Pfaueninsel mit der Fassadenverzierung an der Burg in *Das Käthchen von Heilbronn* ist nicht zu übersehen.

Als Motive wählte Schinkel eindrucksvolle zum Stück passende Bauwerke, Skulpturengruppen, landschaftliche Ansichten, zum Teil mit Fernblick, wobei er eigene und auch fremde Reisebilder als Vorlage benutzte. Dabei haben ihm die in der Schaubildmalerei erworbenen praktischen Erfahrungen die Ausführung großer Bühnenmalereien überhaupt erst ermöglicht.

Schinkels spätere Bühnenbilder sind weniger einfühlsam empfunden als die Dekorationen zur *Zauberflöte* oder zur *Undine*. Das Spätwerk ab Mitte der 20er Jahre ist gekennzeichnet durch die Übernahme realistisch gezeichneter Kulturlandschaften bzw. pedantisch genaue lehrhaft historisierende Darstellungen. Typisch dafür ist der überladene Schmuck des Festsaals in *Agnes von Hohenstaufen*.

Schinkel hat seine Vorstellungen, die er in seinem Memorandum 1813 aussprach, nicht verwirklichen können. Die Ereignisse gingen darüber hinweg. Schon im Vorwort zum *Dekorationswerk*, das 1819 mit schinkelschen Bühnenbildern erschien, hat sich Brühl klar für die Detailtreue ausgesprochen: „Eine lebende Bildergallerie müßte man dasselbe [Theater] nennen können, und Maler, Archaeologen, Bildhauer und Architecten, ja selbst Natur-Historiker und Pflanzenkenner müßten in demselben Befriedigung finden!"

Die berufliche Belastung als Architekt und Beamter ließ Schinkel kaum Zeit für die Erfindung neuer Bühnenbilder, wozu ja eine gründliche Auseinandersetzung mit dem Bühnenstück gehört. Wenn er bis 1834 Bühnenbilder entwarf – meist nur ein oder zwei Dekorationen pro Stück – dann waren darunter sicher auch Gefälligkeitsarbeiten. Als er seinen allerletzten Entwurf zu *Die Deutschen Herren in Nürnberg* zeichnete, nahm ihn der Bau der Sternwarte und der Bauakademie voll in Anspruch.

Karl Graf von Brühl hat im *Dekorationswerk* seinem Mitarbeiter Schinkel ehrende und dankbare Worte gewidmet, die zugleich den kurzen Aufschwung des Dekorationswesens charakterisieren:

„Herr Schinkel ist deshalb als Architect vorzüglich groß und ausgezeichnet, weil er sich vor Einseitigkeit bewahrt, alle Arten von Baukunst mit gleicher Theilnahme aufgefaßt, und das Fortschreiten, so wie die Veränderung im Geschmack der Baukunst, durch alle Jahrhunderte und durch alle Länder mit Fleiß studirt hat. Diese Eigenschaft macht ihn vorzüglich geschickt, Zeichnungen für das Theater zu entwerfen; und da er zugleich mit großer Fertigkeit ausübender Landschaftsmaler ist, so wird ihm die Angabe der richtigen Farben, so wie alles dessen, was im Bilde nicht Architectur sein soll, sehr leicht."

# *Kunst- und Denkmalspflege*

„Es ist mir heute mehr als je aufgefallen, daß doch Schinkel die Kunst in einem viel allgemeineren Sinn umfaßt als alle anderen in Berlin, namentlich als Rauch, und auch als vielleicht die meisten derer, die einer einzelnen Kunst sich widmen. Vielleicht ist das aber bei der Architektur mehr möglich und nötig."

Diese Bemerkung Carolines in einem Brief an Humboldt (30. August 1823) charakterisiert einen hervorstechenden Wesenszug Schinkels, der ihn befähigte, sich als Architekt weit über den eigentlichen Arbeitsbereich hinaus der Pflege, Erfassung und Erhaltung der Kunstaltertümer im Lande zu widmen.

Als verantwortlicher Beamter für das Ästhetische Fach kümmerte sich Schinkel schon in den ersten Beamtenjahren um die Instandsetzung der Berliner Kirchen. Anfang Januar 1813 befaßte er sich mit dem Zustand der Klosterkirche in Berlin. Im November 1814 traf er erste Vorbereitungen für die Reparaturen an den beiden Gendarmenmarktskirchen. Aber gezielte Ideen zur Denkmalspflege entwickelte er erst 1815 nach Friedensschluß.

Rauch berichtete darüber im August 1815 an Tieck: „Gestern aß ich bei Schinkel, welcher außer sich ist über Merseburg und Gegend an der Saale, Unstrut u.s.w. er ist sehr thätig dabei, aus dem ganzen Lande vom Rhein bis Memel durchs Minister[ium] des ferneren Nachrichten über alle Gegenstände der Kunst, Archit[ektur] etc. in Berlin in einem Zentralpunkt zu sammeln, und bereisen zu lassen, der König ist sehr erbötig, alles zu Rettende auf seine Kosten vor dem Untergange zu retten, z. B. hat unser Kronprinz bei seiner Durchreise durch Cölln alles Niederreißen, erweitern, u.s.w. auf der Stelle aufhören machen, welches seit der Franzosenzeit noch fortdauert." (29. August 1815).

Schinkels Begeisterung für die Denkmalspflege war auf einer Dienstreise in die neue preußische Provinz Sachsen geweckt worden, auf der er die Schäden an der Schloßkirche in Wittenberg untersuchte. Deutschlands erste evangelische Kirche, an der Martin Luther 1517 die berühmten 95 Thesen angeschlagen hatte, war schwer beschädigt worden, als preußische Truppen unter General Tauentzien die Festungsstadt Wittenberg im Januar 1813 belagerten und erstürmten.

Schinkel fügte dem baulichen Gutachten über die Schloßkirche, die zwei Jahre später auf Kosten Friedrich Wilhelms III. instandgesetzt wurde, ein weiteres Schreiben zur „Erhaltung aller Denkmäler und Altertümer unseres Landes" hinzu. Durch seinen Auftrag sei „ein Gegenstand in Anregung gekommen, der seit geraumer Zeit bei uns in Ueberlegung genommen, und den wirksam und vollständig zu bearbeiten, bisher die ungünstigen politischen Verhältnisse gehindert haben; dieser Gegenstand ist: die Erhaltung aller Denkmäler und Alterthümer unseres Landes. Bisher waren diese Gegenstände als solche, die nicht unmittelbar dem Staate Nutzen schafften, keiner besonderen Behörde, zur Verwaltung und Obhut zugetheilt, sondern es wurde von den Regierungen, von der Geistlichkeit, oder von Magisträten und Gutsherren, je nachdem sich eine oder die andere Behörde das Recht darüber anmaßte, zufällig und meistentheils ohne weitere Rückfrage höheren Orts entschieden, und da es sich leider zu häufig fand, daß in diesen Behörden keine Stimme war, die durch das Gefühl für das Ehrwürdige dieser Gegenstände geleitet wurde und sich hinreichend ausgerüstet fühlte, die Vertheidigung desselben gegen die Stürmenden zu übernehmen, welche so nur durch einen eingebildeten augenblicklichen Vortheil auf den Untergang manches herrlichen Werks hinarbeiteten, so geschah es, daß unser Vaterland von seinem schönsten Schmuck so unendlich viel verlor, was wir bedauern müssen, und wenn jetzt nicht ganz allgemeine und durchgreifende Maßregeln angewendet werden, diesen Gang der Dinge zu hemmen, so werden wir in kurzer Zeit unheimlich, nackt und kahl, wie eine neue Colonie in einem früher nicht bewohnten Lande dastehen. – Es scheint aus diesen Gründen nothwendig, daß eigene Behörden geschaffen werden, denen das Wohl dieser Gegenstände anvertraut wird, und es werden sich in den Gemeinden ohne Zweifel tüchtige Männer genug erbieten, die eine solche Ehrenstelle bei diesen Behörden mit Freuden und mit demselben guten Geiste übernehmen, wie andere die Verwaltung des Gemeinguts in den städtischen Verfassungen."

Außerdem plädierte Schinkel für die systematische Erfassung aller Kunstwerke. Sogenannte „Schutzdeputationen" sollten Listen mit etwa folgenden Gegenständen zusammenstellen:

„Bauwerke, sowohl in vollkommen erhaltenem Zustande, als in Ruinen liegend, von allen Gattungen, als Kirchen, Capellen, Kreuzgänge und Klostergebäude, Schlösser, einzelne Wahrten, Thore, Stadtmauern, Denksäulen, öffentliche Brunnen, Grabmale, Rathhäuser, Hallen usw. . . ."

Ferner: „Bildhauerarbeiten aller Art im Innern und im Aeußern der Gebäude . . . oder in vergessenen Winkeln verborgen; . . . aus Gold, Silber, Stein, Bronce, Holz und Eisen, Baldachinen oder Tabernakeln, Leuchtern und Ampeln, Grabmälern und Sarkophagen, Taufbecken, Chorstühle, Kanzeln, Throne, Inschrifttafeln, Wappen und Waffen, einzelnen architektonischen Verzierungen, einzelnen Säulen, Gitterwerken von Metall um Chöre und Grabmale, Altäre usw."

Schinkels Vorschlagsliste erfaßte auch „Bilder aller Art im Innern und Aeußern der Gebäude"; damit die Listen jedoch „nicht zu groß" werden würden, verzichtete er auf die Nennung aller nach der ersten Hälfte des 17. Jahrhunderts entstandenen Kunstwerke.

Aber eine Denkmalspflege nach Art der Franzosen, die „alles einigermaßen wichtige von seiner Stätte fort in das große Museum der . . . Hauptstadt schleppen", sollte es in Preußen nicht geben. „Jedem Bezirk müßte das Eigenthum dieser Art als ein ewiges Heiligthum verbleiben . . ." (Schreiben v. 17. Aug. 1815)

„Eine auf diese Weise durch das ganze Vaterland eingeleitete und vollständig zur Ausführung gebrachte Würdigung unser Nationalschätze wäre vielleicht das schönste Denkmal, welches sich die jetzige Zeit selbst setzen könnte . . ."

Doch Schinkel bemühte sich vergeblich um staatliche Unterstützung. Sein zukunftweisender Plan, auf dem bis heute die Denkmalpflege fußt, stieß beim Innenminister von Schuckmann zwar auf wohlwollendes Interesse, doch lehnte der Minister die von Schinkel vorgeschlagenen Schutzdeputationen ab. Er hielt es für zweckmäßiger, „daß zunächst die Baubedienten jeder Provinz . . . bei ihren Bereisungen alles dahin Gehörige aufzusuchen, zu verzeichnen und zu beschreiben . . ." hätten. (Brief vom 6. September 1815)

Doch auch die Anregung des Ministers mußte im Sande verlaufen. Es fehlten wissenschaftlich ausgebildete Fachleute in den Provinzen. Die Bedeutung der Denkmalspflege wurde in der Bevölkerung noch nicht erkannt. Rettungsaktionen an Baudenkmälern wurden zumeist durch den Zufall herbeigeführt.

So hatte die Oberbaudeputation im Herbst auf unbekannten Wegen vom geplanten Abbruch des Lettners in der Stiftskirche von Xanten erfahren. Schinkel und seine Kollegen konnten diese „Barbarei" durch einen Brief an das Innenministerium verhindern: „Da die Odeen, welche den Chor von dem Schiff trennen, in den meisten Kirchen schon vernichtet sind, so sollte umso mehr über diese seltenen Monumente eines älteren Kultus gewacht werden, und wir halten uns für verpflichtet, einem hohen Ministerium hiervon Anzeige zu machen und stellen es dem höheren Ermessen desselben anheim, die Maßregeln gegen solche Barbareien zu treffen."

Gleichzeitig erinnerte Schinkel an „den von uns eingereichten Entwurf für die Erhaltung öffentlicher Denkmäler, indem wir es für ganz notwendig halten, zuvörderst auch die gesamte Geistlichkeit von neuem für die Werterhaltung und Erhaltung aller Denkmäler zu verpflichten und dadurch wieder auf diesen leider zu sehr vernachlässigten Gegenstand aufmerksam zu machen". (Brief vom 25. Oktober 1815)

In einem anderen Fall aber – bei der Verschandelung des Berliner Pontonhofs Unter den Linden, in dem Kriegsmaterial gelagert wurde – kamen die Denkmalschützer zu spät. Schinkel maß dem Vorfall solche Bedeutung zu, daß er dem im Hauptquartier in Paris weilenden Staats- und Finanzminister Bülow sofort Meldung erstattete.

„Der königl. Pontonhof Unter den Linden, ein zwar nicht großes aber sehr interessantes Monument unseres nicht hoch genug zu schätzenden Schlüter [fälschliche Zuschreibung] auf den das nördliche Deutschland stolzer sein kann, als Italien auf den Michel Angelo, dies Gebäude ist ohne die mindeste Anzeige durch den Befehl eines Ingenieuroffiziers seines Schmuckes in einem Nachmittage beraubt worden, indem man, wahrscheinlich das Gebäude zu einem anderen Zwecke umgestaltend, die sehr schön stehende Inschrift und ein Basrelief von Sandstein, welches sich in der Attika befand, wegschlagen ließ." (12. September 1815)

Bülow erstattete dem König Bericht, der daraufhin am 4. Oktober 1815 in Paris eine Kabinettsorder erließ: „daß bei jeder wesentlichen Veränderung an öffentlichen Gebäuden oder Denkmälern diejenige Staatbehörde, welche solche vorzunehmen beabsichtigt, darüber zuvor mit der OberBauDeputation kommunizieren, und wenn diese nicht einwilligt, an den Staatskanzler Fürsten von Hardenberg zur Einholung Meines Befehls, ob die Veränderung vorzunehmen, berichten soll."

In der Praxis bedeutete der Erlaß jedoch nicht viel, weil das Ministerium sich weigerte, schon jetzt entsprechende Ausführungsbestimmungen für die gesamte Monarchie in Kraft zu setzen, „obwohl solches im Ganzen zweckmäßig gefunden wird . . ."

Als Schinkel im Sommer 1816 mit dem Ausbau des Palais Prinz August beschäftigt war, erinnerten sich seine Vorgesetzten an sein Engagement für die Kunst- und Denkmalspflege. Er sollte die Kunstgüter im Rheinland auf einer mehrwöchigen Reise besichtigen, zuvor aber in Heidelberg mit den Brüdern Boisserée, zwei leidenschaftlichen aber auch geschäftstüchtigen Kunstsammlern, über den Kauf ihrer Bilder mittelalterlicher Meister verhandeln. Sie sollten zusammen mit der vom König 1815 in Paris erworbenen Giustinianischen Sammlung den Gemäldegrundstock für das in Berlin geplante öffentliche Museum bilden.

Die Heidelberger Sammlung war einzig in ihrer Art und von den Brüdern Sulpiz und Melchior Boisserée, gebürtigen Kölnern, unter abenteuerlichen Umständen zusammengetragen worden.

„Ich brauche Dich nur an die Geschichte unserer Sammlung zu erinnern", schreibt Sulpiz Boisserée am 6. Dezember 1815 an seinen Freund Dr. Schmitz in Köln, „das Meiste hast Du selbst mit erlebt; Du weißt, daß wir den größern Theil unserer Bilder in Köln gesammelt, und Bilder von Trödlern, Kunsthändlern, Geistlichen und andern einzelnen Personen gekauft haben, in deren Hände sie durch die stattgefundene Aufhebung der Klöster [1803] und Kirchen gerathen waren; Du weißt, daß wir unter dem Spott und Gelächter unserer Mitbürger eine Menge Bilder aus Staub und Nässe, aus Speichern und Kellern, geradezu vom Verderben gerettet haben . . ." – „Und wie freuten wir uns, wenn wir dann unter der reinigenden Hand des Restaurators irgend einen Kopf oder ein Stück eines schönen, blauen, rothen oder grünen Gewandes, wenn wir einen Kräuterboden mit Erdbeerblüthen und Früchten, mit Veilchen und andern Frühlingsblumen aus dem dunkeln Ueberzug von Kerzendampf und anderm Dunst klar hervortreten sahen . . . wir machten auch für die Kunstgeschichte manche wichtige Entdeckung." (Lebensbeschreibung)

Schinkels Vorgesetzte, Minister Altenstein und Legationsrat Eichhorn, hatten die Bilder bereits im Dezember 1815 besichtigt, als sie von Paris kommend, bei den Boisserées vorfühlten und Preußens Interesse bekundeten. Denn die Brüder, die aus einer Kaufmannsfamilie stammten, machten kein Geheimnis daraus, daß sie sich durch den Verkauf der Bilder eine „ehrenvolle und sorgenfreie Existenz zu verschaffen" suchten.

Sogar Goethe, dem die altdeutsche Malerei lange Zeit fremd geblieben war, konnten die Brüder für die Sammlung begeistern. Goethes Besuch bei den Boisserées im Sickingschen Haus am Karlsplatz gegenüber dem Schloß wurde für den 66jährigen Dichter zum Schlüsselerlebnis: „Da habe ich nun in meinem Leben viele Verse gemacht, darunter sind ein paar gute und viele mittelmäßige, da macht der Eyck [in Wirklichkeit Rogier van der Weyden] ein solches Bild, das mehr werth ist, als alles, was ich gemacht habe.“ (Bericht Wilhelm Grimms an seinen Bruder, 31. Oktober 1815)

Schinkels Kunstreise war von Altenstein mit großer Umsicht eingefädelt worden. So bestand er darauf: „Die Unterhandlung kann blos mündlich . . . gewagt werden. Es ist wichtig, daß der Mann, dem solche übertragen wird, den Sinn der Brüder Boisserée und ihre ganze Eigenthümlichkeit aufzufassen im Stande sei, und ihnen überhaupt an Sinnesart und Bestrebung möglichst verwandt sei. Ich kenne niemand, bei welchem sich dieses Alles so sehr mit Kunstkenntnis vereint vorfinden dürfte, als bei dem Herrn Geheimen Ober-Baurath Schinkel . . .“ (An Hardenberg, 31. Mai 1816)

Zusätzlich mit einem Empfehlungsschreiben des Berliner Staatsrats Schultz ausgestattet, der von Goethe sehr geschätzt wurde, verließ Schinkel Anfang Juli 1816 die Hauptstadt. Mit ihm reisten seine Frau Susanne, ihr fast sechs Jahre altes Töchterchen Marie und – ein wahrer Glücksfall – der Kölner Regierungsassessor von Groote, ein guter Freund der Boisserées, der Berlin besucht hatte und nun ebenfalls nach Heidelberg wollte. Unterwegs wollte Schinkel in Weimar Station machen, um sich der Unterstützung Goethes zu versichern.

Am Abend des 10. Juli, um sieben Uhr, traf die preußische Gemäldekommission, die eher einem Familienausflug glich, in Weimar ein, wo Schinkel noch spät abends Goethe in einem Brief um die „Gunst“ bat, „mich Ihnen persönlich vorstellen zu dürfen . . . Morgen nachmittag gedenke ich nach Rudolstadt zu gehn und werde höchst beglückt sein, bis dahin Eure Exzellenz gesehn zu haben“.

Schinkels Reiseplan ließ offenbar keine Verzögerung zu; doch zum Glück hatte inzwischen das Schreiben von Schultz, in dem Schinkels „unglaubliche Schnelligkeit im landschaftlichen Fach“ gerühmt wurde, seine Wirkung getan: Am nächsten Morgen lud Goethe den Berliner Gast zu einer Spazierfahrt ein. Goethe vermerkte in seinem Tagebuch: „Mittag Geh. Rath Schinkel von Berlin und Hofr. Meyer. Vorher mit Schinkel spazieren gefahren. Verhandlung wegen Boisserées. Mit beyden Männern nach Tische zusammen . . .“ (11. Juli 1816)

In diesen wenigen Stunden gewann Schinkel das Herz Goethes. Nachdem Schinkel abgereist war, schickte der Dichter mit einer bei ihm seltenen Eile ein Empfehlungsbrief an die Heidelberger Kunstsammler:

„Soeben verläßt mich Herr Geheimerat Schinkel und eilt vielleicht diesem Briefe zuvor. Er bringt Bedingungen, welchen kein Mädchen widerstünde, wahrscheinlich auch die Jünglinge nicht. Einen Entscheidungsgrund, den ich dem Papier nicht anvertrauen kann, bring' ich mit. Noch immer hoff' ich zu Ende Julis bei Ihnen zu seyn.“ (Brief vom 12. Juli 1816)

Noch deutlicher zeigt sich Goethes außerordentliche Wertschätzung Schinkels in einem Brief an Schultz:

„Nun muß [ich] des leider allzukurzen Besuchs des Herrn Geheimerat Schinkel gedenken, dessen schöne Einsicht und Tätigkeit mich sehr erfreut und belebt hat. Einem so reichen Talent ist ein so weiter Wirkungskreis zu gönnen.“ (19. Juli 1816)

Auch Schinkel knüpfte an diese Begegnung nur angenehme Erinnerungen.

„Einen ganzen schönen und lehrreichen Tag habe ich beim Goethe in Weimar erlebt, der mich sehr freundlich bei sich aufnahm. In seiner Nähe wird dem Menschen eine Binde von den Augen genommen, man versteht sich vollkommen mit ihm über die schwierigsten Dinge, welche man allein nicht getraut anzugreifen, und man hat selbst eine Fülle von Gedanken darüber, die sein Wesen unwillkürlich aus der Tiefe herauslockt. Über Boisserée bekam ich durch Goethe die freundschaftlichsten Notizen und mit diesen ging ich nach Heidelberg.“ (an Rauch, 14. November 1816)

Dort lag inzwischen ein Brief des Legationsrats Eichhorn vor, als Schinkel samt Gefolge am 20. Juli, einem Samstag, im boisseréeschen Haus am Karlsplatz eintraf.

Die Verhandlungspartner kamen schnell zur Sache. Aber Schinkels Vorschlag, die Sammlung einstweilen im Berliner Schlößchen Monbijou an der Spree aufstellen zu lassen, behagte den Brüdern nicht. Sulpiz: „Das letztere macht mir keinen guten Eindruck, sieht mir etwas wie eine Verführung aus und Wind". (Tagebucheintragung 21. Juli 1816).

So billig waren die „heiligen drei Kölner" nicht zu haben. Sie wußten nur zu genau, daß es im südlichen Deutschland für eine anerkannte Sache gilt, „daß unsere Sammlung an historischer Vollständigkeit und Vortrefflichkeit der einzelnen Bilder die altdeutschen Sammlungen in Wien und München übertrifft, und somit einzig in ihrer Art ist". (An Dr. Schmitz, 6. Dezember 1815)

Das bestätigte auch Schinkel in einem Brief an Rauch: „. . . ich erinnere mich nicht, einen ähnlichen Genuß jemals gehabt zu haben. Nichts ist da, was imponirt, alles anspruchslos, aber es wirkt ruhig, höchst wohlthätig und der Zusammenhang des Ganzen löst eine Menge von Räthsel und führt Reihen neuer Gedanken herbei. Schon die historische Ordnung dieser Sammlung ist etwas so über alles Wichtiges, daß dadurch meinem Gefühle nach eine ganz neue Ordnung der Dinge in dem ganzen Wesen des Sammelns und Aufstellens für die Welt hervorgehen wird." (14. November 1816)

Schinkel bemühte sich vom ersten Tag der Begegnung an um gute menschliche Kontakte, denn „wie sehr ein freundschaftliches Verhältnis mit den Herren Boisserée anzuknüpfen, dem Gang der Sache vorteilhaft werden würde, fühlte ich sehr bald, und ebenso wie weit die Herren entfernt waren, ein bloß merkantilisches Geschäft aus der Angelegenheit zu machen. Ich ließ mich deshalb während zweier ganzen Wochen auf nichts anderes ein, als die Sammlung mit ihnen unter freier Mitteilung unserer Gedanken über Kunst überhaupt und über den Inhalt dieses Gegenstandes insbesondere, gründlich zu studieren. Was mein Vorhaben begünstigte, war: daß die ganze Sammlung von den Wänden abgenommen war, indem die Herren ein anderes Lokal beziehen wollten, und daß die Aufstellung der einzelnen Bilder nur mit Mühe geschehen konnte; hierdurch fand sich hinreichende Entschuldigung, die unzähligen Fremden, welche jeden Tag, die Sammlung zu sehen, angemeldet wurden, und von denen die meisten eigens deshalb auf Heidelberg reisten, abzuwehren, so daß ich in ungestörter Betrachtung blieb." (An Altenstein, 6. August 1816)

In Boisserées Tagebuch finden sich kurze Notizen über die Kunstgespräche mit Schinkel. Am 25. Juli: „Ein griechisch und ein deutsches Gemälde von Schinkel" (wahrscheinlich die *Mittelalterliche Stadt an einem Flusse* und *Griechische Idealstadt am Meer,* beide 1815). Und ein Vermerk vom folgenden Tag verrät, daß sie über Schinkels Lieblingsprojekt gesprochen haben: „Schinkel erklärt mir seinen Dom". (26. Juli)

Am 26. Juli sagte Goethe seinen Besuch in Heidelberg ab. Ein Wagenunfall hatte ihn zur Umkehr gezwungen. Da er die Verlegung der Sammlung nach Berlin befürwortete, hätte seine Anwesenheit gewiß einen glücklicheren Ausgang der Verhandlungen bewirkt.

Doch noch war man am Karlsplatz optimistisch: „Geheimerath Schinkel ist nun schon seit acht Tagen bei uns", schreibt Sulpiz an Goethe, „ohne Rücksicht auf seine Sendung macht uns seine Bekanntschaft viele Freude. Ein Mann, der wie er sein Fach versteht, dabei gescheidt, welterfahren und geistreich ist, muß uns gefallen.

Die Bedingungen scheinen freilich im höchsten Grad verführerisch und obwohl man uns seit meiner Rückkehr in hier benachbarten Gegenden auch die vortheilhaftesten Anträge gemacht hat, so wird wahrscheinlich doch die Rücksicht auf das niederrheinische Land uns für Berlin bestimmen . . . Wir betreiben übrigens die Sache mit aller Gelassenheit; Geheimerath Schinkel hat uns heute eine ins einzelne gehende schriftliche Anerbietung versprochen und dadurch werden wir wohl der Entscheidung näher kommen . . ." (Brief vom 27. Juli 1816)

Dieses schriftliche Angebot übergab Schinkel vier Tage später, am 31. Juli, als man gerade dabei war, den Bilderkatalog zu überarbeiten. Aber erst am 3. August kam die Einigung zu Stande. Sulpiz: „Wir sind einig. – Spaziergang auf dem Philosophen-Weg [im Neckartal, gegenüber vom Schloß] ich allein."

Anderntags wurde der Vertrag entworfen und „abends auf dem Schloß Geburts-Tag des Königs (d. 3.) gefeiert. Schinkel gab uns und den Wilken dies Fest. Bertram kann nicht dabei bleiben; wegen Übelbefinden.“ (Tagebuch, 4. August)

Am 7. August war Schinkels Mission beendet. Der Vertrag war abgeschrieben und Sulpiz seufzte erleichtert: „Quälerei damit. unterschrieben und abgeschickt.“ (Boisserée-Tagebuch).

Schinkel war ebenfalls froh. Denn die Brüder hatten ihm heftig zugesetzt. „Die Herren Boisserée selbst aber haben mancherlei Schwächen, und es ist bös mit ihnen zu verhandeln, sie sind verzogene Kinder, denen alles Cour gemacht hat . . .“ schreibt er an Rauch (Brief vom 14. November 1816)

Alle Beteiligten rechneten mit der baldigen Unterschrift der preußischen Regierung. Der mit Schinkel abgeschlossene Vorvertrag sah vor, daß die Brüder im Herbst des kommenden Jahres (1817) nach Berlin übersiedeln sollten. Und zu was für Bedingungen! Der Kaufpreis für die 218 größtenteils kleinformatigen Gemälde: 200 000 Gulden, zahlbar in acht vierteljährlichen Raten ab 1. Januar 1817. Dazu noch 10 000 Gulden Rente bis zu ihrem Tode, freies Lokal und freie Wohnung in Berlin sowie 100 000 (!) Gulden Stiftungsfonds für Unterhaltung der Sammlung, Verwaltung und Transportkosten.

Kein Wunder, daß im Haus der Boisserées am Heidelberger Karlsplatz eitel Freude herrschte. Sie spiegelt sich in den eilig abgesandten optimistischen Briefen, an Eichhorn, Gneisenau u. a.

An Goethe, der ungeduldig auf neue Nachrichten aus Heidelberg wartete: „An der Genehmigung zweifeln wir keineswegs. Schinkel ist ein zu ernsthafter, gescheidter Mann, er wird seine Vollmacht gewiß nicht überschritten haben . . . Die persönliche Bekanntschaft von Schinkel hat, wie Sie voraussahen, auch recht viel zu der Entscheidung für Berlin beigetragen. Man findet selten so viel Kenntniß, so viel richtigen Sinn und Urtheil, so viel Welterfahrung und guten Willen vereinigt. Einen solchen Mann zum Helfer und Mitarbeiter zu haben ist keine Kleinigkeit. An Zelter und wohl an noch ein paar Anderen aus den 170,000 [Berliner Einwohnern] bekommen wir gleichfalls Stützen und vertraulich geselligen Anhalt . . .“ (Sulpiz, am 13. August 1816)

Schinkel war als Unterhändler nach Heidelberg gekommen, aber er schied als Freund, der den Brüdern bis ans Lebensende Zuneigung bewahrte. Bevor er mit seiner Familie abreiste, um die Kunstschätze in den Rhein- und Niederlanden zu besichtigen, versprach er Sulpiz eine Titelvignette für dessen *Domwerk* zu zeichnen.

Das Tauziehen um die Sammlung sollte sich noch elf Jahre hinziehen. Betroffen schrieb Schinkel am 16. November 1816 an Sulpiz: „Dem Herrn Finanzminister [von Bülow] gefiel die Summe, die er schaffen sollte, wie für alle dergleichen Unternehmungen, nicht auf's Beste; dem Herrn Minister des Innern [von Schuckmann] sind diese Angelegenheiten, welche ihrer Natur nach in sein Ressort fielen, ihm aber auf gewisse Weise nicht untergeordnet werden sollen, ebenfalls ein Stein des Anstoßes . . . Sie können denken, daß ich nicht wenig verlegen war, wenn auch nur in den allerunbestimmtesten Ausdrücken zu bekennen: weit über die Instruktion hinausgegangen zu seyn.“

Doch während die Waagschale sich zuungunsten der Boisserées neigte, herrschte in der Berliner Bevölkerung fröhlicher Optimismus.

Dorothea Schlegel, die Frau des berühmten Literaturhistorikers, berichtete den Brüdern am 5. März 1817: „Alle Berliner, die wir zu sprechen Gelegenheit haben (noch vor einigen Tagen den Geheimerath Stägemann), versichern, daß die Sache mit Ihrer Sammlung gar keinem Zweifel mehr unterliege, sie käme ganz gewiß nach Berlin; es läge nur noch an der Anordnung des Finanzministers . . .“

Doch Preußen litt damals unter einer Teuerungswelle. Zu allem Unglück brannte im Sommer 1817 das Theater am Gendarmenmarkt ab. Die Wiederaufbaukosten wurden auf etwa 200 000 Taler geschätzt. Soviel verlangten die Boisserées allein für ihre Bilder – ohne die übrigen Forderungen wie Rente und freie Wohnung. Erst zehn Jahre später wurde die Sammlung an den Bayernkönig Ludwig I. verkauft. Der Preis war inzwischen auf 240 000 Gulden gestiegen, dafür bekam Ludwig die eigens von den Boisserées für Berlin angefertigten Bilderrahmen als Draufgabe dazu.

Schinkel gratulierte und fügte mit Galgenhumor hinzu: „. . .wie viel ich auch dabei . . . verliere, Sie und ihre Sammlung nicht bei uns zu sehen. Wir müssen hier nun schon sehen, wie wir unser Museum auf andere Weise füllen . . ." (An Sulpiz 19. März 1827)

Die Reise zu den Brüdern Boisserée und der Besuch in den Niederlanden hatte Schinkel die Notwendigkeit staatlicher Denkmalspflege drastisch vor Augen geführt. Mit Bestürzung hatte er gesehen, wie alte Baudenkmäler verfielen oder wie das altrömische Amphitheater vor den Toren Triers „um des Verkaufsgeldes eines schlechten Materials willen" abgebrochen wurde. „Sollte Verordnung gegeben werden, daß selbst der Eigentümer keine Hand an öffentliche Monumente legen darf." (Reisenotiz vom Sommer 1816)

Mit Abscheu beobachtete er den Schacher um mittelalterliche Kunstschätze, die Ausplünderung der Kirchen und Klöster durch skrupellose Händler, worüber er sich denn auch in einem Bericht an Altenstein beklagte, . . .„daß nämlich die allgemeine Aufmerksamkeit auf diese Gattung von Kunstwerken eine vollkommene Jagd nach dem einzeln Zerstreuten in den Rheinprovinzen und den anstoßenden Ländern veranlaßt, wovon ein jeder, der diese Länder betritt, sehr leicht Zuschauer werden kann. Diese neue Tätigkeit zieht die Aufmerksamkeit auch der vielen jetzt sich dort umhertreibenden Fremden und insbesondere der Engländer auf sich, welche weit weniger aus einem richtigen Sinn für die Sache, als weil sie das ganze für einen neuen und kuriosen Gegenstand halten, mit dem man Aufsehen erregen könne, durch verschwenderischen Ankauf entweder täglich diese Länder leerer machen oder doch ein Übersteigen alles Verhältnisses des Wertes der Dinge veranlassen. Ein solches Treiben führt nun alles Böse eines schmutzigen Handelns mit sich, welches dadurch noch gefördert wird, daß die einzelne Geistlichkeit ihr Kirchengut bis jetzt selbständig verwaltete und hierbei die Veräußerung eines Kirchengutes, wenn es selbst der gemeinen Ansicht nach nicht ganz wesentlich und dadurch etwa ein anderer Vorteil für den Kultus zu erlangen war, ohne höhere Rückfrage gestattet wurde; und wer weiß, wie das dafür gelöste Geld verwendet ward? Die Kunstsammler und Kunsthändler, welche fast beständig auf Reisen sind, um jeden Winkel und alle großen und kleinen Kirchen und Kapellen von den Gewölben und Kirchenkammern bis unter die Dächer zu durchspähen, treiben eine Geheimniskrämerei mit dem, was sie hie und da stecken wissen; sie wird schon gewissermaßen zunftmäßig und in Übereinstimmung mit mancher geistlichen Behörde gehandhabt, welche durch sie noch vorteilhafte Handel zu machen denkt, so daß dadurch das Geschäft sehr erschwert wird, sich in vollkommene Kenntnis des Vorhandenen zu setzen. So war es mir nicht möglich, in der Gegend von Koblenz unter anderen auszuforschen: wo sich in einer Kirche ein schönes Bild angeblich von Eyck befinden sollte, auf welches ein Sammler in Köln bei einer Reise, von der ich ziemlich genau unterrichtet war, sehr stark spekulierte und Hoffnung hatte, es zu fangen. Übrigens gab auch wiederum dies Treiben Gelegenheit zu ersehen, daß im ganzen diese Kunstwerke nur sehr spärlich noch vorhanden sind, und daß es mit vielen Schwierigkeiten verknüpft ist, sie zu vereinigen; . . ."

Um diesem verheerenden Ausverkauf Einhalt zu gebieten, schlug Schinkel vor, „aufs schleunigste dafür zu sorgen, daß durch allgemeine Verfügungen denjenigen Werken an ihrem Orte aller Schutz geleistet werde, die bis jetzt noch einer hohen früheren Bestimmung dienen, wohin vorzüglich die Werke zu rechnen sind, die den Schmuck der Kirchen bilden". (An Altenstein, 15. Oktober 1816)

Nach der Rückkehr aus dem Rheinland packte Schinkel die denkmalpflegerischen Arbeiten energisch an. Im Herbst 1816 kümmerte er sich um die Erhaltung des Torbaus der Königlichen Bank; danach bewirkte er die Wiederherstellung der Bildwerke auf dem Zeughausdach, sorgte für die Erhaltung der Statuen auf dem Fürstenhaus am Werderschen Markt. Seit Frühjahr 1817 wurde das Innere der Nikolaikirche, eines der ältesten Gotteshäuser Berlins renoviert. Außerdem befaßte Schinkel sich im Mai 1817 mit einem *Gutachten über die Erhaltung der Statuen auf dem Königlichen Schlosse zu Berlin,* eine vergebliche Mühe, denn der König hatte keine Gelder für die Ausbesserungsarbeiten, so daß sie später heruntergenommen werden mußten.

Überhaupt behielt sich der König die Entscheidung darüber vor, welche Gebäude erhaltenswürdig seien. Unter den verschiedenen Erlassen dieser Zeit, die einander zum Teil widersprechen, ist eine königliche Ordre bemerkenswert, die bestimmt, daß zu jeglichem Um- oder Ausbau landesherrlicher Schlösser „Meine Approbation eingeholt werden muß . . . Ich will indessen hierdurch im Voraus und allgemein bestimmen, daß das Äußere dieser Schlösser, als geschichtliches Andenken an die Zeit ihrer Erbauung, unverändert beibehalten werden soll . . .“ (Erlaß vom 9. November 1817)

Auch die Wiederherstellung der Marienburg an der Nogat, im Mittelalter eineinhalb Jahrhunderte Sitz des Hochmeisters des Deutschen Ritterordens, kam um 1817 wieder in Gang. Schinkel besichtigte die verfallenden Schanzen, Säle und Magazine, die sein Lehrer Gilly 1794 auf einer Dienstreise seines Vaters in mehreren Blättern festgehalten hatte. Diese Zeichnungen, die auf der Akademieausstellung 1795 großes Aufsehen erregten, hatte auch Schinkel noch als Schüler bewundert.

Schinkel faßte seine Beobachtungen in einem Schreiben an Fürst Hardenberg zusammen. Dem Wiederaufbau dieses schönsten und prächtigsten „Monuments altdeutscher Baukunst“ fühlte er sich ebenso verpflichtet wie dem Aufbau des Kölner Doms. „Künftighin wird“, schrieb zuversichtlich er an Hardenberg, „die Chaussee der Hauptstraße des Reiches von Königsberg bis Aachen das Schloß Marienburg berühren, und dann wird auch der Besuch von reisenden Ausländern häufig sein, die den Ruhm dieses Monuments im Auslande zu verbreiten nicht unterlassen werden.“ (11. November 1819)

Da Schinkel ein systematischer Mann war, versuchte er, die Denkmalspflege durch eine katalogmäßige Erfassung der Denkmäler und Bauten in den Griff zu bekommen. So legte seine Behörde schon 1822 Listen „merkwürdiger Gebäude des Landes“ an. Außerdem schrieb er an die Regierungen der Provinzen, und bat um Verzeichnisse der historisch interessanten Gebäude. Die eingehenden Meldungen waren so dürftig, daß selbst wichtige Gebäude nicht genannt wurden. In einem Bericht aus Minden waren nur die Schlösser Wewelsburg und Rheda aufgeführt, dagegen fehlten Stätten wie Paderborn und Höxter. Im Bericht aus Posen fehlte sogar das Rathaus und in Bromberg sollte es angeblich „kein einziges Denkmal“ geben.

Nach diesem niederschmetternden Ergebnis scheint sich der Kronprinz eingeschaltet zu haben. Denn bald folgte eine allgemeine Verfügung an alle preußischen Regierungen, die gemeinsam von den Ministerien für Unterricht, des Handels und des Innern am 15. Dezember 1823 erlassen wurde:

„Die unterzeichneten Ministerien sehen sich durch einige vorgekommene Fälle veranlaßt, die Königliche Regierung hierdurch verantwortlich zu machen, daß die in ihrem Bezirk vorhandenen alten Kunstgegenstände und Denkmäler oder geschichtlichen Merkwürdigkeiten u.s.w. nicht zerstört oder so vernachlässigt werden, daß ihr Untergang die Folge ist. Die Königliche Regierung hat sich durch angemessene Mittel genaue Kenntnis von solchen Gegenständen zu verschaffen und die Behörden für deren Erhaltung in Anspruch zu nehmen. Da, wo die Gefahr für den Untergang solcher Gegenstände droht, muß die Königliche Regierung derselben schleunig durch zweckdienliche Vorkehrungen abzuhelfen suchen oder nötigenfalls den unterzeichneten Ministerien davon Anzeige erstatten und die geeigneten Maßregeln in Vorschlag bringen.“

Aber die guten Vorsätze standen zunächst einmal nur auf Papier. Was wirklich zählte, waren beispielsetzende Initiativen zur Rettung der historischen Bauten. Es gab alle Hände voll zu tun.

Durch die Kriege und die Besatzung waren ungezählte Kirchen Preußens in einem jämmerlichen Zustand, einige völlig ausgebrannt. Da es keinen Etat für Wiederherstellungsarbeiten gab, konnte meist nur das Notdürftigste aus Spenden ausgebessert werden. Zwar war nicht jedes Dorfkirchlein auch gleich ein baugeschichtliches Denkmal. Doch waren die Beamten der Oberbaudeputation bestrebt, denkmalspflegerische Grundsätze zu erarbeiten. Die Kunstwissenschaft steckte damals noch in den Kinderschuhen.

Wenn Schinkel auf Reisen war, ob dienstlich oder privat, durchstreifte er die Gegenden und schaute nach Bauresten. So entdeckte er bei Rheinberg (Rheinland) „ein großes Stück eines alten, runden

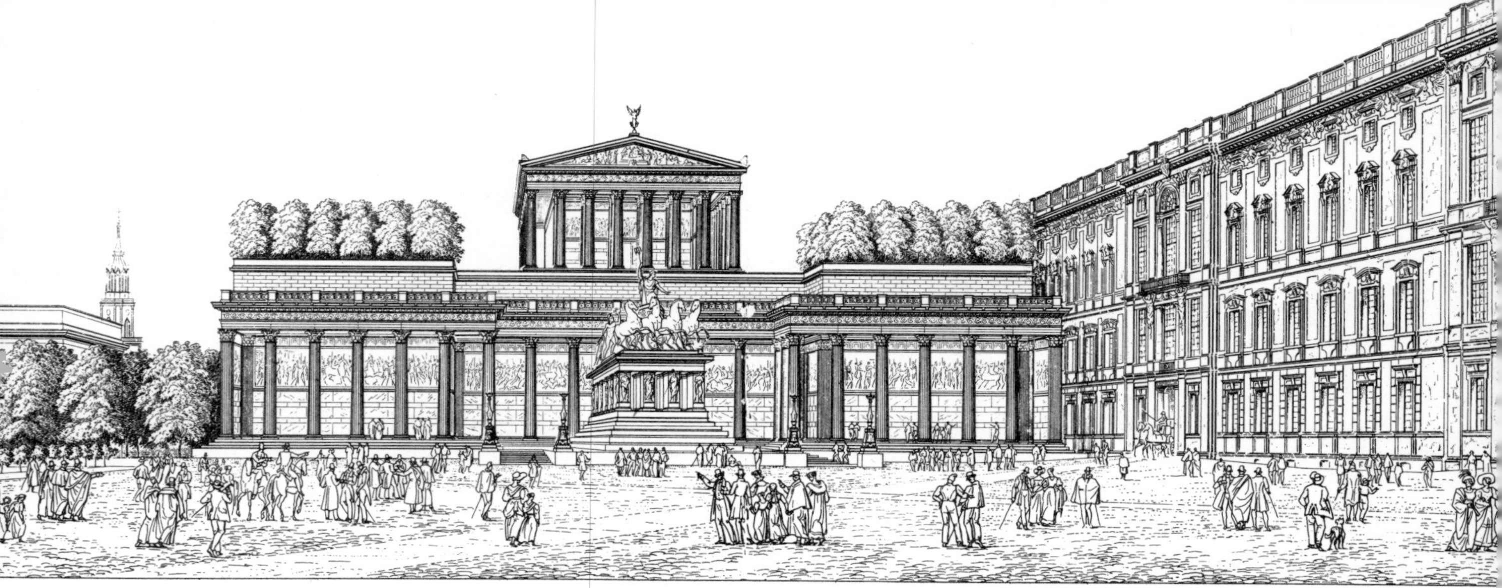

Entwurf eines Denkmals für Friedrich den Großen auf dem Platz der alten Hofapotheke (aus: Architektonische Entwürfe)

Turms von sehr starken Mauern, in denen die Konstruktion der Basaltlager, wie sie in den Stadtmauern von Köln vorkommen, mit weit größerer Regelmäßigkeit und Akkuratesse angewendet ist . . .“ Schinkel setzt sich sogleich für die Erhaltung des steinernen Ungetüms ein – es steht noch heute unverändert da.

Durch sein persönliches Eingreifen rettete er auch den Alten Turm in Mettlach (Rhld.), als er ihn zusammen mit seinem Freund Beuth im April 1826 besichtigte. Trier, das er im Sommer 1816 zum erstenmal sah, bezeichnete er als „das deutsche Italien, die römischen Werke sind mit den schönsten in Italien zu vergleichen.“ (Brief an Rauch, 14. November 1816). Durch Schinkels Initiative wurde die Porta Nigra, die er auf seinem Bühnenbild zu *Hermann und Thusnelda* abbildete, gründlich ausgebessert und „nach Möglichkeit“ in ihrer ursprünglichen Form wiederhergestellt. U. a. verhinderte er den Abbruch des Münster-Kreuzgangs in Bonn; und er wies die Beamten in Wissel (Rhld.) auf die Bedeutung ihrer im 12. Jahrhundert gebauten Pfarrkirche hin.

Allerdings wurden Renovierungs- und Aufbauarbeiten nicht immer sachgemäß durchgeführt. Oft entpuppte sich die Wiederherstellung hinterher als ein eigenmächtiger Umbau eines Architekten, der seinen Gestaltungsdrang nicht zügeln konnte. Selbst Schinkel, der Purist, war nicht frei von solchen Schwächen: Die Kirche von Stralau wollte er mit einem aufwendigem Turm in klassizistischer Manier verschönern. Daraufhin wurde der Architekt Langerhans um einen schlichten Entwurf gebeten, der sich dann auch harmonisch in das Dorfbild einfügte.

Schinkel verlangte, daß die Architekten bei Wiederherstellungsarbeiten sich „immer der Hilfe und der Leitung eines ordentlichen Baumeisters zu bedienen“ hätten. Dabei ist er selber nicht immer rein „historisch“ vorgegangen. Er folgte seiner Intuition und seinem Stilgefühl.

Die Marienkirche in Frankfurt-Oder hat er nach dem Einsturz des Turms innen völlig umgestaltet (1828–1830). Die Bündelpfeiler mit den korinthisierenden Kapitellen sind Schinkels Erfindung!

Ein verändertes Gesicht erhielt auch der Brandenburger Dom bei den Erneuerungsarbeiten. Dem Turm wurde eine neue Spitze aufgesetzt, die Westfassade „modernisiert“. Auch beim Wiederaufbau der zerstörten Kirche in Zittau (Kgr. Sachsen) hielt Schinkel sich nicht konsequent an den ursprünglichen Bau.

Gelegentlich drängte der Architekt Schinkel den Denkmalpfleger Schinkel unsanft beiseite. Der Baumeister erwog allen Ernstes den Abriß des Apothekenflügels mit den schönen Renaissancegiebeln am Berliner Stadtschloß. Er brauchte Platz für ein pompöses Denkmal Friedrichs des Großen, mit Portikus und Tempelanlage, das auf dem Lustgarten errichtet werden sollte. In den Erläuterungen zu

Entwurf zu einem Palais für Prinz Wilhelm von Preußen am Opernplatz (aus: Architektonische Entwürfe)

seinen *architektonischen Entwürfen* nennt er die Apotheke ein „unansehnliches Gebäude", vermeidet jedoch das Wort „Abriß". Doch auf der Lageskizze ist zu lesen: „Entwurf eines Denkmals für Friedrich den Großen auf dem Platze der alten Hofapotheke zu Berlin."

Wenig Skrupel plagten ihn auch beim Versuch, ein nagelneue Kaufhaus mit starkem Publikumsverkehr an Berlins Flanierstraße Unter den Linden zu errichten. Dafür hätte er das alte Akademiegebäude der Spitzhacke geopfert.

Seiner weitschweifenden Phantasie stand auch der barocke Bibliotheksbau, die „Kommode" (nach Plänen Fischers von Erlach) neben der Oper, im Wege. Er schlug vor, „das alte Bibliothek-Gebäude ganz fort zu schaffen, und eine zweckmäßigere Einrichtung für die Königl. Bibliothek in einem neuen Gebäude zu gewinnen". Pläne dazu lagen bereits in Schinkels Schubladen.

In Wirklichkeit dachte er für den Platz an etwas anderes: Ihm ging es darum, „diesen beschränkten Raum zu erweitern und sein beengtes trübes Ansehen für eine Palast-Anlage heiterer zu machen."

Schinkel dachte an einen Prunkbau für Prinz Wilhelm (den späteren ersten deutschen Kaiser). Auf den Dächern sollten Bäume wachsen; blumenbepflanzte Terrassen erinnerten an die berühmten hängenden Gärten der babylonischen Königin Semiramis. Der Palast und einige andere Projekte wurden nicht gebaut. Der bescheidene, soldatisch erzogene Prinz Wilhelm lehnte solchen Aufwand ab, weil er ihn „ruinieren" würde.

Dieser Fehlgriff Schinkels, den er anderswo als „Barbarei" verdammt hätte, läßt sich nur aus seiner Geringschätzung barocker Baukunst erklären. Er schrieb in Schlesien in seinem Reisebericht: „Es ist der barocke Stil der Kirche ein Zeichen des tiefsten Verfalls, welchen der Baugeschmack jemals in Europa erlitten hat, und es wäre Sünde, im 19. Jahrhundert denselben fortführen zu wollen . . ."

Die Ablehnung saß tief – genauso so tiefverwurzelt war sein oft ins Schwärmerische hinüberspielendes Verhältnis zur Gotik.

Während seines Aufenthalts in Heidelberg 1816 hatte er sich die ersten Kupferstiche vom Kölner Dom zeigen lassen, die Boisserée zu einem Werk über den Dom zusammenstellte. Sulpiz hatte schon 1806 – angeregt durch Friedrich Schlegels Gedanken über die gotische Baukunst – mit der Ausmessung der Domruine begonnen, um in Bauzeichnungen wissenschaftlich exakt zu rekonstruieren, „was das Mißgeschick der Zeiten in der Wirklichkeit nicht hatte zu Stande kommen lassen . . . War doch das Gebäude in allen seinen wesentlichen Theilen nach einem und demselben Plan angelegt, und besaß man noch eine Abbildung des ersten Entwurfs der Hauptthürme . . ." (Boisserée: *Domwerk,* 2. Aufl.)

Schinkel war also über den Zustand des Doms, an dem seit rund 300 Jahren nicht mehr gebaut wurde, gut unterrichtet, als er in Köln für ein paar Wochen Station machte, um im Auftrag des Legationsrats Eichhorn, den baulichen Zustand des Turmstumpfes, des Chors und des notdürftig abgedeckten Langschiffs zu untersuchen.

Obwohl der Domtorso einen jämmerlichen Anblick bot, zeigte sich Schinkel von dem Bauwerk stark beeindruckt: „Der Dom in Köln übertrifft doch alle Vorstellung", schreibt er am 24. August 1816 an Schwager Wilhelm Berger. „Obgleich ich ihn genau genug gekannt habe und bei weitem nicht soviel davon fertig gefunden, als ich geglaubt, macht er eine Wirkung von Vollendung, Pracht und dennoch großer Einfachheit, sowohl von außen als innen, wie ich mir wohl nie habe denken können" ...

In Wirklichkeit aber hat der fortdauernde Verfall Schinkel erschreckt. Deshalb schickte er an Boisserée, der seit Jahren um Gelder für die Erhaltung der Domruine kämpfte, einen Bericht, wie der Bau gerettet und gleichzeitig fortgebaut werden könnte:

(3. September, 1816) „Aus dem Datum meines Briefes werden Sie sehen, daß wir uns weit länger aufgehalten, als wir anfänglich wollten, überall fand ich mehr zu thun, als ich voraus sehen konnte, aber ich habe dabei zugleich die Freude gehabt zu bemerken, daß bei unsern Behörden ein recht guter Wille und Sinn entstanden ist, für die Erhaltung ... der Alterthümer thätig zu seyn ... Hier in Köln fand sich viel Arbeit. Für den Dom vor allem andern trug ich Sorge und es werden die Anstalten auf's schleunigste gemachte, wobei ich die Thätigkeit des Grafen Solms nicht genug rühmen kann. Die Zerstörungen an diesem herrlichen Denkmal haben mich erschreckt und es ist an allen Orten die schleunigste Hülfe nothwendig; ich habe mein möglichstes gethan, hier alles dafür zu interessiren und werde es in Berlin ebenfalls thun. Da ich besonders auch deducirt habe, daß eine ganz gründliche Herstellung ohne einen Fortbau, sey er auch noch so langsam, gar nicht möglich wäre, so wird man sehr bald für Ihr gütiges Mitwirken in diesem wichtigen Gegenstande Bitten ergehen lassen, indem niemand anders so in das Innerste dieses Kunstwerkes eingedrungen ist. Die nächsten Arbeiten sind die Herstellung des ganz verdorbenen Daches und die gänzliche Aenderung der Entwässerung des Gebäudes ..."

Am selben Tag verfaßte Schinkel auch den von Eichhorn verlangten *Bericht über den Zustand des Domes zu Köln.* Auch in diesem Gutachten wies er darauf hin, daß die Sicherung der Gebäudeteile unbedingt mit dem Fortbau der Ruine gekoppelt werden müßte, weil das komplizierte Stütz- und Strebesystem „auf das Gegeneinander der Gewölbe berechnet ist", die meisten Teile sich also nach einem dem Bau innewohnenden Gesetz gegenseitig abstützen. Erst der Schlußstein gibt dem Gewölbe Festigkeit.

Eichhorns Auftrag hat eine Vorgeschichte. Nach Beendigung der Freiheitskriege von 1813/15 war der Dom in das Blickfeld gerückt. Staatskanzler Fürst Hardenberg, Goethe und der Freiheitsdichter Ernst Moritz Arndt, der Publizist Görres, die Könige von Bayern und Württemberg und viele deutsche Patrioten sprachen sich für den Wiederaufbau als Nationaldenkmal aus. Görres meinte 1814, daß die Nation sich selber erhebe, wenn sie den Dom aus seiner Versunkenheit erwecke; diese Tat werde „ein Symbol des neuen Reiches, das wir bauen wollen". Und Wilhelm von Humboldt schrieb an seine Frau: „Es wäre das schönste Monument, das die preußische Herrschaft über den Rhein sich selber setzen könnte ... Ich habe dem Staatskanzler weitläufig darüber geschrieben." (An Caroline, 17. Dezember 1815)

Doch der entschiedenste und wohl auch einflußreichste Befürworter des Ausbaus war der damals 18jährige Kronprinz Friedrich Wilhelm, der spätere „Romantiker auf dem Königsthron". Als er bei der Heimkehr vom französischen Feldzug den Dom besichtigte, geriet er in helle Begeisterung. Sulpiz Boisserée war dabei, als der Kronprinz, dessen Erzieher Ancillon, und General Knesebeck am 17. Juli 1814 den Domtorso bestiegen und unter Lebensgefahr auf den verwitterten Mauern herumkletterten.

Der Kronprinz „war gestern hier, und ich begleitete ihn in und auf dem Dom, und durch die ganze Stadt. Du kannst Dir nicht denken, welche Freude er hatte, und wie vernünftig und gründlich Ancillon und Knesebeck das Nächste und Nöthigste auffaßten, was für unsere Alterthümer zu thun sey. Der Kronprinz wollte nun eben gleich den Dom ausbauen; ... und die übrigen Herren mußten in aller Ruhe gestehen, daß nach so vielen großen Werken, die sie nun in Frankreich, in den Niederlanden und in England gesehen, dieses den Triumph davontrage ...

Das Frühstück war kaum geendigt, als der Kronprinz sich wegen dem Ausbleiben von Knesebeck vor Ungeduld kaum mehr halten konnte; wir gingen endlich hinten am Garten heraus, und als er die erste Ecke des Thurmes über den Häusern hervorragen sah, schrie er laut auf: Herr Jesus, da ist der Dom schon! Nun wanderten wir zu der Drachenpforte; hier kehrte sich der Kronprinz gleich zu den andern Herren, und sagte: Sehen Sie, daß das viel herrlicher ist, als Alles, was wir gesehen! Man überließ sich der Betrachtung dieses riesenhaften Torso der altdeutschen Baukunst (wie ihn Ancillon richtig auffaßte); und während ich die Schlüssel holte, machte man die Runde um das ganze Gebäude bis zum Haupteingang. Von hier aus gings zu den Glasgemälden im Schiff, dann ins Chor, von da zum Bild, zum Sarge der drei Könige, und endlich hinauf auf den Gang oben ums Chor, bis auf das Dach. Die dicken Herren: Ancillon, Knesebeck und Sedlinsky keuchten und schwitzten, klagten aber kaum, denn das Gebäude hatte seine Zauberkraft über sie ausgeübt; ihr guter, gesunder Sinn hatte nicht widerstehen können, alle früheren Vergleichungen verloren sich in reine Bewunderung, und der Kronprinz konnte sich die Genugthuung nicht versagen, Knesebeck an diese seine vollkommene Besiegung zu mahnen."

Mit dem Kronprinzen hatten die Befürworter des Domausbaus einen einflußreichen Verbündeten gewonnen. Sulpiz registrierte dankbar, daß endlich Hoffnung auf den Ausbau bestand: „Von Schinkel habe ich Briefe aus Köln, die zu bedeutenden Maßregeln für die Erhaltung des Doms Hoffnung geben, vorläufig ist schon das Dringendste ins Werk gestellt worden." (An Goethe, 21. September 1816)

Es sollten noch Jahre vergehen, bis wirksame Maßnahmen zur Erhaltung des Domgebäudes getroffen wurden. Es fehlte vor allem Geld. Zwar bewilligte der König im Mai 1817 einen Vorschuß von 11 489 Talern, doch erst 1820 konnten die ersten 6000 Taler auf die genehmigte Summe angewiesen werden.

Endlich wurde 1823 von der Stadt Köln der Baumeister Ahlert als Dombaumeister eingestellt. 1824 kam Schinkel aus Berlin, um den Dom zu besichtigen und um die Arbeit voranzutreiben: „Die Domarbeiten sind das Gefährlichste, was es giebt", schrieb er am 12. Juli 1824 aus Köln an Susanne, „ich selbst glaubte überall in Lebensgefahr zu sein, weil die Verwitterung so zugenommen hat, daß täglich Stücke der vielen freistehenden Theile herabstürzen".

Dem Ausbau des Kölner Domes widmete Schinkel als verantwortlicher Beamter für das „ästhetische Fach" in der Oberbaudeputation die meiste Kraft seiner denkmalspflegerischen Arbeit. Mehr als zwanzig Jahre beschäftigte er sich mit den Wiederherstellungsarbeiten, schrieb Gutachten und entwarf Baupläne. Seine Domarbeit begann mit seinem Entwurf, der an seine Domgemälde erinnert:

Schinkel wollte die alten Häuser rings um den Dom abreißen und einen Kranz von Grünanlagen mit Terrassen bis hinunter zum Rheinufer schaffen. Schinkel: „. . .durch den steigenden Boden sind Veranlassungen zu schönen breiten Stufenanlagen, besonders an der Chorseite, wo in dessen ganzer Breite die Stufen nach dem Rhein hinunter führen . . . Überdies werden die Terrassen schöne Wirkung machen."

Diese Vision, daß alle Gläubigen über breite Terrassen zum Dom emporsteigen, den mächtigen Strom als Sinnbild des Lebens hinter sich – so wie Schinkel sie auf seinen Gemälden darstellte – ist wegen Geldmangels nicht Wirklichkeit geworden.

Schinkel hatte sich mehrfach für die Vollendung des Dombaus eingesetzt und auch die Vorlagen für zwölf musizierende Engelsfiguren gezeichnet, die später ausgeführt wurden. Seinen letzten großen Inspektionsbericht über die Wiederherstellungsarbeiten schrieb er im Herbst 1838. Einen Monat nach seinem Tod (9.10.1841) wurde der Dombauverein gegründet. Nun stellte sich ganz Deutschland hinter das Werk. Am 12. Januar 1842 bestimmte Friedrich Wilhelm IV. die Vollendung nach Schinkels Plänen. Die feierliche Schlußsteinlegung erfolgte 1880, zehn Jahre nach der Einigung des deutschen Reiches, in Anwesenheit des Kaisers Wilhelm I.

# *Der Baumeister*

Schinkels erster repräsentativer Bau, die Neue Wache in Berlin, ist sein populärster geworden. Daß 1816 kein anderer als Schinkel, der schon mehrfach mit ehrgeizigen, aber immer wieder abgelehnten Entwürfen hervorgetreten war, vom König den Bauauftrag erhielt, darin sahen seine Freunde eine Art Wiedergutmachung nach all den Enttäuschungen. So hatte Peter Beuth noch am Weihnachtsfest 1816 bedauert: „Schinkel macht Zeichnungen zu Monumenten, welche das Ministerium hernach in den Winkeln herumwirft, – ich bewundere sein Leben und seine Unverdrossenheit."

Diesmal aber kam die Planung rasch voran. Wie Rauch seinem Schüler Tieck in Carrara mitteilt, „ist Schinkels Plan schon genehmigt, daß zwischen das Zeughaus und die Universität, auf dem Graben ungefähr 30 Fuß hinter die Frontlinie beider Gebäude zurückgerückt, kommt die neue Wache. Auch das Universitäts-Gebäude verliert das Stück Gitter durch die ganze Tiefe des Gartens, alles wird zu einem Hain umgestaltet, s[o] auch gegenüber neben dem Opernhaus. Denn zwischen dem Zeughause und der neu zu erbauenden Wache, auf eine gemauerte Erhöhung kommen die vorzüglich großen von Frankreich eroberten Geschütze ganz im Freyen aufgestellt, weil sie bronzene Lafetten haben." (17. Februar 1816).

Absicht des Königs war es – abgesehen von militärischen Überlegungen – die Umgebung des von ihm bewohnten Kronprinzen-Palais zu verbessern, denn die gegenüberliegende alte Kanonierwache mit den Verkaufsbuden am Kastanienwäldchen sowie der morastige Rest des alten Festungs-Graben störten seinen Schönheitssinn. Da die Königswache in dem kleinen Palais nicht untergebracht werden konnte, lag der Gedanke an ein neues Wachgebäude nahe.

Schinkel löste die ihm vom König übertragene Aufgabe, indem er der Wache die Gestalt eines wuchtigen festungsartigen Gebäudes mit vier Ecktürmen gab. Dadurch konnte sich der schlichte Bau gegen die benachbarten Prachtbauten (Universität und Zeughaus) behaupten. Vor die Vorderfront setzte er einen Portikus mit sechs dorischen Säulen, der mit dem Brandenburger Tor korrespondierte und der Straße eine würdevolle Schauseite bot.

Dennoch entstand Schinkels Meisterwerk nicht aus einem Guß. Vorausgegangen waren Entwürfe zu Säulenhallen, ferner ein Pfeilerbau mit antikisierenden Siegestrophäen sowie eine Rundbogenhalle mit einem Gemisch von antiken, mittelalterlichen und ägyptischen Stilelementen. Dem König gefielen sie allesamt nicht – so entstand schließlich der Entwurf mit den kräftigen dorischen Säulen, mit dem sich Schinkel klar für den Klassizismus entschied.

Im Juni 1817 wurde das Sockelgeschoß gemauert, im Juli die Mauern hochgeführt und der sächsische Sandstein für die Säulen herangefahren. Im Mai 1818 war der Giebel über der Säulenhalle vollendet, im Juni wurden die Innenwände verputzt. Die alte Kanonierwache wurde abgerissen, und Anfang September des Jahres sollte der 17jährige Prinz Karl, der am 2. März 1818 zum Hauptmann im 1. Garde-Regiment zu Fuß befördert worden war, mit dem ersten Kommando die Wache beziehen.

Der Giebel über dem Portikus trug damals keinen Innenschmuck. Der König ließ das ursprünglich von ihm genehmigte Relief mit Kriegern und Siegesgöttin nicht anbringen, weil der mit der Gestaltung beauftragte Medailleur Brandt – übrigens ein Freund Schinkels – der Aufgabe nicht gewachsen war. Rauchs Urteil war vernichtend: „Brandt, aus Mangel an Bildhauern, macht das Hautrelief des Frontons, grausame Skulptur . . ." (4. August 1818)

Gottfried Schadow gab allerdings eine andere Darstellung. In einem Briefentwurf, in dem sich der

56jährige Akademiedirektor über seine Zurücksetzung als Bildhauer beklagte, denn man habe die Kupferarbeiten „nicht an Männer des Fachs übertragen", gab er Schinkel die Schuld an dem Desaster: „Als ich die Modelle von den Victorien am Wachtgebäude machte, gab ich dem Geh. Rath Schinkel zu bedenken, dass seine angenommenen Dimensionen schwerlich von Wirkung sein könnten. Er war zu verliebt in seine Zeichnung um hierauf zu reflectieren; und um nicht fernere Gegenreden zu hören, übertrug er dem Medailleur Brand das Modell zum Frontispiz, mit noch kleineren Figuren. Ich hätte freilich statt der 30 Figuren ein Wappen oder Adler mit zwei Figuren angenommen und damit das Frontispiz hinreichend gefüllt." (28. Dezember 1820)

Die Viktorien unter dem Giebel durfte Schadow jedoch anfertigen. „Diese modellirte ich und folgte dabei mit Sorgfalt seinen Entwürfen, welche mir gar wohl gefielen. Dieses waren mit die ersten Arbeiten, welche in Zinkguß gefertigt worden, wobei das Verfahren wenig Schwierigkeiten darbietet, indem der Gips das leicht fließende Metall gerne annimmt."

Schinkels Viktorien forderten sogleich den Witz der Berliner heraus. „Die Leute nennen sie Fledermäuse, sehen aber auch aus wie aufgehangene Kleider . . .", meinte Rauch in einem Brief an Tieck (4. August 1818). Auch Bettine von Arnim mißfielen die Siegesgöttinnen: „Schinkel hat die großen schwarzen Schmeißfliegen an der Wache nun in der Farbe des Steins anstreichen lassen, und dadurch hat sie so ungemein gewonnen, daß ihrer Schönheit nicht mehr zu widersprechen ist; der König ist auch sehr damit zufrieden und damit ist Schinkel zufrieden." (An Arnim, 5. August 1818). Arnims Antwort aus Bärwalde: „Noch fällt mir ein, daß die Änderung an der Wache mit der Farbe ihm [Schinkel] von mir geraten ist, als ich das letzte Mal in Berlin war, aber davon schweige, er hat nie gern das Ansehen, als ob er auf fremden Rat hört." (17. August 1818).

Doch Friedrich Wilhelm war mit dem ersten, unter seiner Regierung entstandenen soldatischen Bau zufrieden. Deshalb bestimmte er, das Kastanienwäldchen an der neuen Wache „unabänderlich zu einer öffentlichen Promenade im Zusammenhang mit allen neuen Anlagen in dortiger Gegend". Hier erfolgte auch die Ausgabe der täglichen Parole.

Während des Baus an der Neuen Wache brannte das von Langhans errichtete Schauspielhaus, das Nationaltheater, mit dem klobigen, runden Bohlendach – genannt „der Koffer" – am 29. Juli 1817 in wenigen Stunden ab. „Bloß die Mauern stehen noch", schrieb Wilhelm von Humboldt an seine Frau Caroline, bevor er als preußischer Gesandter nach London abreiste. „Es wird den König sehr verdrießen, doch ist es so übel nicht, und er selbst wird sich nachher darüber freuen. Denn es war ein schlechtes Kunstwerk, und wenn man Schinkel machen läßt, wird es jetzt schön werden." (Brief vom 3. August 1817)

Diese Ansicht teilte auch Bettine, aber sie sah die kommenden Schwierigkeiten: „Schinkel ist sehr begierig zu wissen was der König dazu gesagt hat, ob er Lust hat ein ganz neues oder eins auf die Fundamente des alten gegründetes zu bauen, was ihm nicht behagen würde; ich glaube nicht, daß er den Bau ganz allein übernehmen dürfte, denn schon jetzt spricht man davon, daß alles, was er je erfunden habe, viel zu phantastisch sei, und daß er keinen Kuhstall bauen könne, wo er seine Ideale nicht anbringen könne". (An Arnim, 8. August 1817) – Bettine behielt in allen Punkten recht!

Inzwischen hatte der ehrgeizige Intendant Graf Brühl, der die Leitung des neuen Theaterbaus in die Hände nehmen wollte, gehandelt. Die Trümmer auf der Brandstätte rauchten noch, als er den König um die Genehmigung bat, „Pläne und Anschläge zu einem neuen Gebäude von mehreren bedeutenden vielleicht auch auswärtigen Künstlern, besonders aber auch dem Geheimen Oberbaurat Schinkel einfordern zu dürfen" (1. August 1817). Brühl war überzeugt davon, daß nur er als Intendant die Bedürfnisse des Theaters beurteilen könne, aber kein Baumeister – und „sei er noch so geschickt".

Kurz darauf folgte Brühls nächster Schachzug. Er schrieb dem in Paris weilenden König, er befürworte den Aufbau am gleichen Platz; so könnten 100 000 Taler eingespart werden. Dieses Argument überzeugte. Am 19. November erging an Brühl der Auftrag des Königs: „Ich habe beschlossen, das abgebrannte Schauspielhaus in Berlin auf derselben Stelle mit Benutzung der vorhandenen Umfassungsmauern wieder erbauen zu lassen". Da er an anderer Stelle noch ein drittes Schauspielhaus für kleinere Stücke plane, würde es wenig sinnvoll sein, es „in seiner inneren Größe dem vorigen gleich wieder herstellen zu lassen . . ." Das neue Schauspielhaus sollte aber außer dem Theater einen Konzertsaal sowie ein Festlokal nebst dazugehörigen Räumen unter seinem Dach beherbergen. „Ich beauftrage Sie daher, nach diesen Bestimmungen über die Dispositionen des inneren Raums des Schauspielhauses mit dem Geheimen Oberbaurat Schinkel und anderen Sachverständigen zu Rat zu gehen und davon eine Zeichnung zu meiner Genehmigung einzureichen".

Brühl setzte sich trotz der bisher guten Zusammenarbeit mit Schinkel (als Bühnenbildner) erst einmal mit anderen Architekten in Verbindung und verlor dadurch kostbare Zeit. Erst am 13. Januar schrieb er dringend an Schinkel, der Brühl nun seinerseits vor „zu großer Eile" warnte und seine Position unmißverständlich festlegte: „Der Plan daher muß schon ein regelmäßiges ästhetisch geordnetes Ganze sein . . . [verlangt] die obere Leitung der Ausführung des Baus in Hinsicht auf die strengste Beobachtung aller Formen des von mir entworfenen Plans". Das war am 15. Januar 1818. Drei Tage danach ging im Opernhaus Schillers *Jungfrau von Orleans* in der Ausstattung von Schinkel und Brühl in aller Pracht über die Bühne.

Schinkel war um keinen Preis zu Zugeständnissen bereit. Eine erneute Anfrage des Intendanten beantwortete er am 14. Februar mit ironischem Unterton: „Ich meinem Kopfe bin ich zwar fleißig genug gewesen . . . aber wer will in einer so wichtigen Sache Richter sein . . . Das heißt, man muß sich einmal darüber rein aussprechen, ob man Zutraun zu einem Künstler habe, für den Gegenstand, oder nicht . . . nur in einem Kopfe kann solcher Gegenstand in seiner Idee vollendet und gerundet werden." Schließlich verlangte er im März 1818 von Brühl, er möge eine Kabinettsorder des Königs bewirken, „worin mir der Auftrag vollständig erteilt wird".

Nun aber schaltete sich der König ein, nicht ahnend, welches Spiel hinter den Kulissen getrieben wurde. Er rügte Brühl wegen der Verzögerung, der seinerseits die Bausachverständigen und die Behörden beschuldigte – doch noch am selben Tag erhielt Schinkel die heißersehnte königliche Vollmacht: „Ich beauftrage Sie daher, nach diesen Bestimmungen über das Innere des zu erbauenden Hauses eine vorerst nur hingeworfene Zeichnung zu entwerfen und selbige einzureichen, damit Ich beurteilen kann, ob selbige Meiner Idee und Anordnung, von welcher Ich auf keine Weise abgehe, entspricht. Der Bau sollte jetzt schon seinen Anfang haben, und Ich erwarte deshalb diesen Plan sobald als solches möglich ist". (2. April 1818)

Schinkel legte den schwierigen Entwurf, den ihm Brühl mit seinem Einsparungsvorschlag eingebrockt hatte, nach dreieinhalb Wochen vor. Die Pläne wurden vom König überraschend schnell am 30. April genehmigt. Einziger Einwand: Der Gehsteig neben der Wageneinfahrt unter der steinernen Freitreppe zum Theatereingang sollte verbreitert werden, für die Lakaien, „welche die Wagen ihrer Herrschaften vorrufen sollen ".

Die bald darauf am 14. Mai 1818 gegründete „Theater-Bau-Kommission", bestehend aus Graf Brühl, Schinkel und dem Baurat Triest, bestätigte Schinkels Befugnisse: „Nur diejenigen Anordnungen, die sich auf die Architektur des Baues, namentlich auf die inneren und äußeren Verzierungen des Gebäudes beziehen, bleiben ausschließlich dem p. Schinkel überlassen, der den Plan entworfen hat".

Schinkel sah das Prinzip in der Architektur in der höchsten Einsparung des Raumes, in der höchsten Ordnung der Verteilung und in der höchsten Bequemlichkeit im Raume. Dieser Gedanke ließ sich beim Bau des Schauspielhauses nur durch eine komplizierte und sinnvolle Gliederung erfüllen, da die Forderungen des Königs kaum Spielraum ließen. In die Mitte des neuen Hauses setzte Schinkel das eigentliche Theater, links davon, also links von der Freitreppe, den Konzertsaal mit dem dazugehörigen Festlokal und auf die rechte Seite die Garderobe, Schauspielerzimmer,

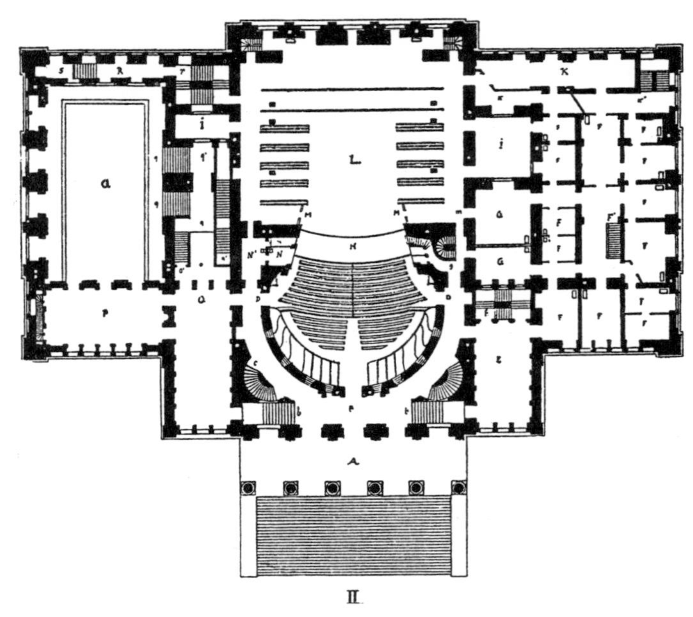

II

Grundriß des Schauspielhauses am Gendarmenmarkt

Direktionszimmer und die Säle für die Proben. Die Sichtverhältnisse – die in den damaligen Theatern meist zu wünschen übrig ließen – löste Schinkel zufriedenstellend: „Der Saal für die Zuschauer ist so angelegt, daß die Logen größtenteils das Theater fast grade vor sich haben und der schlechteste Platz den vorderen Teil des Theaters ganz und in den letzten Hintergrund mehr als zur Hälfte übersehen kann".

Schinkel: „Der Konzertsaal ist mit einer Gallerie und einer Tribüne versehn . . . Ein Malsaal für Dekorationen ist oben angelegt". Die Magazine für Dekorationen verbannte er in den Unterbau . . . Er „trägt zugleich vorzüglich viel zum schönen Ansehn bei, indem die Architektur über die gewöhnlichen Stadtgebäude dadurch hinausgehoben wird. Die sechs noch brauchbaren Säulen des alten Gebäudes, die beim Neubau wieder angewendet werden, sind würdiger, auf diesen Unterbau mit einer schönen Treppe zu stellen und werden so eine größere dem öffentlichen Gebäude entsprechendere Wirkung machen. Zugleich wird die Unterfahrt dadurch erreicht, die so viel Bequemes hat . . .

Die Architektur der künftigen Fassade ist möglichst streng nach griechischer Art durchgeführt, um mit dem Portikus, der schon gegeben, in Übereinstimmung zu kommen". Deshalb vermied Schinkel konsequent halbrunde, breite oder gar runde Fenster.

Ein äußerst wichtiger Punkt war die Feuersicherheit. Das Schauspielhaus stand nicht, wie damals üblich, in der Nähe eines Wassergrabens oder eines kleinen Sees, war also bei einem Brand besonders gefährdet. Deshalb trennte Schinkel das Theater durch starke Brandmauern von den Seitenflügeln, und setzte auf das Gebäude Flachdächer, die keine hohen Flammen zulassen. „Auf gleiche Weise trägt die Anbringung der Dekorationsmagazine im Unterbau . . . in gewölbten Räumen viel zur Feuersicherheit bei. Dieser Umstand war Hauptgrund, daß bei dem Brande des alten Hauses die Glut im Dache so außerordentlich stieg, weil eine entsetzliche Anhäufung von Dekorationen unter dem Dach statt hatte, die auch durch ihre Last für die Zuschauer jeden Tag drohend war". (Bauplan für Friedrich Wilhelm III., April 1818)

Die Grundsteinlegung erfolgte ohne Anwesenheit des Monarchen. Denn als sich am 4. Juli 1818, einem Samstagvormittag, die Berliner Prominenz am Gendarmenmarkt versammelte und sich auch „auf Einlaßkarten, eine bedeutende Anzahl von Zuschauern am Orte der Handlung" einfand, weilte der König mit dem Kronprinzen in Moskau.

„An drei Seiten um den aufgeworfenen Grund her standen die verschiedenen Handwerksgesellen, nemlich Steinmetzer, Zimmerleute, Maurer nebst sämmtlichen Handlangern (gegen fünfhundert Köpfe betragend) in gehöriger Ordnung aufgestellt. Die vierte Seite des großen Vierecks schloß das anwesende Theater-Personale nebst dem Theater-Chor". (Berlinische Nachrichten, 7. Juli 1818)

Intendant Graf Brühl bestieg die mit Rasen und Blumen verzierte Treppe und hielt eine kurze Eröffnungsrede. Nach der Grundsteinlegung tat Prinz Wilhelm die üblichen drei Maurerhammerschläge, nach ihm Prinz August, sowie „die sämmtlichen, um den Stein herumstehenden oberen Staats-Beamten". Dann tat Brühl selbst drei Schläge und nach ihm Schinkel, Baurat Triest, Conducteurs sowie die Handwerksmeister und Poliere.

Noch Ende 1818 kam das Haus unter Dach. Und am 7. Januar 1819 konnte Rauch seinem Mitarbeiter Tieck in Carrara berichten: „Schinkel schreibt, wie er höre, sei der Anschlag für innere und äußere Verzierungen und Skulpturen durchgegangen und angenommen, wozu dann auch die Quadriga mit dem Apollo auf dem Giebel gehört . . . Nach seinem Plan, soll ich Ihnen sagen, wünscht er die Quadriga noch im Oktober aufgestellt, so auch den neun Fuß hohen schreitenden Greifen . . ."

Schinkel hat sich nicht bildnerisch versucht. Er lieferte nur die Umrißzeichnungen, die sich jedoch nicht immer komplikationslos von den Bildhauern in plastische Figuren umsetzen ließen.

Bei der Apollo-Gruppe, die Gottfried Schadow später kritisierte, hatte Rauch von vornherein Bedenken: „Den Apollo Mus[agetes] kann man schwerlich mit 4 Pferden fahren lassen, (als Helios wohl) ich würde Ersteren mit zwei Greifen im hoch anspringendem Sprunge vor dem Wagen ziehen lassen, denn so ist sein eigentl. Gespann in alten Werken, freilich paßt dann aber der einzelne Greif schlecht auf die Façade gegen die Ch[arlotten]straße." (30. Januar 1819)

Schinkel ließ sich überzeugen. Rauch berichtete Tieck über die Änderung des Giebelschmuckes. „Der Wagen des Apoll wird mit 2 Greifen bespannt, auf dem Charl[otten]straßen-Fronton kömt dann ein Pegasus. Schinkel wünscht, daß Sie sich etwas dabei verdienen sollen. Kommen sie nur bald." Schinkel wartete voller Ungeduld auf Tieck, der bildnerische Arbeiten am Schauspielhaus übernehmen sollte.

Am 29. April 1819 traf Tieck in der Hauptstadt ein. Er modellierte das Flügelroß Pegasus und das Greifenpaar vor Apollos Wagen und für das Relief über der Säulenhalle die „Geschichte der Niobe, größtenteils nach den antiken Motiven".

E.T.A. Hoffmann, der direkt hinter dem Neubau an der Charlotten- Ecke Taubenstraße wohnte, beobachtete mit größtem Interesse die Fortschritte bei der Innenausstattung des Theaters: „Man kann z. B. jetzt einen ganzen halben Tag und länger schwelgen, wenn man blos in den neuen Theaterbau hineingeht, und dann blos das Atelier der Bildhauer Tieck, Rauch und Consorten im Lagerhause besucht. Am Theater arbeiten die ersten Künstler, und man kann ohne Uebertreibung sagen, daß die kleinste Verzierung ein wahrhaftes Kunstprodukt ist. Vorzüglich imposant ist die schon fertige Statue Apollo's (20 Fuß hoch), der auf einen mit Hippogryphen bespannten Wagen daher fährt, aus geschlagenem Kupferblech, wie die Viktoria auf dem Brandenburger Thor. Sie kommt auf dem hohen Fronton zu stehen, in dessen Tympan Amor und Psyche en haut relief in Stuck gearbeitet werden. In dem Tympan des Frontons der Attika wird die Geschichte der Niobe en haut relief in Pirnaer Sandstein gearbeitet zu stehen kommen. Die Figuren sind meistens 10–12 Fuß hoch, und ganz meisterhaft nach Tiecks herrlichen Modellen gearbeitet. Den Apollo hat Rauch modellirt". (An seinen Freund Hippel, 24. Juni 1820)

Um den Innenausbau, der gewöhnlich sehr zeitraubend ist, voranzutreiben, erfand Schinkel eine sinnvolle Arbeitsverteilung: Er ließ die Schmuckteile außerhalb des Theaters in den verschiedensten Werkstätten Berlins, in der ganzen Stadt verstreut, anfertigen. So konnte er schon im November 1819 dem Kabinettsrat Albrecht versichern: „Dieser ganze innere Ausbau an Plafond- und Wandmalereien, Stuckaturarbeiten, Vergoldungen, Bildhauerarbeiten, Tischler-, Glaser-, Klempner-, Bronzeur- und anderen Arbeiten ist außerhalb dem Hause in den verschiedenen Werkstätten jetzt schon beinahe ganz vollendet, so daß ich gewiß bin: in dem Augenblick, wo der rohe Bau und die Austrocknung der Wände es erlaubt, mit diesem ganzen inneren Ausbau fertig wie mit Möbeln einziehen zu können" . . . Auch seien „sämtliche Decken derjenigen Räume, wo Sprache und Musik gut gehört werden sollen, wegen der Resonanz mit Holz architektonisch ausgeschalt" worden, „wodurch einzelne Tafeln entstehen, auf denen Malereien und Leisten vorher angebracht werden können. Die Malereien sind in Ölfarben ausgeführt, um haltbarer zu sein und von Zeit zu Zeit gereinigt werden zu können, was in einem solchen Lokal wünschenswert ist, wo viel Licht gebrannt wird, aber bei Leim- und Kalkfarben nicht möglich ist". (1. November 1819)

Als Einweihungstag wurde der 26. Mai 1821 festgelegt. Die Festsäle waren schon am 10. Februar, einem Samstag, „zu Schinkels allgemeinen Beifall" (Rauch-Tagebuch) eröffnet worden, doch im Theater ging alles drunter und drüber. Nicht nur, daß keine Szene vollständig geprobt werden konnte, auch die Stimmung der Arbeiter, Angestellten und Schauspieler war gereizt und hektisch.

„Mir scheint von seiten einiger Personen der Theaterverwaltung ich weiß nicht welch ein feindseliger Sinn gegen den Bau an den Tag zu kommen, den gewiß keiner verdient . . .", beklagt sich Schinkel bei Brühl (24.5.). Sorgen bereiteten kurz vor der Premiere auch die neue, den Arbeitern ungewohnte Maschinerie „weil gar keine Proben gemacht werden können, indem das Theater für die Anfertigung der Kulissen, Soffitten usw. eingenommen wird. Hierzu kommt die Neuheit des Tauwerks, das allerlei Widerspenstigkeit zeigt. Besonders ist das auch beim Vorhang der Fall . . ." (18. Mai 1821)

Doch die festliche Premiere verlief ohne die befürchteten Zwischenfälle. Als Premierenstück hatte Brühl für den klassizistischen Bau Goethes klassische *Iphigenie auf Tauris* ausgewählt und sich die Genehmigung vom Dichter eingeholt. Schlag sechs begann „die Symphonie des Orchesters. Der Vorhang ging auf und wir sahen vor uns, von Gropius treu und trefflich gemalt, das prächtige Haus, worin wir uns eben befanden, und die beiden stattlichen Thürme, in deren Mitte es auf dem großartigen Platz prangt. Wie dieser Anblick die Menge ergriff, wie stolz sie sich eines so imposanten Teils ihres Berlins erfreute, und wie wogenartig der Jubel ausströmte, ist nicht zu beschreiben".

Die Schauspielerin Auguste Stich-Crelinger trat auf als versinnbildlichtes Schauspiel und sprach Goethes eigens für die Feier gedichteten Prolog. Der König und die Prinzen erschienen, das Publikum sang begeistert das Huldigungslied *Heil Dir im Siegerkranz.* Die Ouvertüre aus *Iphigenie in Aulis* von Gluck (einem Lieblingskomponisten Schinkels) ging dem Goetheschen Schauspiel voraus, dem ein mittelmäßiges, vom Herzog Karl von Mecklenburg verfaßtes Ballett *Die Rosenfee* folgte.

„Und als dann der Vorhang fiel, forderte der allgemeine Ruf der ganzen Versammlung den genialen Künstler, der den Bau des neuen herrlichen Tempels gedacht, geleitet und vollendet hat, unseres Schinkel. Das Rufen hielt wohl eine Viertelstunde an, als endlich Herr Stich erschien und meldete, daß Graf Brühl den Gefeierten vergebens im ganzen Haus habe suchen lassen, und daß ihm der einstimmig geäußerte Wunsch, ihm öffentlich Dank zu bezeugen, mitgeteilt werden solle . . . Nach geendetem Schauspiel brachten die Professoren der Akademie und die akademischen Künstler, die mehrenteils alle bei dem Bau und der Ausschmückung des neuen Hauses Gehülfen des Herrn Oberbaurats Schinkel waren, ihm bei Fackelschein eine Nachtmusik. Ein großer Teil des Publikums, das vergebens im Theater nach dem verehrten Baumeister gerufen hatte, schloß sich dem Zug an, und das Lebehoch, das die akademische Jugend ihrem Meister rief, wurde durch tausend Stimmen verstärkt, als Herr Schinkel selbst herunter in den Kreis trat, um zu danken für die unerwartete Feier." (Berlinische Nachrichten 29.5.1821)

Doch in den nächsten Tagen ging ein Witzwort durch die Stadt: Die pfiffigen Berliner hatten schnell eine Erklärung dafür gefunden, warum Schinkel nicht bei der Einweihung war: Er wurde rechtzeitig wieder herausgerufen, weil das Theater zu klein war.

Nachzulesen in den Memoiren der Schauspielerin Caroline Bauer.

Das Theater hat viel Verdruß gebracht. Während der Bauzeit und auch danach. Das Debakel begann schon bei der Festlegung der Kosten. Als Brühl mit dem schinkelschen Bauplan zum alles entscheidenden Vortrag zum König ging, gab ihm Schinkel den diplomatischen Tip mit auf den Weg, er solle „... wenn vom Gelde die Rede sein sollte, (...) bemerken, daß das alte Haus über 400 000 Taler gekostet habe". Die noch erhaltenen Mauern seien höchstens mit 70–80 000 Talern zu berechnen, auch müßten zu dem Feuerkassengelde von 185 000 Taler etwa 250 000 zugeschossen werden. (26. April 1818)

Laut Brief der Oberbaudeputation vom 20. November 1818 brauchte der Bau doppelt soviel Baumaterial wie der abgebrannte. Außerdem hätte „alles was auf Solidität und Verschönerung des Gebäudes Bezug hat, einen dreifachen, oft doppelten Umfang in sich". Das frühere Theater könnte man auf mehr als 400 000 Taler schätzen. Dagegen würde das jetzige „nur" 748 952 Taler kosten.

Die Summe wurde vom König genehmigt. Doch am 20. Januar 1820, mußten Schinkel und Brühl dem Staatskanzler Hardenberg eingestehen, daß sie wegen gestiegener Lohn- und Materialkosten, durch Transportschwierigkeiten wegen des gesunkenen Wasserstands der Spree weitere 54 000 Taler benötigten, wobei sie zugleich versicherten, „wir können jetzt alle Ausgaben vollständig übersehen und glauben mit der veranschlagten Summe von 803 683 Talern auszureichen". Außerdem tüftelte die Theaterbaudirektion – Schinkel, Triest und Brühl – so eine Art Milchmädchenrechnung aus, wonach der alte Bau „bei dem jetzt um die Hälfte gestiegenen Preise 615 357 Taler kosten" würde. „Wenn nun dieses [neue] Gebäude einen um die Hälfte größeren Umfang als das alte Gebäude hat, solches größtenteils innerhalb aus Holzwänden bestand, und alle Treppen von Holz waren, die jetzt von Sandstein werden, ... so wird die von uns veranschlagte Summe, selbst bei einer schnelleren Bauweise, nur immer als mäßig erscheinen." (11. März 1820)

Doch alle diese Argumente verfingen nicht. Im Gegenteil. Der König reagierte unerwartet heftig. Er erklärte sich lediglich bereit, die seinerzeit bei einem Mauereinsturz entstandenen Kosten in Höhe von 26 760 Talern auszugleichen. Ungehalten über die „Kostbarkeit des Theaterbaus" ließ er Schinkel durch den Staatskanzler befehlen, „die Fortsetzung des Baus zur Erleichterung der Staatskasse gemächlicher [zu] betreiben." (14. Juli 1820)

Ein Jahr nach der Eröffnung, am 30. Juli 1822, legte die Theaterbaukommission die Schlußrechnung vor: insgesamt 1598 Rechnungen, die eine Gesamtsumme von 860 641 Talern ergaben. Der Bau wurde also rund 100 000 Taler teurer als geplant.

Schinkel erhielt für seine Verdienste auf Antrag Brühls den Roten Adlerorden III. Klasse und am 23. März 1823 eine Gratifikation von 1500 Talern, die er für eine schon lange geplante Kunstreise nach Italien zurücklegen wollte.

Der vielgliedrige, verschachtelt wirkende Bau machte „ungeachtet seiner Pracht und Herrlichkeit des Einzelnen, doch auf die Mehrzahl der Schauer keinen sonderlich großartigen Eindruck", schreibt der Kunstsachverständige Carl Seidel in seinem Büchlein *Die schönen Künste zu Berlin im Jahre 1828*. „Manche klagen wiederum, daß das Hinabsteigen von dieser ohne Unterbrechung sieben und zwanzig Stufen zählenden äußeren Haupttreppe etwas Schwindelndes für sie habe, und diese Beschwerde mag wohl zunächst am Meisten Wahres enthalten, indem vielfache Beobachtungen es bekunden, daß das Auge, besonders da, wo kein schützendes Geländer ist, nicht wohl mehr als fünfzehn Stufen ohne Absatz ruhig verträgt ..."

Und natürlich hatten die von Natur aus kritischen Berliner überall etwas zu nörgeln. „Übers Theater wird fürchterlich raisonniert, absonderlich über die Karyatiden [im Konzertsaal], man behauptet, sie seien nicht stark genug, um das Gebälk zu tragen". (Bettine, im September 1820)

Der Pegasus auf dem Charlottenstraßengiebel, gegenüber der Wohnung von E.T.A. Hoffmann „erhält seltsamerweise aus der Ferne den Anschein eines Reiters, der sein Pferd zügelt, daß es nicht in die Gasse springen möge" ... heißt es in den *Vertrauten Briefen über Preußens Hauptstadt*. „Das Innere des Schauspielhauses ist weniger anziehend. Die Parterrelogen mit ihren hohen Vorlehnen gleichen, wenn nicht Hühnerbauern, doch den Sitzen in einem zu Stierkämpfen und Wettkämpfen eingerichteten

Amphitheater. Sie sind geschmacklos". Dagegen herrsche in den anderen Sälen „bei weitem mehr Grandiosität, als im Theater".

Der Publizist Gutzkow schrieb später in seinem Lebensrückblick, Schinkel habe durch sein „kleines, nach innen aus nichts als abscheulichem Winkelwerk bestehendes Theater den Sinn für die große Wirkung der Tragödie in Berlin untergraben ... wo man bei spärlichster Ölbeleuchtung durch ein Gewinde von kellerartigen Gängen und Treppen hindurch mußte, um endlich im zweiten Rang oder auf der Gallerie fast immer – allein zu sitzen!"

Friedrich Weinbrenner, der Architekt, dessen Düsseldorfer Theaterentwurf Schinkel 1820 in seiner Eigenschaft als Gutachter abgelehnt hatte, nennt das Theater „ein erbärmliches, architektonisches Product ... Obgleich H. Schenkel [Schinkel] unter die erste schön Zeichner gezählt werden kann, so sollte er aber kein Bauprojekt entwerfen, indem er durch dieselbe zu erkennen gibt, daß er von dem wahren Studium der Baukunst wenig oder gar nichts versteht". (Brief an Klüber, 6. Dezember 1821)

Die Nörgeleien drangen bis nach Weimar, so daß sich Goethe bemüßigt fühlte, von seinem Berliner Freund Zelter einen detaillierten Bericht nebst Beschreibung des Schauspielgebäudes zu erbitten. Zelters abgewogene, zurückhaltend und humorvolle Schilderung trug nicht wenig zur Besänftigung der erhitzten Gemüter bei. Nachdem er die Mängel des alten Hauses aufgezählt – „hinlängliche Anstalten zur Erwärmung im Winter wurden vermißt; die Schauspieler und Sänger klagten daß ihnen das Wort auf der Lippe gefror; das Orchester bepelzte sich von unten bis oben ... die Lichter flackerten hin und her ... Bey trockener Witterung bullerten Musik und starke Reden, und in trüben Novembertagen, bey schwerer Luft, wurde nichts verstanden ..." – gab er an Goethe die gravamina weiter, die ihm zu Ohren gekommen seien: „1) Es ist zu klein für Berlin. 2) Die Logen hinter dem Balcon seyen zu eng, zu finster, zu niedrig, ja ängstlich; man habe fast Gewalt zu gebrauchen um an seinen Platz und wieder davon zu kommen. 3) Die Schauspieler führen Klage über Disposition ihrer Kammern und Anziehzimmer; es seyen einmal zu viel und doch wieder nicht genug. 4) Die Orchesterleute über unbequeme Eingänge und Treppen zum Orchester. 5) Die Architekten vermissen einen reinen Styl. – Zu viele Ecken und Kropfwerk; zu viele schmale Fenster werden anstößig gefunden. 6) Bildhauer tadeln die Ausführung der Basreliefs, Gruppen, Figuren. Greifen und Pegasus werden durchgezogen und bewitzelt ... Ueber den Styl wüßte ich jetzt nur zu sagen, daß er mir im Ganzen zusteht. Die Mittelpfosten der Fenster kommen mir etwas zu stark vor; daher erscheinen bey Tageslichte die Abtheilungen der Fenster wie so viele Pfeiler und Fenster, und zersplittern die Massen. Bey Mondlichte hat die Façade etwas Aetherisches das sich trägt und hebt, Säulen Capitäle und Gesimse nehmen sich munter und zierlich aus, und thun sich durch reinliche Ausführung besonders hervor, gegen die Korinthischen Klötze an den beiden daneben stehenden Kirchen, doch ohne Petulanz, ohne Frechheit ... Zu loben sind die Vorplätze, besonders beym Herausgehen, wo sich alles recht hübsch zertheilt ohne Drang und Gefahr. Die Cassen sind bey Handen und nichts kann vorbeyschleichen ... Sang und Klang läßt sich gut vernehmen; da ich bis jetzt alle Vorstellungen aus Sperrsitzen oder dem Orchester vernommen haben, so kann darüber noch nicht weiter berichten ..." (21. Oktober 1821)

Schinkel mochte zu dem Ganzen nicht mehr viel sagen. Er betonte: „Die Absicht war, im möglichst kleinen Raum möglichst viele Menschen gut hören und sehen zu lassen". Zu dieser Absicht sei er durch die Anordnungen des Königs gezwungen gewesen, im übrigen sei die Einrichtung der Plätze, „wie die Erfahrung gelehrt hat, so, daß man auf einem jeden vollkommen gut hört und sieht ... Was sonst etwa der Neid oder die bekannte Tadelsucht der Menschen Unhaltbares vorgebracht, wollen wir nicht so ernstlich nehmen, weil es sich täglich in anderer Gestalt zeigt, je nachdem die Laune herrscht; darüber bin ich vollkommen getröstet und lasse mich nicht irre machen".

Als 19jähriger zeichnete Karl Friedrich Schinkel 1800 den Entwurf eines Museums zwischen Bäumen vor einem Bergrücken in der Ferne. In seiner idealisierenden Sicht symbolisierte dieser weltentrückte

Musentempel die Verbindung von Bau und Landschaft, von Kunst und Natur. Denn „die Schönheit der Form ist die innere sichtbar gewordene Vernunft der Natur" – ein durch und durch romantischer Gedanke.

Sechzehn Jahre später war Schinkel als Oberbaurat unterwegs, um für seinen König eine bedeutende Kunstsammlung zu erwerben. Die Mission scheiterte an widrigen Umständen der Zeit. Eine andere große Bildersammlung, die Giustinianische, hatte Friedrich Wilhelm III. 1815 in Paris gekauft. Preußen besaß zwar ansehnliche Sammlungen – aber es gab kein öffentliches Museum wie das Museo Clementino in Rom oder den Louvre in Paris, wo Kunstschätze aus dem Besitz des Hofes, des Adels und der Kirche gesammelt erstmals auch dem Volk zugänglich waren. In Deutschland warben vor allem die Romantiker für die Einrichtung von Museen, denn sie glaubten, daß die Betrachtung von Kunstwerken die Menschen für das Schöne empfänglich mache. Der Kunst wurde eine hohe moralische Kraft zuerkannt. Dies erkannte auch der als nüchtern geltende preußische König.

Der Bau eines Museums als Stätte der Begegnung mit Werken der Kunst, mußte einem idealisch denkenden Architekten wie Schinkel als höchste Aufgabe erscheinen. Die Eroberungsfeldzüge der Franzosen hatten alle diesbezüglichen Pläne vereitelt, erst im Herbst 1815, als die Ausstellung der von Napoleon geraubten, aus Frankreich zurückgeführten Kunstschätze die Berliner in einen Begeisterungstaumel versetzte, griff der König die Museumsangelegenheit wieder auf. Er gab Order, die Stallungen im Akademie-Gebäude Unter den Linden als Museum auszubauen, was jedoch zu einem gigantischen Flickwerk führte, das Tausende von Talern verschlang und die räumliche Frage nicht löste . . . Schließlich mußte auf Geheiß des Königs nach Erwerb einer weiteren Gemäldesammlung – des englischen Kaufmanns Edward Solly – ab März 1822 die ganze Sache noch einmal aufgerollt werden.

Die entscheidende Wende bahnte sich Ende 1822 an. Während der König in Italien weilte, hatte sich Schinkel vermutlich mit dem 27jährigen Kronprinzen, der die Regierungsgeschäfte führte, beraten und wahrscheinlich sogar durch dessen Anregung endlich eine Lösung des Problems gefunden. Denn am 29. Dezember 1822 erging er sich gegenüber seinem Freund Boisserée in verheißungsvollen Andeutungen:

„Gar sehr hätte ich gewünscht, Ihnen über die Einrichtungen und Bauangelegenheiten unseres Museums etwas recht Entschiedenes und Vollständiges bei dieser Gelegenheit sagen zu können. Aber noch liegt das Ganze in mancherlei Verworrenheit, und ein neues Projekt, daß ich für die Sache soeben beendet (und von dem ich glaube, daß es meine beste Arbeit ist), auch den Beifall Rauchs hat, und dabei in Hinsicht auf Kostenersparung, Schönheit an sich und für die Stadt, an Nützlichkeit vieler damit in der Stadt zusammenhängender Gegenstände eine Reihe entschieden großer Vorteile vor allen früher bearbeiteten Entwürfen hat, geht erst nun seinem Schicksale entgegen . . ."

Schinkels Plan hatte städtebauliches Format: Das neue Museum sollte an der Nordseite des Lustgartens gegenüber vom Schloß genau dorthin gesetzt werden, wo ein Quergraben die Spreearme miteinander verband. Der dort stehende Packhof sollte abgerissen und die Schiffahrt in den Kupfergraben umgeleitet werden, der neue Uferschälungen bekommen und an dem auch ein neuer Packhof errichtet werden sollte.

Seit Jahren diente der Lustgarten eigentlich nur noch als Exerzierplatz, aber „die Schönheit der Gegend", schrieb Schinkel in seiner Museumsdenkschrift vom 8. Januar 1823, „gewinnt durch diesen Bau ihre Vollendung, indem der schöne alte Platz . . . dadurch erst an seiner vierten Seite würdig geschlossen wird".

Das Museum selbst war als breites rechteckiges Gebäude mit zwei Innenhöfen angelegt, die durch einen 23 Meter hohen Kuppelbau, die Rotunde, getrennt wurden. Die langgestreckte, dem Schloß zugewandte Vorderfront bestand aus 18 ionischen Säulen, die den Blick in eine schmale Vorhalle und den inneren Treppenaufgang zur Wandelhalle freigeben.

Die architektonische Gesamtkonzeption entsprach auf ideale Weise der neuen Idee von der geistbildenden Aufgabe des Museums. Den zweigeschossigen Kuppelsaal, die Rotunde mit dem inneren Säulenkranz, dachte sich Schinkel als einen würdigen Mittelpunkt, „der das Heiligtum sein muß, in dem das Kostbarste bewahrt wird. Diesen Ort betritt man zuerst, wenn man aus der äußeren Halle hineingeht". Es sollte „der Anblick eines schönen und erhabenen Raums empfänglich machen und eine Stimmung geben für den Genuß und die Erkenntnis dessen, was das Gebäude überhaupt bewahrt". Dagegen schloß die äußere Säulenhalle den Bau souverän gegen den Lustgarten hin ab, während gleichzeitig die hinter den Säulen erkennbaren symbolischen Wandfresken die Bestimmung dieses Gebäudes zu erkennen gaben.

Schinkel stellte hier griechische und römische Bauteile auf engem Raum nebeneinander und verband sie zu einem harmonischen Ganzen. Die Säulen entlehnte er dem berühmten Apollotempel im kleinasiatischen Didyma, der ihm sehr wahrscheinlich in Abbildungen des englischen Kupferstichwerks über die *Altertümer in Ionien* vorlag. Als Vorbild für die Rotunde wählte er das Pantheon in Rom, den größten Kuppelbau der Antike (Kuppeldurchmesser 29,5 Meter).

Der Plan fand den Beifall der Museumskommission, als diese erstmals am 4. Februar 1823 zur Beratung zusammentrat. Nur der 63jährige Akademieprofessor und Hofrat Aloys Hirt, ein Altertumsforscher von stupendem Wissen, aber ein „Pedante", wie Goethe einmal sagte, brachte Einwände vor. Seine Kritik galt ausgerechnet den beiden Kernstücken des Baus: der Kuppelsaal sei unzweckmäßig, die Säulen zu riesig und die Freitreppe zu kostspielig. Statt der Rotunde wollte er Säle und Durchgänge anlegen, die Säulenhalle sollte gegen eine Backsteinfront mit zweigeteilten gemauerten Halbsäulen ausgetauscht werden.

Schinkel: „Man denke sich Säulen von der halben Höhe in einer langen Reihe an diesem mächtigen Platze: Wie würde das Gebäude dadurch an Einfachheit und Würde verlieren . . . Im Allgemeinen bemerke ich noch, daß der Platz, auf dem das Gebäude stehen soll, als der Hauptplatz in Berlin, etwas Ausgezeichnetes verlangt, und daß man sich wohl vorzusehen habe: nicht statt des Einfachen und Großartigen das Dürftige hinzustellen und diesen Hauptplatz statt ihn zu verschönen, zu verunzieren". (Entgegnung vom 5. Februar 1823)

Der Einspruch des Hofrats konnte den Gang der Dinge nicht aufhalten. Nachdem der Museumsbericht am 18. Februar an den König abgesandt und eine wichtige Grundstücksangelegenheit geregelt war, konnte Schinkel endlich Sulpiz Boisserée berichten: „In aller Kürze führe ich nur an, daß der Bau eines großen Museums nach meinem Plane genehmigt worden ist, und ich hoffe, mit den Arbeiten, die zunächst den Bau einleiten, . . .sehr bald den Anfang zu machen und in etwa fünf Jahren mit dem Ganzen zustande zu kommen." (Brief vom 7. Mai 1823)

Aber so schnell schießen die Preußen bekanntlich nicht. Die Ministerialbeamten ließen Schinkel wissen, daß sie weder die Zuschüttung der Gräben noch irgendwelche andere Vorarbeiten genehmigen würden, bevor ihnen nicht die Gesamtkalkulation vorliegen würde.

Der König hatte am 24. April 1823 700 000 Taler für den Museumsbau genehmigt, mit der Auflage, daß Schinkel damit unbedingt auskommen müßte. Dies war jedoch ein Ding der Unmöglichkeit. Deshalb schickte Schinkel am 9. September eine vorläufige Gesamtkalkulation an Minister von Bülow, daß der Bau um 70–75 000 Taler teurer werden würde und fügte „zur Verhütung eines Mißverständnisses" hinzu, „daß von den gezeichneten äußeren Ornamenten des Gebäudes nur die Dreifüße und die Adler von Gußeisen, oder letztere von gebranntem Ton, die Skulpturen aber gar nicht veranschlagt sind. Letztere würden also nur zur Ausführung kommen, wenn beim Grundbau, wie wohl möglich ist, sich Ersparnisse ergeben sollten . . ."

Es ist nicht anzunehmen, daß Schinkel nach seinen bisherigen Erfahrungen ernstlich an die Möglichkeit größerer Einsparungen glaubte. Ihm lag wohl vor allem daran, den Bau überhaupt in Gang zu bekommen, wobei er den unentbehrlichen Schmuck zwar nochmals ins Gespräch

46 Die Titelvignette für Boisserées Tafelwerk über den Kölner Dom. Schinkel zeichnete das Panorama vom Turm der St. Kunibertkirche aus. Den Mittelpunkt bildet die Domruine. Am andern Ufer des Rheins ist Deutz zu erkennen.

47 Entwurf zur Aufstellung der abgeänderten Quadriga auf dem Brandenburger Tor. Die Viktoria hält als Siegeszeichen einen Stab mit Eichenlaubkranz und Eisernem Kreuz. Darüber der preußische Adler.

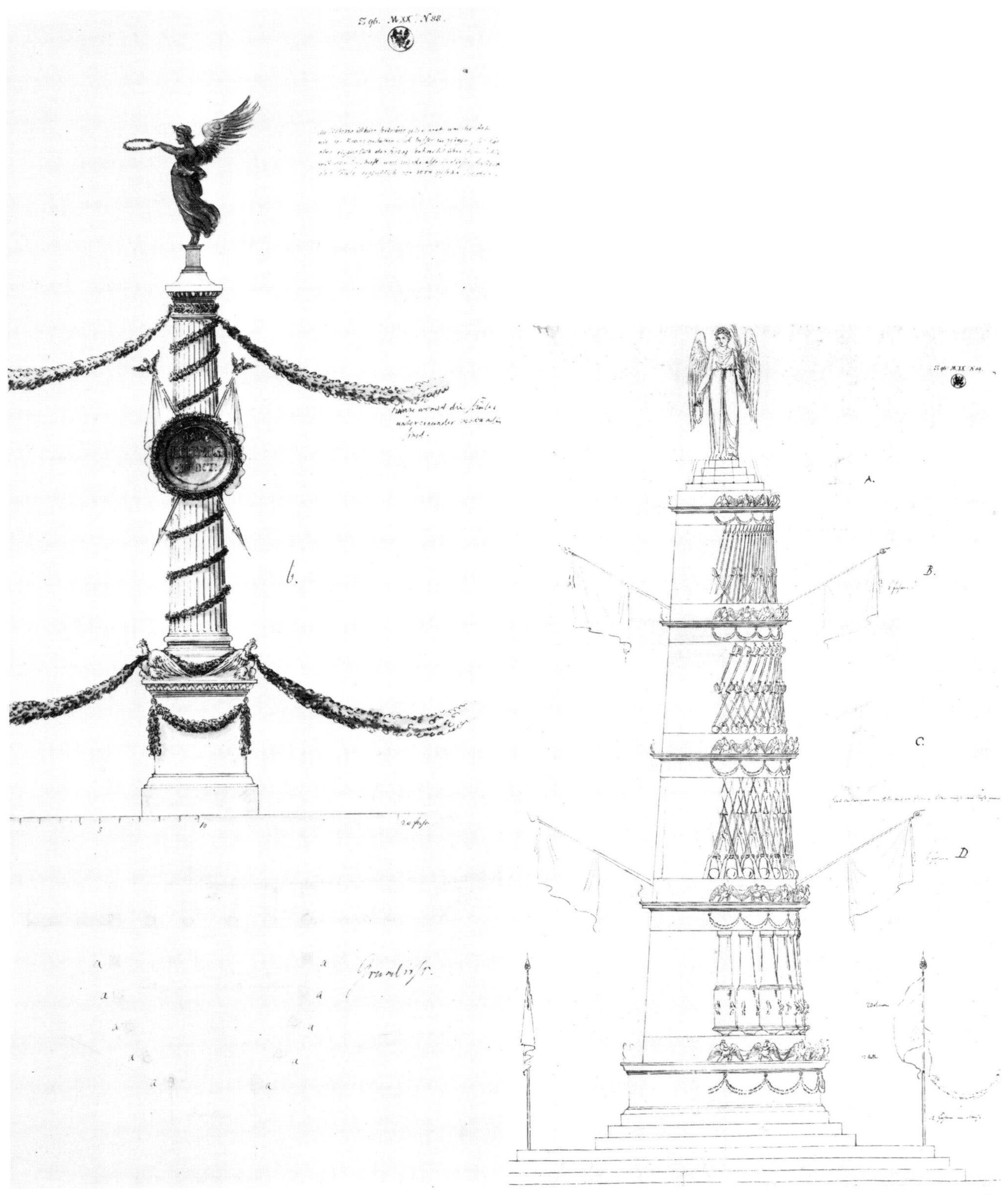

48, 49 Siegessäulen für den Empfang der heimkehrenden Truppen 1814. Die schlanken Säulen (links) tragen als Schmuck gekreuzte Standarten und blaue Schilder mit den Schlachtortnamen. Sie standen hufeisenförmig vor dem Brandenburger Tor. Die großen Säulen flankierten die Opernbrücke. Sie waren mit Geschützrohren, Gewehren und Degen bestückt.

50 Auf Befehl des Königs entwarf Schinkel ein Siegesdenkmal im „mittelalterlichen Stil“. In den zwölf Nischen sollten Siegesgenien der Hauptschlachtorte stehen. Sie wurden von Berliner Bildhauern abweichend von diesem Entwurf ausgeführt.

51 Das Museum am Lustgarten, nach einer Zeichnung Schinkels. Die dürren Dreifüße auf den Ecken des Gebäudes wurden nicht ausgeführt, sondern kniende Frauenfiguren aufgestellt. Auf dem Mitteldach standen zur Zeit Schinkels nur die beiden vorderen Gruppen. Die Reiter auf den Treppenwangen wurden gegen eine Amazone und einen Löwenkämpfer zu Pferde ausgewechselt.

52 Das Schauspielhaus am Gendarmenmarkt. Schinkel war bestrebt, sich so weit als möglich „griechischen Formen und Constructionsweisen anzuschließen". Auf dem Giebel im Greifenwagen Apoll, Schutzgott der neun Musen, die in Dreiergruppen die Giebel krönen.

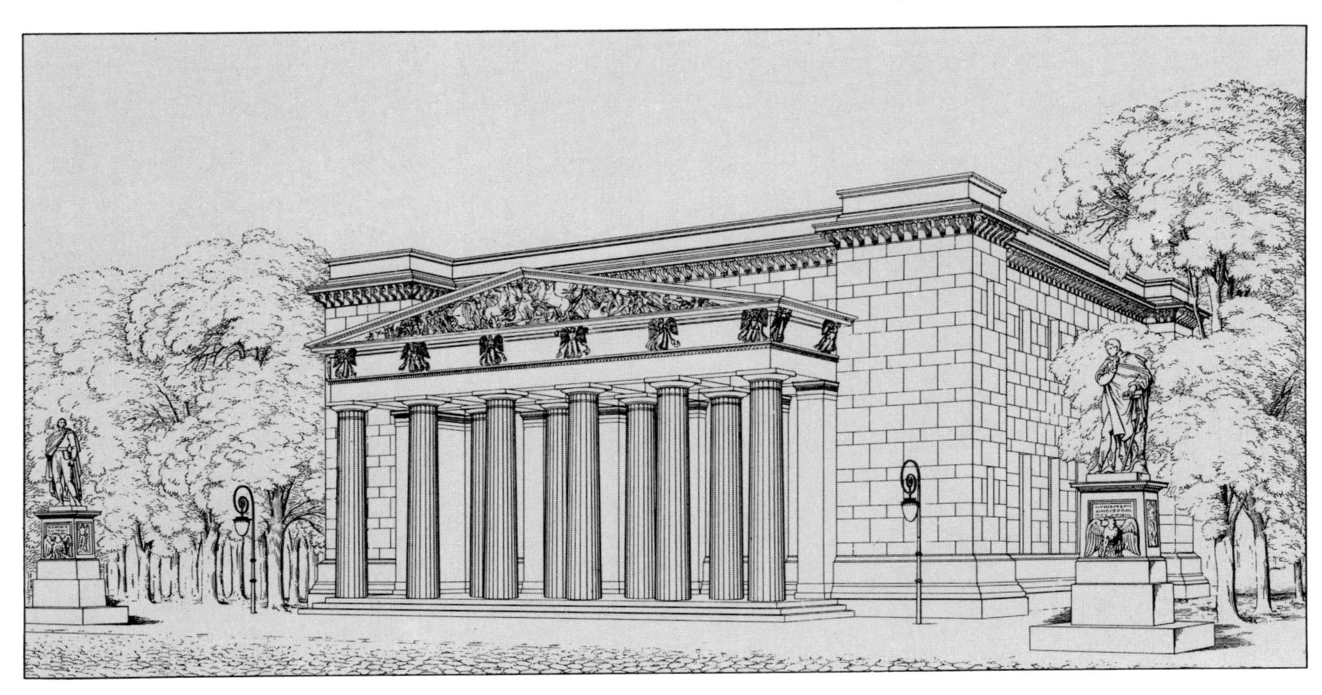

53 Die Neue Wache am Kastanienwäldchen in ihrer endgültigen Gestalt.

54 Schinkel zeichnete sehr unterschiedliche Entwürfe für die Wache, wobei er alle möglichen Bauformen durchprobierte: Rundbogenhalle, Pfeilerhalle, Säulenhalle mit Gesims etc.

55 Schloß Kurnik im Großherzogtum Posen. Im Auftrag des Besitzers, des Grafen Dzialinski, gab Schinkel dem ursprünglich mit Giebeln und Mansarden versehenen Bau 1834–1835 eine mittelalterliche Burgen-Architektur.

56 Die neuen Packhofgebäude auf dem nördlichen Gebiet der Spree-Insel. Kernstück der Anlage und der architektonisch interessanteste Teil ist der große Speicher, ein Backsteinbau mit Rundbogenfenstern. Links im Hintergrund Kuppel des Doms am Lustgarten.

58 rechts: Die Kapelle im Kaiserlichen Garten zu Peterhof bei St. Petersburg, „wozu die Aufgabe sehr abnorm gestellt war: das Gebäude in möglichst kleinem Maaßstabe sollte in reichem Mittelalter-Styl gehalten, doch innerlich für den griechischen Gottesdienst angelegt werden“ (Schinkel). Für das russische Klima wurde eine Fußbodenheizung eingebaut, die sogar die Dachrinnen der Türmchen auftauen konnte.

57 unten: Der Elisenbrunnen in Aachen. Ursprünglich lag ein ähnlicher Entwurf des Landesbauinspektors Cremer vor. Schinkel änderte die Zeichnungen durchaus zum Vorteil ab und nahm seine Schöpfung in die Sammlung architektonischer Entwürfe mit auf. Den Namen erhielt der Mineraltrinkbrunnen 1823 nach der Braut des Kronprinzen, Prinzessin Elisabeth von Bayern.

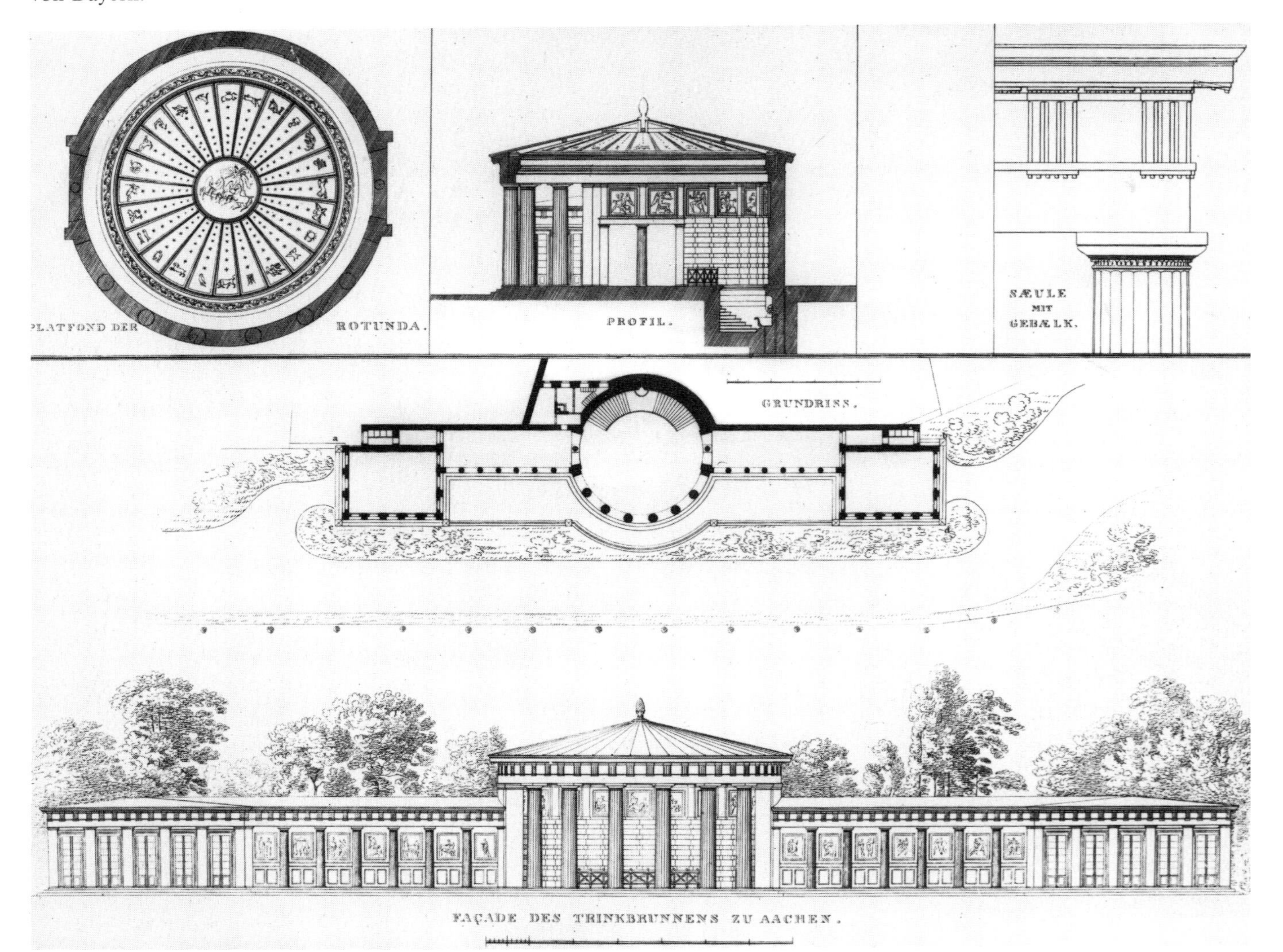

59 Die Bauakademie, von der Schloßbrücke aus gesehen. Der Platz für den würfelförmigen Bau wurde durch den Abriß der nicht mehr benötigten alten Packhofgebäude und einiger Bürgerhäuser gewonnen.

60 Das Palais Redern am Pariser Platz Ecke Unter den Linden nach dem Umbau durch Schinkel. Aus einem bescheidenen Rokoko-Palais entstand ein Bauwerk „von Charakter“. Die Quader der im florentinischen Stil gehaltenen Fassade sind allerdings nur im Putz nachgeahmt. Das dritte Geschoß ist das zum Hof abfallende Dachgeschoß.

61 links: Das Hamburger Schauspielhaus, als Bühnendekoration gezeichnet. Die vielen Fenster erklären sich aus den zahlreichen im Auftrag verlangten Nutzräumen für Verwaltung, Werkstätten, Bibliothek, Theatermagazin, Konditorei etc. Die Fassade wurde von den sparsamen Hamburgern vereinfacht, die Inneneinrichtung jedoch unverändert übernommen.

62 Die Kirche am Friedrichswerderschen Markt, auf Wunsch des Königs im „Mittelalter-Styl" erbaut. Schinkel setzte auf die Türme nicht die übliche Spitze, denn sie würde bei den gegebenen Proportionen „zu kleinlich ausgefallen sein". Stattdessen sah er zwei weitere Türme vor: dadurch hätte der Bau das notwendige architektonische Gleichgewicht bekommen. Die vier Türme sollten das Kirchenschiff gewissermaßen in ihre Mitte nehmen, aber der König strich den Entwurf.

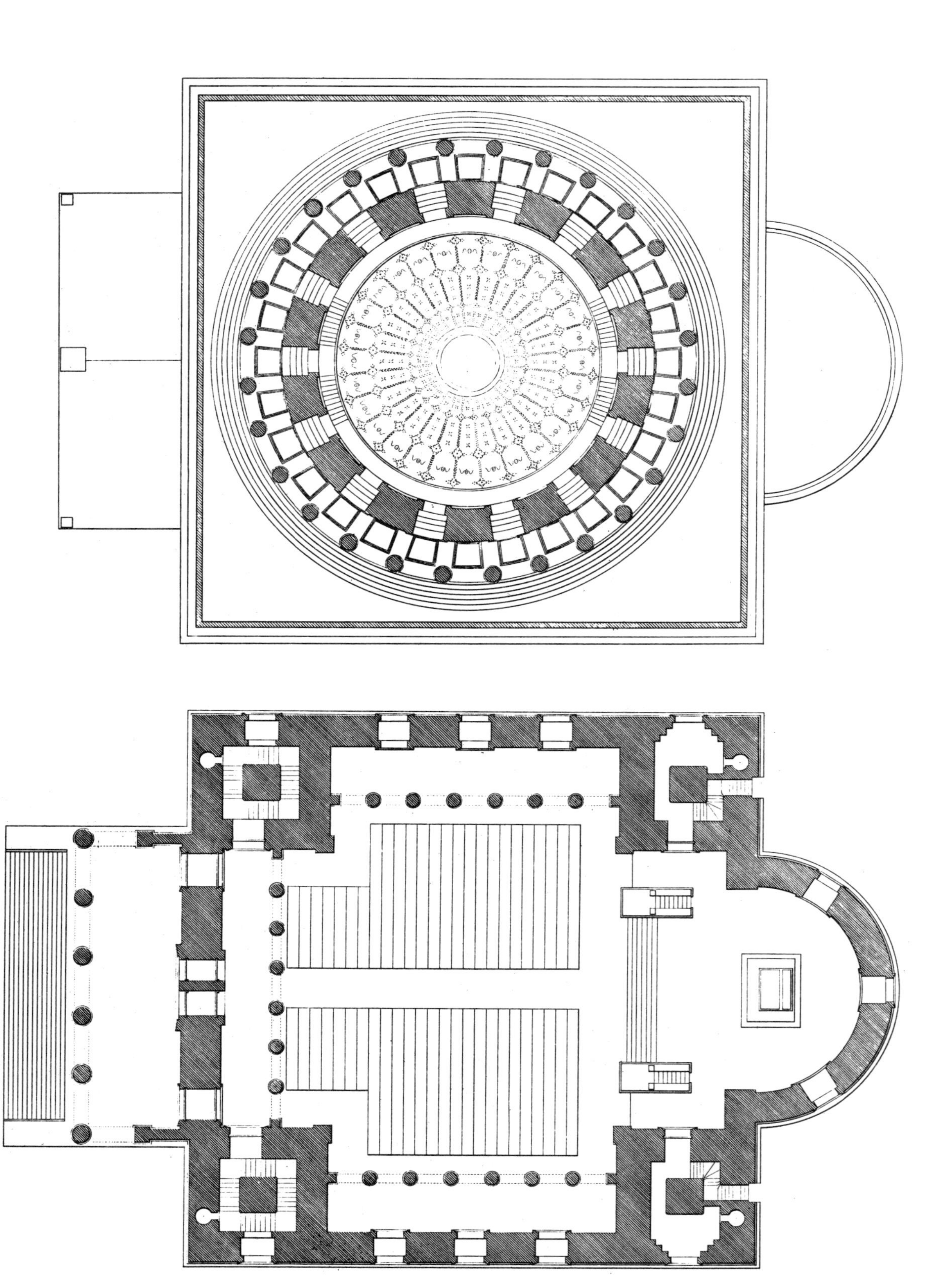

63, 64 Grundriß der Nikolaikirche in Potsdam und Grundriß der Kuppel mit dem Säulenkranz um den Tambour, den zylindrischen Unterbau.

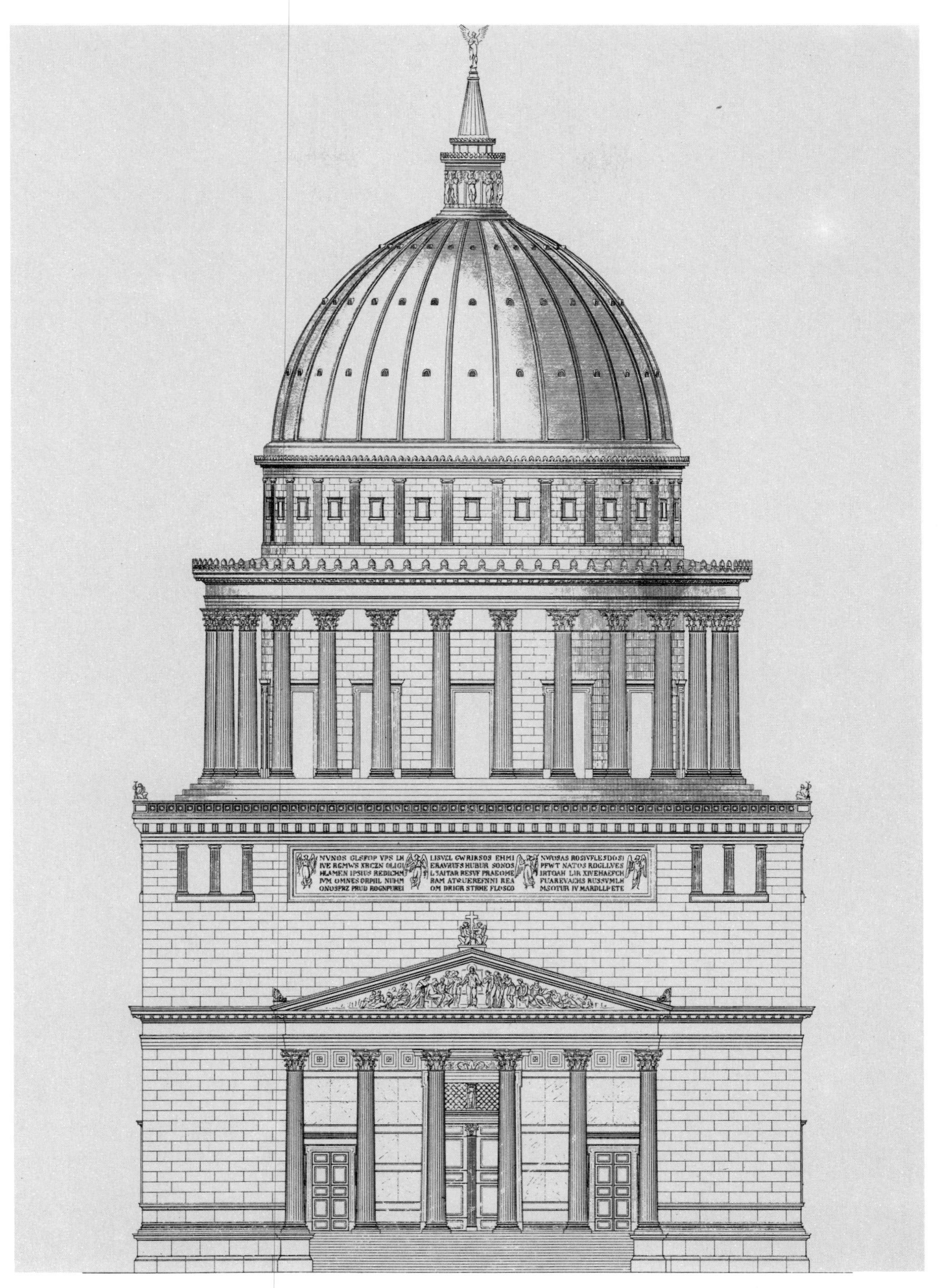

65 Die Nikolaikirche, Vorderansicht. Schinkel erlebte die Vollendung des Kuppelbaus nicht mehr. Sein Schüler Ludwig Persius, der den Bau leitete, fügte vier Ecktürmchen hinzu, die Schinkel wohl kaum akzeptiert hätte.

66 Schloß Charlottenhof bei Potsdam. Ursprünglich war es ein kleiner Gutshof mit Küchengärten, den der Kronprinz Friedrich Wilhelm 1825 als Weihnachtsgeschenk von seinem Vater erhielt. Der künstlerisch begabte Thronfolger ging mit Feuereifer ans Werk und schuf mit Schinkel einen idyllischen Landsitz.

67 Charlottenhof ist auch das Werk des Gartenkünstlers Lenné. Er verwandelte den sandigen Landflecken in eine blühende Parklandschaft. Vom Schloß führt ein Laubengang an Springbrunnen vorbei zu einer Terrasse mit einem zierlichen Zeltdach.

68 Das Kasino von Schloß Glienicke, dem Sommeridyll von Prinz Karl. Er erwarb es von den Erben des Staatskanzlers Hardenberg. Schinkel setzte auf das ehemalige „Billardhaus" ein weiteres Geschoß und fügte die Laubengänge hinzu. Er gestaltete auch die Inneneinrichtung.

brachte, jedoch die endgültige Klärung dieser Angelegenheit diplomatisch auf einen günstigeren Zeitpunkt verschob.

Schinkels Geduld wurde auf eine harte Folter gespannt: „Täglich erwarte ich die letzte Entscheidung“, schrieb er am 2. Januar 1824 an Sulpiz Boisserée, „aber immer noch sind bis jetzt allerlei hemmende Gegenstände zu bekämpfen gewesen. Von den Plänen zu diesem Bau formiere ich ein Heft unter meinen *Architektonischen Entwürfen* und lasse bereits darin stechen. Nach Beendigung des Stiches sind Sie der erste, der die Abdrücke empfangen soll . . .“

Zehn Tage später erhielt Schinkel die Genehmigung für den Mehrbetrag in Höhe von 71 300 Talern. Sein bereits am 14. November vorgetragenes Argument, daß bereits für „Ankauf des Grundstückes, Bauten im Akademiegebäude, Abfindung des Mehlhauses, Grabenräumungsarbeiten usw. etwa 140 000 Taler ausgegeben“ und „nur noch 560 000 Taler“ für den eigentlichen Bau übrig seien, hatte den König überzeugt.

Doch seit Vorlage der allerersten Museumsdenkschrift war ein ganzes Jahr vergangen!

Mit Besserung der Witterung begann Anfang 1824 der Aushub des Baugrundes und die Absperrung des Spreearms. Dabei stellte sich heraus, daß der Bau wegen des schlammigen Untergrunds etwa zehn Meter weiter nach Osten in Richtung der Börse gerückt werden mußte, was der König per Erlaß vom 14. April 1824 mit der Auflage genehmigte, daß das Gebäude „ zu dem Platze, der jetzt von Bäumen eingeschlossen ist, in eine geradere Richtung gebracht“ werde. Diese Drehung war vorteilhaft für die nähere Umgebung des Museums, das Schinkel ursprünglich parallel zum Schloß stellen wollte.

Wegen des weichen Bodens mußte der Bau auf Pfähle gestellt werden. Das Einrammen der Pfähle begann Mitte Juli 1824, wobei die große Hitze und Trockenheit die Arbeit in der Baugrube begünstigte. Jeweils Gruppen von 16 Mann arbeiteten an einem Rammbären, mit dem die etwa fünfzehn Meter langen Pfähle in sieben bis acht Stunden eingetrieben wurden. Insgesamt wurden 3053 Pfähle in den Boden versenkt.

Bei Beginn dieser Arbeiten weilte Schinkel schon nicht mehr in Berlin. Am 29. Juni 1824 war er zusammen mit dem jungen Kunstgelehrten Waagen, dem Oberfinanzrat Kerll und dem Medailleur Brandt zu seiner zweiten Italienreise aufgebrochen, um sich von den dortigen Museumseinrichtungen ein genaues Bild zu verschaffen.

Grundlegend Neues scheint Schinkel in dieser Beziehung nicht entdeckt zu haben, nicht einmal in den bekannten Museen. In Florenz schreibt er am 17. August 1824 in sein Tagebuch: „Die herrliche Galerie betraten wir dann, worin nichts zu bedauern ist als die schlechte, unzweckmäßige Beleuchtung überall und daß das Lokal etwas zu niedrig ist, besonders für das warme Klima . . . Das Untereinanderstellen der Malereien und Bildwerke hat aber etwas Störendes, weil jedes einzelne Kunstwerk etwas für sich behauptet und in einem anderen Stil und anderer Kunstregion . . . Die Malereien sind in der langen Galerie einigermaßen zeitgemäß geordnet, jedoch fehlerhaft, in den übrigen Räumen hängt alles durcheinander.“

Seinem Freund Rauch schickte er aus Neapel am 6. September einen gründlichen Bericht, in dem es heißt: „In Betracht der Beleuchtung und Aufstellung habe ich die Freude gehabt, daß ich beim neuen Museum im ganzen das einzig Rechte getroffen habe. Überall, wo in den Museen Italiens nach diesem Prinzip beleuchtet und aufgestellt ist, hat man völlige Befriedigung, leider ist aber dies selten der Fall, in Mailand, Florenz und Neapel geht man fast wie in Kellern umher, um die schönsten Werke dürftig zu sehn. In Chiaramonti ist alle Skulptur flach gerade durch die Beleuchtung . . .“

Auf der Hinfahrt hatte Schinkel auch die Brüder Boisserée und ihre Sammlung in ihrem neuen Stuttgarter Quartier besucht. Er war voll des Lobes, wie geschickt die beiden Kunstfreunde ihre Sammlung altdeutscher Meister zur vertiefenden Betrachtung in einfachen, schmucklosen Gemächern aufgestellt und nach ihrer Zusammengehörigkeit geordnet hatten.

Boisserée, der mit Schinkel während des Besuchs über den noch immer ungeklärten Verkauf der

Sammlung nach Berlin sprach, fühlte sich durch Schinkels Lob über die Aufstellung geschmeichelt. „Die Aufstellung unserer Sammlung leuchtete unserm Freund so sehr ein", schreibt er an Goethe, „daß er nicht verhehlen konnte, er würde sie bei der Errichtung des neuen Museums zum Muster nehmen." (22. August 1824)

Auf der Heimreise meldete sich Schinkel und sein Gefolge bei Goethe, der den Besuch am 1. Dezember in seinem penibel geführten Tagebuch vermerkt und sogleich seinem Freund Zelter nach Berlin berichtet: „Mit den köstlichen märkischen Rübchen haben wir gestern die Berliner Freunde tractirt; sie hielten sich kaum einen Tag auf, ich habe aber doch gar manches, besonders durch Schinkel vernommen was mir einen hellen Blick über das neue Italien gewährt. Daß ein Mann wie dieser, der in der Kunst so hoch steht, in kurzer Zeit viel zu seinem Vortheil weghaschen könne ist naturgemäß, und es wird ihm gewiß bey den nächstbedeutenden Unternehmungen sehr zu statten kommen." (Brief vom 3. Dezember 1824)

Am 4. Dezember traf Schinkel mit Dr. Waagen und Kerll wohlbehalten in der Hauptstadt ein. Der Medailleur Brandt hatte die kleine Gruppe bereits verlassen und war „über Neufchatel nach Paris gegangen. Außer einigem Spaß, den er uns gemacht, hat er uns nichts genützt, wohl aber wir ihm", schrieb Schinkel seiner Frau aus Weimar, „Gott sei Dank, wir sind bis hier glücklich durchgekommen und fahren nun auf sicheren und schönen Chauséen bis Berlin". (Brief vom 29. November 1824)

Während Schinkels Abwesenheit waren unter der Leitung seines Kollegen, des Geheimen Oberbaurats Schmid, die Fundamentierungsarbeiten zum Museum vorangetrieben worden, so daß die Maurer im folgenden Frühjahr am 5. April 1825 damit begonnen konnten, die für den Bau erforderlichen sechs Millionen Backsteine zu vermauern. Am 9. Juli 1825 wurde der Grundstein gelegt.

Im Auftrag des Königs war Schinkel 1826 bereits wieder auf Reisen, um auch die Museen in Paris und London in eigener Anschauung kennenzulernen. In London erreichte ihn eine angenehme Nachricht von Rauch vom 10. Juli 1826: „Der König freut sich sehr daran, daß der Bau des Museums so gut vorschreitet. Ich hatte mich selbst überzeugt, wie schön und geräumig das Ganze in der Wirklichkeit sich ausnimmt und wie tüchtig das alles ausgeführt wird . . . An den Säulen des Museums fehlen immer noch ein paar Kapitäler, deswegen auch das Gesimslegen so langsam geht".

Die in London und Paris gewonnenen Anregungen faßte Schinkel in einem Bericht zusammen, den er dem König acht Wochen nach der Heimkehr vom 24. Oktober 1826 einreichte. Schinkel hoffte, daß nun der Zeitpunkt gekommen sei, die wichtige Frage der Giebelskulpturen zu lösen.

„Der Eindruck des Pariser Museums", beginnt Schinkel sein Begleitschreiben, „ist ebenso groß durch die Vortrefflichkeit der aufgestellten Werke als durch die Art der Aufstellung und die Ausschmückung des Lokals. In gleicher Doppelweise wirkt das Museum des Vatikans in Rom . . ." (das Londoner Museum erwähnte Schinkel in diesem Schreiben nicht). Schinkel betonte, daß hinsichtlich der künstlerischen Vollendung eines bedeutenden Bauwerks, der Schmuck unentbehrlich sei, weil „durch diese letzten Vollendungen für das Publikum die meiste Wirkung erreicht wird . . . Hiernach würde ein jährlicher Zuschuß von 14 500 Talern auf vier Jahre (mit dem jetzigen) dem Werke eine Vollendung geben, welche es erst wahrhaft monumentartig macht".

Die von Schinkel eingereichte tabellarische Übersicht enthielt vierzehn Vorschläge zur Verbesserung und Verschönerung des Museumsgebäudes. So sollten u. a. die zwanzig Säulen in der Rotunde jeweils in einem Stück aus Granit anstatt aus Sandstein gehauen werden, für den Fußboden in der Rotunde wünschte er Marmorplatten, die Wände sollten „wie im Pariser Museum in sorgfältiger Nachahmung des Marmors gemalt" werden, und unumgänglich notwendig seien die beiden Pferdegruppen auf dem mittleren Aufbau des Gebäudes, „wenn es nicht seinen Charakter verlieren soll".

Am 5. Februar 1827 ließ der König Schinkel wissen, daß er nicht geneigt sei, auf die Vorschläge einzugehen, worauf Schinkel – „von dem unglücklichen Schicksal meiner Museumsangelegenheit in Kenntnis gesetzt" – sich am 9. Februar beim Kabinettsrat Albrecht beklagte, der König habe ausgerechnet die für das Museum erforderlichen Beträge „für unwesentliche Dekorationen am Mausoleum in Charlottenburg“ ausgegeben sowie für eine große Granitschale. „. . .so wünsche ich nur, daß es Sr. Majestät nicht einmal leid werden mag, die geforderten im Verhältnis des Ganzen geringen Summen jetzt nicht genehmigt zu haben“.

Durch eine erneute Eingabe (vom 14. April 1827) und die Vermittlung Albrechts gelang es Schinkel, dem König wenigstens 22 000 Taler abzutrotzen. Damit sind die wichtigsten Verschönerungen, die in Kupfer getriebenen Rossebändiger und innere Ausschmückungen gesichert. Dem überglücklichen Schinkel ist zumute, „als hätte ich diese Summe für mich empfangen“. (An Albrecht, 8. Mai 1827)

Wenige Tage zuvor hatte Schinkel seinen Freund Rauch durch den inzwischen mit einem Zinkdach abgedeckten Rohbau geführt, der darüber seinem Freund Böttiger in Dresden berichtet: „Neulich, eines Sonntags bin ich die Räume mit Schinkel durchgegangen; es war für mich ein hoher Genuß, soviel Räumlichkeit den verschiedenen Aufstellungen der Kunstgegenstände angemessen darin zu finden, und daß alles aus einem so einfachen Plan hervorgegangen ist . . . Für die Bequemlichkeit des Beschauers ist dermaßen gesorgt, daß der Maler und Bildhauer im eigenen Atelier sein Werk nicht erwünschter zeigen kann, als der Architekt es im Museo eingerichtet hat. Hauptsächlich aber ist für die Gesundheit des Baues selbst wie für die Bilder (durch Holzwände) bestens gesorgt. Für ersteren Fall bei dem diesjährigen hohen Wasserstande blieb der Fußboden der unteren gewölbten Räume vier Fuß über dem Spiegel, und da man darin überall die größte Trockenheit fand – er sollte zehn Fuß höher haben – so ist man entschlossen, alle ägyptischen Werke in diesem unteren Geschoß aufzustellen, Werkstätten zu den Restaurationen darin unterzubringen. Nach meiner Ansicht wird dieser Bau Schinkels Meisterstück werden. Schade, daß so geringe Mittel zur Dekoration desselben ausgeworfen sind. Die Bilderwände werden purpurrot, die der Bildhauereien variiert in Steinfarben, die Fußböden in Holz parkettiert, und wo Statuen stehen, ist derselbe Stein“. (28. April 1827)

Gut ein Jahr später war der Außenbau im großen Ganzen vollendet. Doch wie schon beim Schauspielhaus erregt Schinkels bildnerischer Schmuck Kritik bei den Berlinern. Bettine schreibt am 5. September 1828 an Arnim: „Schinkels Museum wird Dir wahrscheinlich mit allen Verzierungen bei Deiner Zurückkunft entgegenleuchten. Über den Säulen sind Adler mit halb geöffneten Flügeln angebracht, die mir über alle Maaßen wohlgefallen aber nicht so dem Publikum. Die Figuren an den Ecken so wie die Pferdebändiger und die goldnen Galerien sind lauter Gegenstände des Mißfallens. Für mich ist das Ganze zauberisch schön.“

Der mit Schinkel befreundete Fürst Pückler, für dessen Schloß und Park Schinkel die verschiedensten Entwürfe gefertigt hatte, meinte drastisch: „Die Adler haben vornehmlich das Aussehen von Fröschen. Die Statuen sind zu klein, kurzum es ist vollständig mangelhaft, was mir um Schinkels willen leid tut.“ („Les aigles surtout ont l'air de grenouilles. Les statues sont trop petites, enfin c'est complétement manqué, ce qui me fait de la peine pour Schinkel.“) (An Lucie, 1829). Ein Jahr später meinte er jedoch: „Das Museum ist ein Ort, den ich oft besuche. Es ist freilich vieles besser zu wünschen, bleibt aber doch ein schönes Monument.“ (An Lucie, 17. August 1830).

Überhaupt trieben die Diskussionen um den neuen Bau unter den Berlinern absonderliche Blüten. Man bemängelte, daß die Seitenfronten fast schmucklos seien, orakelte, „daß der feuchte Grund, aller lobenswerten Vorsicht ungeachtet, doch über kurz oder lang einen der vielen, möglicherweise durch die Nässe hervorgebrachten Nachtheile eintreten lassen könnte“, und viele Einwohner hätten das Prachtgebäude lieber als Bereicherung eines mit schönen Bauten weniger reich ausgestatteten Stadtteils gesehen (Seidel, 1828). Über die von Hirt entworfene und allerhöchsten Ortes genehmigte Inschrift am Museum entbrannte ein giftiger Gutachterstreit, in den sich auch Friedrich Tieck und Humboldt mischten. Doch da die Gerüste zu diesem Zeitpunkt bereits abgebaut und eine Auswechlung der 85 cm hohen 94 vergoldeten Buchstaben nur wieder neue Kosten verursacht hätte, blieb die Philologen-Frage „gutes oder schlechtes Latein“ unentschieden.

Die Rotunde im Museum (aus: Architektonische Entwürfe)

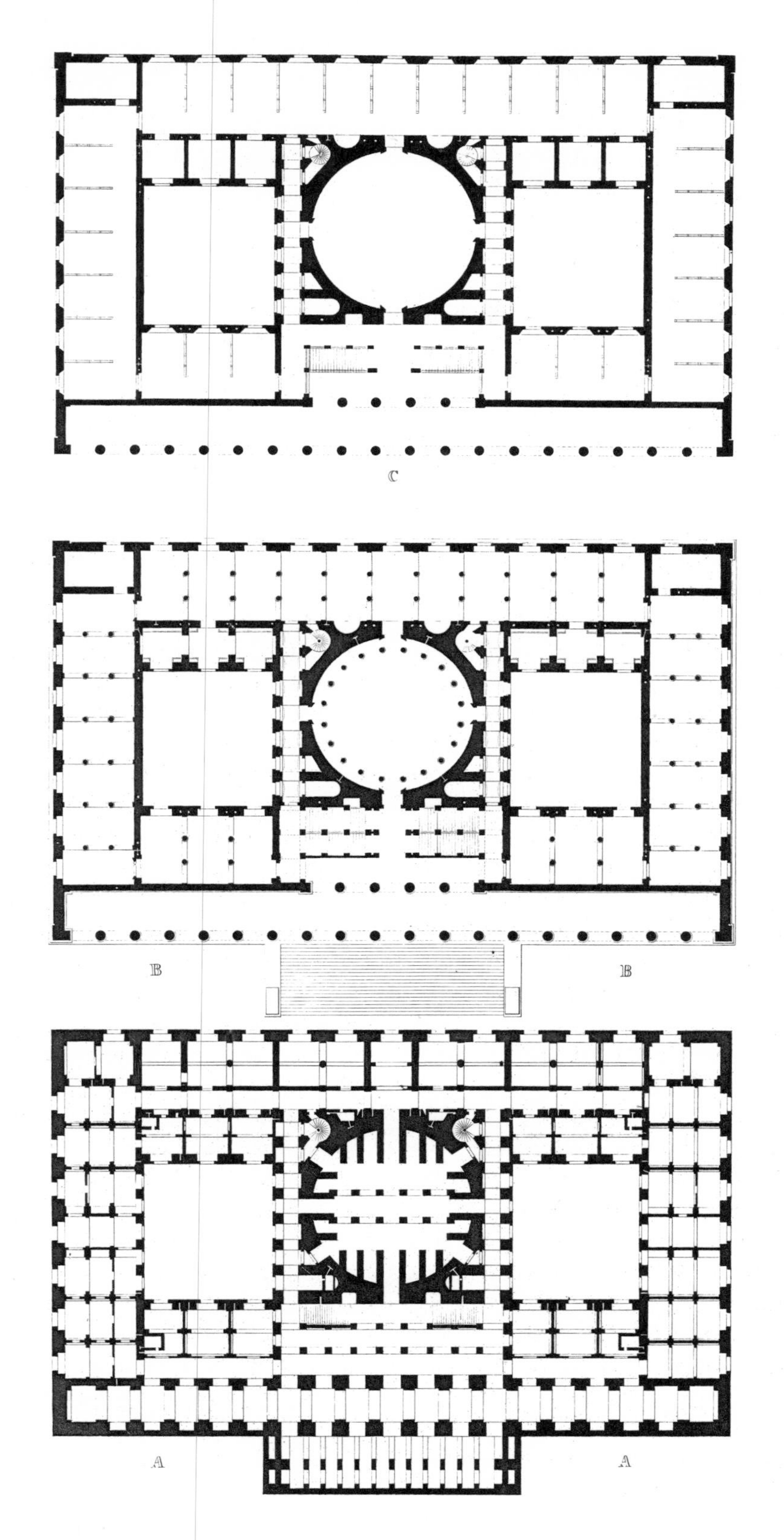


Grundriß vom Unterbau, erstem und zweitem Geschoß des Museums

Im Herbst 1829 wurden die aus den königlichen Sammlungen ausgesuchten Gemälde, insgesamt 1198, in das Museum überführt.

„Das Museum soll im Mai fertig werden und einen Reichthum an Kunst entfalten, wie ihn hier nur wenige ahnden. Wilhelm Humboldt ist Vorsitzender der Commission zur Einrichtung des Museums geworden an Hirts Stelle, der sich mit allen entzweite – Nach der Einrichtung tritt Brühl als oberster Figurant an die Spitze, um hohe Herrschaften einzuführen und die Leute zu kujonieren, welche das Museum benutzen wollen". Arnims Groll ist unüberhörbar, denn Brühl hatte keines seiner Stücke aufgeführt, solange er Intendant war. (23. Februar 1830)

Rauch schrieb am 10. Juni 1830 an Rietschel in Dresden: „Das Museum nimmt sich herrlich innen und außen aus aber namentlich die Rotunde, auch die anderen Galerien werden voll, am 3. August soll es eröffnet werden." Es war der 60. Geburtstag des Monarchen, den dieser in Teplitz zu verbringen gedachte.

Jedoch erschien er einen Monat vorher, einigermaßen unerwartet, zur Vorbesichtigung. Zwei Briefe Schinkels an Minister Altenstein (1. Juli) und an Humboldt (5. Juli) geben seine freudig-erregte Stimmung wieder:

Der Brief an Humboldt hat folgenden Wortlaut:

„Euerer Exzellenz verfehle ich nicht, gehorsamst anzuzeigen, daß Seine Majestät der König uns am 1. Juli früh 8 Uhr besucht hat; die Anordnungen waren so weit gediehen, daß die Rotunde ganz, der lange Saal, bis auf ein paar Statuen und die neben den Fenstern aufzustellenden Büsten, gleichfalls vollendet war; in dem Saal der Porträtstatuen standen diese zwar auch auf ihren Postamenten, doch war die Masse der Büsten, welche sich über Erwarten vermehrt hat, noch nicht auf Postamente gestellt, weil hierzu der zuletzt bestellte Marmor noch nicht angekommen ist; die Gegenstände standen jedoch an ihrer Stelle. Derselbe Fall war es mit dem dritten kleineren Saal, welcher die sämtlichen kleineren antiken Werke an Urnen, Vasen, Reliefs und einige größere Köpfe, welche wegen Mangel an Platz in den beiden ersten Sälen nicht mehr gestellt werden konnten, aufgenommen hat.

Seine Majestät sahen sich zuerst im Portikus um, traten dann in die Rotunde ein, gingen die Skulptursäle durch, stiegen dann zur Kollerschen Sammlung hinab, wo zwar in den Zimmern der Bronzen und Terrakotten noch vieles im Rückstande ist, im Ganzen aber ziemlich aufgeräumt war; stiegen dann wieder hinauf und gingen durch die Rotunde zur Haupttreppe, um oben über die Gallerie der Rotunde in die Bildergallerie zu gelangen, welche ich, bei der durch Krankheit veranlaßten Abwesenheit des Dr. Waagen, Seiner Majestät selbst flüchtig detaillierte und Herrn Waagen entschuldigte. Seine Majestät haben sich überall an jedem besonderen Orte auf das Allerbeifälligste sowohl über das Gebäude als über die Aufstellung zu äußern geruht und zu erkennen gegeben, daß Sie sich überrascht fühlten und einen so imposanten und großartigen Eindruck des Ganzen nicht erwartet hätten. Sie haben diese Äußerungen nicht allein gegen mich, der ich den nächsten Führer machte, sondern wiederholentlich allen Anwesenden: Grafen Brühl, Professor Tieck, Levezow, Rauch, Wach, welche in der Schnelligkeit herbeigeholt wurden, gemacht und Ihre völlige Zufriedenheit allen, die dabei mitgewirkt haben, zu erkennen gegeben. Es war uns dabei nichts schmerzlich, als daß Euere Exzellenz nicht zugegen sein konnten, um von Seiner Majestät selbst den Dank für das große Verdienst, welches Sie sich um das Museum erworben haben, zu empfangen. In den nächsten Tagen darauf sahen wir sämtliche Prinzen gleichfalls im Museum, welche großen Anteil an dem Beifall nahmen, den das Werk bei Seiner Majestät gewonnen hat. Dem Herrn Minister von Altenstein habe ich von diesem glücklichen Ereignis sogleich Anzeige gemacht, damit eine künftige Veranlassung zur Eingabe des Etats da sein möchte."

Schinkels dritter Besuch bei Goethe erfolgte in einer Zeit, in der er sich besonders intensiv mit der Gotik und ihrer Verwendbarkeit in der neueren Baukunst auseinandersetzte. Die Weimarer Gespräche gaben den Anstoß, den in Gedanken bereits eingeschlagenen Weg konsequent zu verfolgen und neue Erkenntnisse präzis zu formulieren:

„... Mein letzter, leider viel zu kurzer Aufenthalt in Weimar ist mir von unbeschreiblicher Wichtigkeit gewesen", schreibt er am 17. Mai 1825 an Fredéric Soret, den Erzieher des Erbgroßherzogs Carl Alexander von Sachsen-Weimar, „ein paar höchst bedeutende Worte des hochverehrten Geheimen Rates Goethe trafen so vollkommen mit der Lösung einiger Aufgaben, die ich mir gemacht hatte und deren Bearbeitung ich die besten Stunden meiner Muß widme, zusammen, daß ich sehr ermutigt wurde, auf meinem Wege weiter vorzugehen. Das eine betraf den Charakter des Spitzbogens in der Architectur als wohl manigmal gebrauchsfähig, aber der Schönheit ermangelnd, und das andere die Gefährlichkeit der Landschaftsmalerei in der schönen Kunst. Mir geht es bei diesen Arbeiten, wie manchem anderen, man muß seine Jugendsünden bei sich selber am härtesten büßen, und nur, wie zufällig man durch die kräftigsten Verfechter ihrer Zeit in dergleichen Sünden bei etwas lebendiger jugendlicher Phantasie hineingeführt wird, kann einigermaßen eine Selbst-Entschuldigung und Tröstung geben; indeß die schöne Zeit ist verloren, die man besser hätte verwenden können. Man kann nichts thun, als fortzufahren zu arbeiten, um durch das Neue das Alte gutzumachen, und ich fühle mich immer sehr beglückt, dazu in meinem Wirkungskreis Gelegenheit zu finden ..."

Die Jugendsünden, das waren in Schinkel Sicht die Bilder und Bauentwürfe seiner romantischen Jahre, seine Schwärmerei für die Gotik als patriotische Monumentalarchitektur, die im Kreuzbergdenkmal ihren Ausdruck fand, und die inzwischen überwundene Überzeugung, die „geistige Idee" der Kunst des Mittelalters sei „von Anfang an höher in ihrem Prinzip als das Altertum". So lieferte er 1816 für die Neue Wache einen Entwurf im mittelalterlichen Stil, ehe er sich für die klassizistische Ausführung entschied.

Das gotische Vermächtnis behielt noch lange seine prägende Kraft. Es entspricht Schinkels auf Ausgleich bedachten Charakter, daß er, vor die Entscheidung Klassik oder Gotik gestellt, nach einer Synthese suchte. Schon 1810 äußerte er in der Denkschrift zum Entwurf für die Petrikirche in Berlin, „daß die Verschmelzung beider entgegengesetzter Prinzipien zu einer Synthese der Kunst ... Aufgabe werde für die gesamte Folgezeit".

Auf der Suche nach einem zeitgemäßen Stil sah Schinkel nichts Unbedenkliches darin, den Fundus überlieferter Bauformen zu plündern und die unterschiedlichsten Elemente in einem Stil zusammenzufassen, „dessen größtes Verdienst mehr in der consequenten Anwendung einer Menge im Zeitlaufe gemachter Erfindungen werden wird, die früherhin nicht kunstgemäß vereinigt werden konnten". Wohl nur Schinkel konnte zur gleichen Zeit ein klassizistisches Museum und eine „gotische" Kirche bauen, wie es zwischen 1825 und 1830 geschah.

Freilich baute Schinkel diese Werdersche Backstein-Kirche, sein gotisches „Schmerzenskind", gegen seinen Willen und vermutlich auch nur auf Drängen des Kronprinzen, dem eine mittelalterliche Lösung vorschwebte. Die Grundmauern für den Neubau, der anstelle der alten baufälligen Kirche in der Innenstadt entstand, wurden im Mai 1825 auf dem Werderschen Markt gelegt.

Schinkel dagegen hatte schon 1821 einen antikischen, tempelartigen Säulenbau vorgeschlagen, der sich an einem „der schönsten Monumente des Altertums", dem Maison Carrée in Nimes, orientierte, jedoch mit den angrenzenden Wohnhäusern nicht harmoniert hätte.

1822 legte Schinkel einen zweiten antikischen Entwurf vor, der ihm wohl besonders am Herzen lag und der nur ein „ganz einfaches Äußeres" mit glatten Wänden haben sollte, weil er nunmehr berücksichtigte, daß der Bau „an drei Seiten von engen Straßen umschlossen, in denen reiche Architektur ungenießbar sein würde".

Von seinem Bauherrn jedoch auf einen anderen Weg verwiesen, fand Schinkel eine Kompromißlösung, die seiner damaligen Auffassung am meisten entsprach: Er entblößte den Bau von gotischem Schmuckwerk „um alles Überflüssige an diesem Stil zu vermeiden", und gab ihm „mehr den Charakter der englischen Chapell", die er aus Bildwerken kannte. Den mittelalterlichen Stil beschränkte er auf die Spitzbogenfenster und das Portal; nach oben hin schloß er die aus Backstein gemauerten Wände mit Gesims und Ziergeländer ab, die die Waagerechte betonten. Als beherrschendes Ornament wählte er das antike Akanthusblatt.

Die Werdersche Kirche wurde am 3. Juli 1831, einem Sonntag geweiht. Goethe-Intimus Karl Friedrich Zelter wohnte dem feierlichen Gottesdienst bei und berichtete darüber nach Weimar, vermied jedoch jegliches Urteil über den Kirchenbau selbst: „Die Zeichnung von Schinkel kennst Du", bemerkte Zelter nur kurz, um sich dann mit den Beschwerden über die Akustik zu befassen. „Der zweyte jüngere Prediger, der vor dem Altare die Liturgie verlesen hatte, klagte: es lasse sich hier schwer predigen wegen der Höhe der Kirche, ja wenn die Kirche leer sey, schalle es zu sehr. Da Schinkel nahe genug stand um allenfalls die Einrede gehört zu haben, sagt' ich, eben laut genug: ich wisse nicht, ob in leerer Kirche aus gepredigt werde; wäre es aber, so könnten die Zuschauer um so näher treten . . ."

Mochte der Bau auch viele Betrachter nicht überzeugen, so empfanden sie jedoch sein Inneres als großzügig und heiter. Achim von Arnim stellte den Bau in die Reihe von Schinkels großen Werken. „Nachträglich . . . muß ich noch aus Berlin erwähnen", schreibt er an Bettine, „daß die Werder'sche Kirche der Triumph Schinkels wird, ein so wunderbares Zusammenwirken von Baukunst, Malerei, Bildhauerkunst, Tischlerei ist mir aus neuer Zeit nie vorgekommen." (Brief vom 26. September 1830)

War die Werdersche Kirche Schinkels erster großer Backsteinbau, so war die 1831–1836 errichtete Bauakademie ein zweiter Versuch in dieser Richtung und in vielerlei Hinsicht der Interessantere.

Das kastenförmige Gebäude stand auf einem der schönsten Plätze des alten Berlin, auf dem Gelände der alten Packhöfe am westlichen Spreearm (Schleusenkanal/Kupfergraben) und korrespondierte, vom anderen Ufer aus gesehen, optisch mit den nahen Türmen der Werderschen Kirche. Doch auch dieser rötliche Ziegelbau wirkte auf viele befremdend; er gewann erst auf den zweiten Blick, wenn man dichter herantrat, die Details des Terrakottaschmucks erkannte und die Form und Funktion der Bauteile begriff.

Die Mauern waren, ähnlich wie heute beim Skelettbau, in einem Gerüst von Pfeilern und Wölbungen eingespannt. Backstein wurde verwandt, um den einheimischen Werkstoff des gebrannten Ton „in allen Teilen des Gebäudes (einer Bau-Akademie) zu verkörpern und durchzubilden, seine Anwendbarkeit für die verschiedenartigsten Konstruktionen und Formen zu zeigen". Im Gegensatz zur Werderschen Kirche sparte Schinkel an der Bauakademie nicht an bildnerischem Schmuck. Unter den Fensterbrüstungen befanden sich Tontafeln mit sinnbildlichen Darstellungen, zum Teil mit idealen Motiven aus der hellenischen Baukunst. Und über den Fenstern des Hauptgeschosses waren in flach gewölbten Rahmungen aus Ton gebrannte Reliefs wie „Setzwaage mit Greifen", „Senklot mit Seepferdchen" oder „Reißschiene mit Rehen" u. a. angebracht. Und noch ein weiteres Ornament stellte Schinkel in den Dienst der Architektur:

„Durch die ganze Fassade ist jedesmal in regelmäßiger Höhe von fünf Steinschichten eine Lagerschicht von glasierten Steinen in einer sanften mit dem Ganzen harmonischen Farbe angeordnet, teils um die rötliche Farbe der Backsteine in der Masse etwas zu brechen, teils um durch diese horizontalen Linien, die das Lagerhafte des ganzen Baues bezeichnen, eine architektonische Ruhe zu gewinnen". Für Schinkel war „Ruhe und Festigkeit das erste Gesetz der Architektur", jedenfalls in seiner nachromantischen Zeit.

Die Bedeutung der Bauakademie liegt vor allem darin, daß Schinkel sich an einem neuen monumentalen Baustil versuchte, der sich aus der Funktion des Gebäudes ableitete und seine Schönheit aus der ausgewogenen Fassadengliederung bezog. Er folgte dabei durchaus mittelalterlich-gotischen Konstruktionsprinzipien mit Strebepfeilern und Gewölben, die er mit einer klassisch empfundenen klar gegliederten Fassade verband.

Am 1. April 1836 wurde das Gebäude bezogen. Im Parterre waren Kaufläden, die einen Teil des

Baukapitals amortisieren sollten, im ersten Geschoß richtete sich die Allgemeine Bauschule mit Bibliothek, Auditorien, Sammlungen und Zeichnungen ein, und im zweiten etablierte sich die Oberbaudeputation.

Friedrich Wilhelm III. hatte den Bau überraschend schnell genehmigt. Genau siebzehn Tage nach der von Beuth für die Minister Schuckmann (Inneres) und Maaßen (Finanzen) formulierten Eingabe gab er am 29. März seine Zustimmung. Das Gebäude an der Ecke Zimmer- und Charlottenstraße, in dem Bauakademie und Oberbaudeputation 30 Jahre lang untergebracht waren, konnte den Ansprüchen des Lehr- und Amtsbetriebes längst nicht mehr genügen. Peter Beuth, der seit 1830 neben dem Gewerbeinstitut auch der Bauakademie als Direktor vorstand, hatte den König eindringlich auf den Notstand hingewiesen.

Schinkel kannte sich aus in den verschlungenen Pfaden der Baubürokratie. Er hat um seine Projekte mit Hartnäckigkeit und Schlauheit gekämpft. Er wußte auch seinen König richtig zu nehmen, obwohl er oft über das Ziel hinausschoß, was den Monarchen zu der Bemerkung veranlaßte „Dem [Schinkel] muß man einen Zaum anlegen".

Dennoch haben Friedrich Wilhelm III. und sein Baumeister Schinkel das Stadtbild Berlins stärker bestimmt als vor ihnen Friedrich I. und Schlüter oder Friedrich der Große und sein Freund Knobelsdorff, der Sanssouci-Erbauer. Ungefähr fünfzig Bauvorhaben beschäftigten Schinkel allein in Berlin – nicht mitgerechnet die Flickarbeiten für die Denkmalpflege.

Wann immer der König große Bauaufträge vergab – sie fielen an Schinkel. Auch der Packhof am verbreiterten Kupfergraben hinter dem Museum war eine Schinkel-Anlage.

Dazu gehörten Zollabfertigungshäuser für Importe und ein wuchtiges fünfstöckiges Speichergebäude aus ungeputztem Backstein. Gustav Friedrich Waagen meinte: „Die Wirkung dieser Gebäude ist besonders schön in der Ansicht von der Schloßbrücke her, bei welcher sie in Verbindung mit dem Museum in glücklichen Verhältnissen hintereinander hervortreten."

Ein Schmuckstück war auch Schinkels neue Schloßbrücke, die den Kufergraben in drei sanft geschwungenen Bögen überwölbte und so breit war, „daß sechs Wagen bequem nebeneinander darüber hinfahren können".

Fast zur gleichen Zeit (Oktober 1822) hatte Schinkel im Norden der Stadt am Schiffbauerdamm die Marschallbrücke vollendet. Aber ihr fehlte eine direkte Verbindung in den Süden Berlins. Deshalb baute Schinkel die sogenannte Wilhelm-Straßen-Passage: Das Haus Nr. 76 Unter den Linden wurde zu einer Durchfahrt umgebaut, so daß der Verkehr von der Marschallbrücke über die Wilhelmstraße bis hinunter zum Halleschen Tor fließen konnte. Später entstand nach Schinkels Plänen nördlich der Marschallbrücke eine neue Stadttoranlage neben der Charité.

Als leitender Baubeamter griff Schinkel in der Provinz auch mal energisch in Bauvorhaben ein. Oft wurden seine Pläne von den einheimischen Beamten jedoch naträglich wieder geändert, so daß die Urheberschaft nicht immer klar abzugrenzen ist. Dennoch gibt es eine Reihe von Gebäuden, die ihm zugeschrieben werden dürfen.

Auf Rügen baute er den Leuchtturm von Arkona, in Bonn eine Sternwarte und eine Anatomie. In Königsberg wurde die Altstädtische Kirche unter Verwendung schinkelscher Pläne gebaut. In Liegnitz (Schles.) leitete er den Wiederaufbau des abgebrannten Schlosses, in Aachen gestaltete er als Kurhaus den klassizistischen Elisenbrunnen, für Magdeburg baute er ein Gesellschaftshaus und für Kolberg ein Rathaus im gotischen Stil.

Im Königreich Sachsen wirkte er beim Wiederaufbau des Rathauses in Zittau mit. Nach Schinkels Vorlagen entstanden in Leipzig das Augusteum (das Hauptgebäude der Universität) und der „Krystall-Palast". Für Dresden lieferte er Entwürfe zur Schloßwache mit ionisierenden Säulen. Die Hamburger erhielten auftragsgemäß Pläne für ein Schauspielhaus, bei dem sie dann allerdings an der Fassade kräftig sparten; auch das Haus des Hamburger Senators Jenisch, der von Schinkel Bauzeichnungen erbat, trägt den Stempel des klassizistischen Berliner Baumeisters.

Für den einfachen Bürger hat Schinkel wenig gebaut. Bekannt ist das Haus des Ofenfabrikanten Feilner, das Landhaus für den Bankier Behrend in Charlottenburg oder das Wohnhaus für den Maurermeister Adler.

Dagegen beschäftigte ihn der Adel nach Kräften. Für Graf Redern, den Nachfolger Brühls als Generalintendant, baute er am Pariser Platz ein Palais im florentinischen Burgenstil, ein Umbau aus einem älteren Wohnhaus. Für Fürst Radziwill erfand er das eigentümliche hölzerne Jagdschlößchen Antonin bei Ostrowo; Fürst Dzialinski wünschte sich für sein Schloß Kurnik einen Umbau in englischer Burgengotik, der 1835 abgeschlossen war.

Auch der Amtsrat Franz von Raumer ließ sein Landschlößchen in Kaltwasser (Schles.) mit englisch-gotischen Fassaden verkleiden. Schinkel traf mit dieser Anordnung einen weitverbreiteten Geschmack. Am 6. Mai 1832 schrieb ihm Raumer, „daß nun schon mehrere Zeichnungen davon angefertigt worden sind, um anderwärts ländliche Schlösser von ähnlicher Form . . . umzugestalten".

Schinkels verstärkte Hinwendung zur Gotik ist schwer zu begreifen. Während er für die Krim einen klassizistischen Phantasiepalast entwirft, heiter und lichtdurchflutet, baut er für Prinzessin Marianne das burgenartige Schloß Kamenz bei Glatz. Der düster wirkende Ziegelbau, an den er seine schwindenden Kräfte wandte, war sein letztes großes Werk. Es fügte sich aber nicht in die schlesische Hügellandschaft ein. Franz Kugler, ein ausgezeichneter Kenner Schinkels, urteilte bissig: „Einfach imposant, im Charakter etwa die Mitte haltend zwischen preußischen Ordensschlössern und den sicilisch-maurischen Schloßanlagen."

Wie heiter-idyllisch wirkt dagegen die sehr viel kleinere Anlage von Charlottenhof, die Schinkel gemeinsam mit dem Kronprinzen, den er in der Jugend in bildender Kunst unterrichtet hatte, ab 1825 im Potsdamer Park von Sanssouci erbaute. Wieviel Liebreiz, Ruhe, Harmonie strahlt dieser in eine idyllische Parklandschaft eingebettete Sommersitz aus. Eine Meisterleistung des romantischen Klassizismus.

Und wohl nur in Potsdam, dieser von preußischem Geist durchtränkten Stadt, konnte Schinkels schönste Kirche, die Nikolaikirche, entstehen – mit der er übrigens ebenfalls Kummer hatte: Erstens gelang es ihm nicht, trotz der Unterstützung des Kronprinzen, beim König einen Kuppelentwurf durchzusetzen, und zweitens war die Akustik bei der Einweihung am 17. September 1837 verheerend. „Das ist ja", hörte man den König sagen, „in einer ganz gewöhnlichen Dorfkirche besser!"

Bischof Eylert berichtet: „Man sah sich bedenklich an und schüttelte die Köpfe. Unwillig und verdrießlich verließ man die neue Kirche, die man voll andächtiger Erwartung betreten hatte. Nie hat man den König, der sonst ein ruhiger, gemäßigter Herr war, verdrießlicher und verstimmter gesehen als bei dieser Gelegenheit. Da haben wir, sagte er, die ganze saubere Geschichte! Unerhört! Ich habe den Kirchenbau mit Teilnahme betrieben, habe geprüft, gewählt, verglichen, mit Sachkundigen überlegt und freute mich, die Wünsche der Bürgerschaft zu erfüllen. Habe es mir viel kosten lassen und niemals lieber gegeben; mit Vergnügen habe ich aus meinem Fenster den Bau angesehen, man versicherte mir, alles sei gut; das war eine Herrlichkeit! Und nun, da alles fertig geworden, ist alles verdorben, so daß man kein Wort verstanden hat. Verdrießlich! Habe es aber schon oft erlebt, daß ich die Düpe von der Affäre bin!"

Den Bau der Kuppel mit dem Kranz korinthischer Säulen, die zum Wahrzeichen Potsdams geworden ist, hat Schinkel nicht mehr erlebt. Erst nach dem Tode Friedrich Wilhelms III. vollendete Friedrich Wilhelm IV., der „Romantiker auf dem Königsthron", das Werk.

Vom Kronprinzen wird erzählt, daß er dem niedergeschlagenen Schinkel mit den Worten getröstet habe: „Kopf oben, Schinkel, wir wollen einst zusammen bauen!"

Dazu ist es nicht mehr gekommen. Drei Monate nach dem Regierungsantritt Friedrich Wilhelm IV. (am 7. Juni 1840) fiel Schinkel in eine schwere Krankheit, die ihn bis zum Lebensende ans Krankenlager fesselte.

# *Innendekorationen*

Hofarchitekt ist Schinkel nicht gewesen, obwohl er unentwegt für die persönlichen Bedürfnisse der Mitglieder der Königsfamilie gearbeitet hat. Im Berliner Stadt-Schloß, das 1950 eingeebnet wurde, richtete er Wohnräume für den König und den Kronprinzen ein. Für die drei anderen Söhne, für die Prinzen Karl, Albrecht und Wilhelm übernahm er die Innengestaltung ihrer Palais; die Arbeiten am Palais Prinz Wilhelm gab er jedoch bald an den Architekten Langhans ab, stand ihm aber mehrfach beratend zu Seite.

Hinzu kommt die Einrichtung einer Etage im Palais Prinz August, dem Onkel des Königs. Und Prinz Friedrich (Fritz Louis), ein Neffe des Königs, wünschte sich von Schinkel ebenfalls die Ausstattung seines Palais.

Außerhalb Berlins gestaltete Schinkel mehrere Sommersitze: in Glienicke für Prinz Karl; in Babelsberg für Prinz Wilhelm; in Charlottenhof für den König einen Pavillon im Schloßpark; am Rhein die Burg Stolzenfels für den Kronprinzen; ebenfalls für den Kronprinzen den Landsitz Charlottenhof im Park von Sanssouci bei Potsdam und schließlich für Prinz Friedrich die Burg Rheinstein, zu der Schinkel aber nur die Pläne geliefert hat. Der größte Auftrag kam von Prinz Albrecht und dessen Gemahlin Marianne: ein gotisierendes Burgschloß, in dessen Bau die energische Prinzessin oft eingriff. Es wurde erst 1863 vollendet.

Einen einheitlichen Einrichtungsstil hat Schinkel nicht angewandt, er fügte sich den Wünschen und dem Geschmack seiner Bauherren. Als Prinz Wilhelm und seine Gemahlin Augusta sich von Schinkel ein kastellartiges, gotisierendes Schlößchen in die Havellandschaft setzen ließen, wünschten sie sich dazu passend eine Einrichtung im gotischen Geschmack. Dagegen ließ sich Prinz Karl, der gegenüber am anderen Havelufer den Landsitz Glienicke besaß, alle Gebäude im noblen klassizistischen Stil umgestalten und zum Teil mit pompejanischen Motiven ausschmücken.

Als Schinkel 1814 den ersten größeren Dekorationsauftrag erhielt, waren die Kanonen im ersten Befreiungskrieg gerade verstummt. Prinz August, Chef der preußischen Artillerie und Neffe Friedrich des Großen, schickte schon vier Tage nach dem Einmarsch in Paris eine Order nach Berlin, er wünsche, daß im Palais Wilhelmstraße 65 in der oberen Etage Gesellschaftsräume eingerichtet würden, „wozu ich vorläufig seidenen Stoff“ bestimme. Schinkel solle zu Rate gezogen werden, weil er „viel Geschmack in dergleichen Geschäften besitzt“.

Doch die Sache kam nicht voran. Schinkel, wie immer voll beschäftigt, mußte dem Prinzen am 30. Oktober 1814 absagen, weil es ihm „leid tue, mich diesen Winter ganz außer Stande zu sehn, den Wünschen seiner Königlichen Hohheit Genüge zu leisten, indem ich außer einer großen Menge von Privataufträgen Seiner Majestät des Königs, Seiner Durchlaucht des Herrn Staatskanzlers“ Hardenberg über alle Maßen beschäftigt sei. Der König und Fürst Hardenberg waren auf dem Wiener Kongreß, und Schinkel mußte die Zeit ihrer Abwesenheit für Umbauten und Wohnungseinrichtungen nutzen.

Erst nach dem endgültigen Sieg über Napoleon, der Schlacht bei Belle Alliance, konnte Schinkel die Arbeiten für das Palais des Prinzen August beginnen, wobei er mit Erfolg den Schwager Berger als Baukondukteur empfahl, „als den einzigen mir jetzt bekannten, wirklich guten Zeichner, welcher zugleich für die Ausführung der Dekorationen geschickt ist“.

Der Prinz wünschte sich keine prunkvolle, aber doch höchst geschmackvolle Dekoration: drei Zimmer sollten mit Seide ausgespannt werden, eins davon wurde das Gelbe Kabinett, in dem sich der Prinz um

1817 von Franz Krüger in der Uniform der Gardeartillerie vor dem Bildnis der Madame Recamier, die er verehrte, porträtieren ließ. Die beiden anderen seidenen Zimmer wurden mit roter bzw. blauer Seide bespannt.

Als Seidenlieferant zog Schinkel seinen Freund Gabain heran, und er machte den praktischen Vorschlag, „die Stoffe für die Möbel sind glatt ohne Muster zu wählen, und besser die Verzierung nach der Form der Möbel darauf zu sticken". Wie gewissenhaft Schinkel die Arbeiten ausführte, bestätigt Waagen: Schinkel hätte sogar „die verschiedenen Farbenmischungen des Stuckmarmors auf einem Streifen Papier mit der grössten Genauigkeit als Vorbild für die Arbeiter" angegeben.

Schinkel lieferte nicht nur die Entwürfe, sondern er mußte auch die Arbeiten der Handwerker überwachen. Er verhandelte mit den Lieferanten über den Wert der Hölzer, die Qualität der Stoffe, über die Preise und Liefertermine. Er setzte Verträge auf, prüfte die Rechnungen und nahm Lieferungen ab.

Dem Prinzen aber ging die Arbeit nicht schnell genug voran. Schinkel mußte mehrfach versichern: „. . .alle Arbeiter, die bis jetzt bei dem Bau angestellt sind, schätzen sichs, außer ihrer sonst schon mir bekannten Rechtlichkeit und Tüchtigkeit, zur besondern Ehre, diesen bedeutenden Bau unterstützen zu können . . ." (an Kammerrat Hübner, 14. April 1816)

„Der Kondukteur Berger ist regelmäßig täglich mehrere Male im Bau selbst, teils in der ganzen Stadt herum, in den Werkstätten der Tischler, Vergolder, Bildhauer, Stuckateure pp., und die übrige Zeit zeichnet er Details bei mir für die verschiedenen Arbeiten, so daß Eure Königliche Hoheit in dieser Hinsicht keine Vernachlässigung zu befürchten haben." (An Prinz August, 3. Mai 1816)

Doch im Juli 1816 mußte Schinkel die Bauaufsicht überraschend seinem Schwager Berger übergeben, weil er von Bülow und Hardenberg den Auftrag zur Dienstreise nach Heidelberg bekommen hatte. Nach der Rückkehr vom Neckar und Rhein dauerte es noch gut ein halbes Jahr, bis die letzten Möbel für das Palais geliefert, die vier großen Kronleuchter zu 28 Kerzen sowie die vergoldeten Türgriffe mitsamt Rosetten – alles nach Schinkels Zeichnungen – angebracht waren.

Zur festlichen Einweihung gab der Prinz am 16. April 1817 in Anwesenheit des Königs ein Souper und einen Ball für rund 250 Gäste. Die 17jährige Hedwig von Stägemann, die Tochter des Staatsrats, berichtete ihrer Freundin Antoinette Schwinck: „Der Ball bei Prinz August war alles, was sich Glänzendes, Fürstliches und Feines denken läßt. Der Prinz weihte damit seine neue Einrichtung ein. Schinkel hatte alle Verzierungen, selbst die Muster in den Seidenstoffen angegeben."

Der Prinz August ließ Schinkel wissen, daß der Ausbau der oberen Etage des Palais „zu meiner vorzüglichsten Zufriedenheit beendet ist", und bewilligte ihm eine Gratifikation von 1000 Talern.

Schinkels Tätigkeit für den Prinzen hatte Folgen: Der Prinz ließ fortan im Palais kein Bild aufhängen und auch sonst keine größeren Veränderungen vornehmen, ohne Schinkels Rat einzuholen.

Als die greise Mutter des Prinzen, die verwitwete Prinzessin Ferdinand, am 10. Februar 1820 starb, erhielt Schinkel vom Prinzen den Auftrag, die Trauerfeier im Berliner Dom zu arrangieren.

Auf die Berliner Handwerksbetriebe, Stukkateure, Seidensticker, Maler, Zimmermeister, Vergolder, Bronzeure, Tischler, Kupferschmiede und Glaser wirkten die Arbeiten für den Palais Prinz August nach den Kriegsjahren so belebend, wie 50 Jahre vorher der Bau des Neuen Palais bei Potsdam durch Friedrich des Großen die Wirtschaft in Preußen nach dem siebenjährigen Kriege belebt hatte. Alle gingen mit einer besonderen Liebe an die Arbeit, um von neuem ihren Namen zu gründen.

Schinkel aber konnte in der täglichen Zusammenarbeit mit den verschiedensten Handwerksmeistern seine praktischen Kenntnisse erweitern und tüchtige Facharbeiter heranziehen. Zu ihnen gehörten die Tischlermeister Sewening und Wanschaff, der Spiegellieferant Baron von Eckardstein, der Zimmermeister Glatz und der Ofenfabrikant Feilner. Ihre Namen tauchen in den Abrechnungen der königlichen Kammern regelmäßig auf.

Schinkels nächster königlicher Kunde war von einem anderen Schlage als Prinz August, der in der königlichen Familie wegen seines lockeren Lebenswandels wenig geschätzt wurde.

Vetter Prinz Friedrich, den der König unter seine Obervormundschaft genommen hatte, als dessen Vater 1796 starb, war ein romantischer junger Mann von 22 Jahren, als er Schinkel 1817 den Ausbau des Palais in der Wilhelmstraße 72 übertrug. Anlaß war die Vermählung des Prinzen mit der Prinzessin Wilhelmine Luise von Anhalt-Bernburg. Da der König aber für seinen Neffen (der Sohn der Schwester von Königin Luise) nicht allzu tief in die Kassen greifen wollte, durfte die Einrichtung nur bescheiden ausfallen. Schinkel löste das Problem, indem er an den Kunstsinn und den Sammeleifer von Fritz Louis appellierte, der schon 1813 in Dresden Statuen aus Herkulaneum mit Entzücken betrachtet hatte. Er empfahl ihm, Kunstschätze zu sammeln.

Schinkel schaltete seinen Freund Rauch ein und schilderte ihm den Sachverhalt.

„. . .die Einrichtung kann auch nicht so brillant werden wie die des Prinzen August, weil sie der Prinz aus seinem eignen, ihm jetzt ausgezahlten Vermögen besorgt. Ich habe es auch dem Lokale unangemessen gefunden, an die Dekorationen und an die Architektur viel zu wenden, es wird nur das Anständige erreicht werden; dagegen habe ich den Prinzen beredet, in aller Art Kunstwerke zu sammeln und jährlich von seiner künftig sehr bedeutenden Apanage recht tüchtige Summen daranzusetzen, damit er seine Zimmer voll bekommt und Künstler beschäftigt werden. Zu den Kunstwerken werden auch alle Arten schöne Marmors gerechnet, doch wünschte ich, daß weniger auf Antiken gesehen würde als auf Arbeiten neuerer Meister und vorläufig zum Teil auf gute Kopien nach den schönsten Werken der alten Kunst. Ich habe mich deshalb von ihm beauftragen lassen, Sie zu ersuchen, bei Ihrem Aufenthalt in Italien aus den Studien, aus den Werkstätten der Künstler, Sachen zu notieren und Vorschläge deshalb einzureichen mit den jedesmaligen Preisen dazu." (Brief vom 23. März 1817)

Am 3. Januar 1818 zog Prinz Friedrich und seine Gemahlin in das fertig eingerichtete Palais ein. Das Palais sei „glücklich ausgefallen", berichteten zwei dänische Künstler, die auf der Durchreise waren, dem Bildhauer Rauch. Aufschlußreich ist Schinkels Rechtfertigung wegen der Mehrausgaben: „Daß diese Mehrausgaben keineswegs auf Verschwendungen sich gründen, wird jedermann zugeben, der dies Palais ansehen will, indem er finden wird, daß diese Palais in seinem Äußern und Innern kaum von den Privatwohnungen der Hauptstadt zu unterscheiden ist." (An Hardenberg, 5. August 1818)

Fritz Louis scheint zufrieden gewesen zu sein. Auch er hatte ein gelbseidenes Zimmer einrichten lassen, es gab ein blaues Wohnzimmer mit weißlackierten und vergoldeten, mit blaßgelber Seide bezogenen Möbeln, Alabastervasen, Mahagonimöbel und Seidenvorhänge. Hauptattraktion war aber seine Rüstkammer im gotisierenden Stil mit mittelalterlicher bunter Fensterscheibe, in der der Prinz Bilder und Waffen aufbewahrte.

Prinz Friedrich liebte den Blick zurück ins Mittelalter, er war ein Burgnarr, und der erste von den Prinzen, der eine Ruine am Rhein erwarb (1823). Die Voigtsburg, später auf den Namen Rheinstein getauft, wurde sein liebster Sommersitz. Prinz Friedrich wurde 1821 General der Kavallerie in Düsseldorf und lebte den größten Teil seines Lebens im Rheinland. Auf Burg Rheinstein ließ er eine Kapelle errichten. Dort fand er 1864 die letzte Ruhestätte.

Lebte Fritz Louis im Umkreis altdeutscher Romantik, so entschied sich sein Vetter Prinz Karl früh für die heitere Formenwelt der Antike.

Die Schätze des Südens hatte Prinz Karl als 21jähriger entdeckt, als er 1822 mit seinem Vater Friedrich Wilhelm III. und dem vier Jahre älteren Bruder Wilhelm nach Neapel reiste. Dies geschah im Anschluß an den Kongreß von Verona auf dem Beschlüsse gegen revolutionäre Umtriebe gefaßt worden waren. Die Regierungsgeschäfte führte währenddessen der Kronprinz, der spätere König Friedrich Wilhelm IV., der vermutlich während der Abwesenheit seines Vaters dem Museumsprojekt einen kräftigen Anstoß gab.

Die Italienreise hinterließ beim König und seinen beiden Söhnen bleibende Eindrücke. Friedrich

Wilhelm III. ließ sich von Schinkel im Charlottenburger Park die Villa nachbauen, in der er in Neapel unmittelbar am Meer gewohnt und die ihm so gefallen hatte.

Auch der biedere und verständige Wilhelm (der spätere erste Deutsche Kaiser) hielt die Erinnerung an Neapel fest: in seinem Palais Unter den Linden 37, das zwischen 1834–37 von Karl Ferdinand Langhans gebaut wurde, ließ er sich ein pompejanisches Zimmer für Erinnerungsstücke einrichten.

Die nachhaltigsten Eindrücke aber empfing Prinz Karl. Nach der Heimkehr am 1. Februar 1823 wuchs in ihm der Wunsch, antike Kunstwerke zu sammeln und ein Anwesen zur Unterbringung seiner Schätze zu schaffen. Er fand es 1824 in dem Gut Glienicke an der Havel, das er von den Erben des in Genua verstorbenen Fürsten Hardenberg kaufte. Schinkel hat die vorhandenen Gebäude, u. a. das Billardhaus (Kasino) und das Schloß im klassizistischen Stil umgebaut. Der Prinz ließ dann, wie er es in Italien gesehen hatte, an einer Außenmauer des Schlosses, an der Südwand des Kavalierhauses und in den kleineren Parkbauten Fragmente antiker Skulpturen und Schrifttafeln anbringen. Der berühmte Gartenkünstler Lenné übernahm die Umgestaltung des Parks.

Schinkels Freund Fürst Pückler, ein leidenschaftlicher Liebhaber der Gartenkunst, wurde vom Prinzen oft nach Glienicke eingeladen. „Gestern war ich in Glienicke“, schreibt Pückler am 4. Mai 1824 an seine Frau, „wo mich der Prinz Karl eingeladen hatte, um meinen Rath wegen seiner Anlagen zu hören. Es geht dort schon alles darüber und drunter, und ich fühlte recht lebhafte Theilnahme und Freude bei einem Streben, das so sehr auch das meinige ist.“

Der Fürst und der Prinz pflegten ihre Erfahrungen brieflich auszutauschen. Im Januar 1825 meldete sich der Prinz tief beeindruckt mit einem Schreiben an Pückler, er hätte gehört, „daß Sie noch in Muskau wären, und mit nichts Geringerem beschäftigt, als die Neiße durch Ihren Park zu führen! Wohl dem, dem solche Mittel zu Gebote stehen, dergleichen Riesenwerke in Ausführung zu bringen; ich tröste mich mit dem alten Sprichwort „Ein Jeder strecke sich nach seiner Decke“, und so habe ich denn die Anpflanzungen in Glienicke getrost angefangen nach einem Plan, den Lenné und ich, die Oertlichkeit stets im Auge habend, entworfen. – Jedes Kleinliche ist vermieden, und auch auf einstmalige Acquisition der angränzenden Berge Rücksicht genommen worden . . . Ich habe nicht übel Lust, mir eine Hirschbucht zu 30 Stück etwa anzulegen. – Schinkel ist aus Italien zurück, und reicher an Ideen als jemals.“ (Brief an Pückler vom 25. Januar 1825)

Schinkel, der im Auftrag des Königs die italienischen Museen studieren sollte, um daraus für den Berliner Museumsbau Nutzen zu ziehen, hatte u. a. im italienischen Süden für den Prinzen nach Kunsttrümmern gesucht. Dort erhielt er einen Brief von Rauch (vom 11. August 1824), der eine Bitte Seiner Kgl. Hoheit an Schinkel weitergab: „Prinz Karl wünscht zum Einmauern an seinem Kasino einige Fragmente und Inschriften aus Italien zu besitzen. Sie würden ihm gewiß sehr gefällig sein, könnten Sie ihm einige zusenden.“

Nach der Vermählung des Prinzen Karl mit der 19jährigen Prinzessin Marie von Sachsen-Weimar (26. Mai 1827), einer Enkelin des Goethe-Freundes Großherzog Karl August, wurde der Besitz eines Palais in der Residenz akut.

Der Zeitpunkt war denkbar glücklich. Schinkel war 1826 in England gewesen und hatte dort Beispiele des vornehm zurückhaltenden englischen Einrichtungsstils gesehen. Sir Charles Glienicke, wie Karl in der königlichen Familie genannt wurde, hatte offenkundig Schinkel entsprechende Weisungen mit auf die Reise gegeben:

Am 12. Juni 1826 schrieb Schinkel in sein Reisetagebuch: „Für die Einrichtung des Palais vom Prinzen Karl in Berlin sah ich mir darauf noch Fußteppiche, Kamine und dergleichen an, und ging dann mit den Begleitern den Palast des Marquis of Lansdowne, Shelbourne-House auf Berkeley Square, zu betrachten. Unter den Antiken zeichnen sich ein Merkur, eine Amazone . . . aus . . . Zwei geschmackvolle Säle enthalten diese Sammlung; die Tapeten und Gardinen sind goldgelb, der Teppich gelb mit einfachen braunen Ornamenten, die Pilaster weiß und mit bunten Arabesken und Bildern schön eingeteilt, und die an den Wänden hängenden alten Bilder sämtlich in goldenen Rahmen eingefaßt, obwohl sie auf den goldgelben Tapeten ruhen. Hinter einer Sofanische befindet sich ein prächtiger Spiegel; die Möbel stehen wie überall in England in der Mitte der Zimmer umher . . ."

Der Einfluß englischer Stilmerkmale auf die Innendekoration Schinkels ist eindeutig nachzuweisen. Die Aufteilung der Wand durch einen umlaufenden Sockel wie beim Teesalon in der Wohnung des Kronprinzen oder der Speisesaal im Palais des Prinzen Albrecht sind dafür beispielhaft. Darüber hinaus verwendete Schinkel im Palais Prinz Karl bei der Gestaltung der Festsäle in großzügiger Weise Motive pompejanischer Wandmalerei als Vorbilder.

Schinkel verarbeitete im Palais Eindrücke seiner Italienreise von 1824. Er hatte Pompeji und Herkulaneum, wo seit 1808 mit Unterbrechungen systematisch gegraben wurde, besichtigt und war tief beeindruckt: „In jenen verschütteten Städten ist nicht des geringsten Mannes Haus ohne Kunst; jeder hatte die Bildung, sich mit Gebildeten, an welchen Gedanken ausgesprochen sind, zu umgeben, und so entwickelte sich ein unendlicher Reichtum der Gedanken und eine Feinheit derselben, worin der Grundzug eines wahren Kulturzustandes herrscht."

Der Klassizismus hatte die antiken Wandmalereien schon früh okkupiert. Ornamente à la grècque waren geradezu Mode. Unter dem Eindruck der antiken Malereien entschloß sich Schinkel erstmals zu einer durchgehenden Ausmalung mehrerer großer Räume, wobei er die Wände mit Girlanden, mythologischen Figurenfriesen und Scheinarchitekturen bemalen ließ. Die reifste Schöpfung ist die Wandgestaltung in der Galerie (Großer Speisesaal), wo gemalte steinerne Nischen, Springbrunnen vor dunkelgrünem Laub und das auf die Saaldecke gemalte Sonnensegel die Illusion eines südlichen Laubenganges zaubern. Ein Zusammenklang von leuchtendem Blau, dunklen Grün, Marmorweiß und tiefroten Farbakzenten.

Dabei arbeitete er wieder einmal mit sparsamsten Mitteln: Auf die geglätteten Wandflächen wurde das mit antikischen Motiven bemalte Papier aufgeklebt, und darauf wiederum ausgeschnittene Tapetenborte und farbige Papierfigürchen aufgeleimt. Gustav Friedrich Waagen betonte später zu Recht, Schinkel habe mit seinen gemalten Dekorationen die „langweilige, echt barbarische Pracht . . . und die gedankliche Armut der Dekoration mit nur dem Wert nach kostbaren Stoffen . . . zum Teil verscheucht . . ." Der Bau mit seinen reichen Dekorationen ist im Dezember 1828 nach knapp anderthalbjähriger Arbeit beendet worden. Am 31. Dezember morgens bezogen die Schildwachen ihre Posten, und am Abend gab es eine rauschende Silvesterfeier, zugleich das Einweihungsfest, zu dem auch der König kam. Auch Schinkel befand sich unter den Gästen. Am Neujahrstag schenkte ihm Prinz Karl eine goldene Dose mit wertvollem Inhalt – als Anerkennung und Dank für die künstlerische Arbeit im Palais.

Als Prinz Albrecht, das letzte von sieben am Leben verbliebenen Kindern des Königs, sich im September 1830 vermählte, machte er, wie man so sagt, eine gute Partie. Seine Braut, Prinzessin Marianne der Niederlande, soll dreißig Millionen mit in die Ehe gebracht haben.

Marianne war neunzehn und Abbat, wie er in der Familie genannt wurde, knapp einundzwanzig. Aber Prinz Albrecht heiratete seine muntere Kusine wohl vor allem deshalb so früh, weil seiner Jugend die Frauenliebe gefehlt hatte. Als seine Mutter, Königin Luise, starb, war „Abbat" erst neun Monate alt.

Er hatte sich für das Anspachische Palais in der Wilhelmstraße 102 entschieden. Das war keine feine Wohngegend, denn dort wohnten Weber, Gärtner und Viehmäster, aber zum Palais gehörte ein Park, in dem Prinz Albrecht eine Reitbahn und Pferdeställe anlegen konnte. Denn er war ein ausgemachter Pferdenarr und das Studium ausländischer Reitmethoden eines seiner wenigen Spezialgebiete.

Schinkel hat mit den Arbeiten für das Palais und die Bauten im Park 1830 begonnen und sie zu einem einheitlichem Ganzen gestaltet. Es war der letzte von ihm für ein Mitglied der königlichen Familie geschaffene städtische Wohnsitz.

Das Paar scheint sehr stolz auf sein neues Heim gewesen zu sein, denn Prinzessin Marianne gab das Haus wenige Tage vor der offiziellen Einweihung zur Besichtigung frei; doch weil ein Massenansturm nur mit Mühe verhindert werden konnte, wie Schinkel berichtete, blieb es eine Zeitlang danach ganz geschlossen.

Prinzessin Augusta, die Gemahlin des Prinzen Wilhelm, verglich Albrechts Feenschloß, das Gegenstand allgemeiner Bewunderung war, mit der Wohnung Prinz Karls: „Nach meiner Ansicht ist jedoch Karls Wohnung obgleich sehr viel bescheidener in mehr als einer Hinsicht vorzuziehen." (Brief vom 28. April 1832) Und am 9. Mai 1832 dem Einweihungstag und Geburtstag der Prinzessin Marianne fügt sie hinzu: „Schließlich ist es Tatsache, daß Pracht und Eleganz in der Dekoration vorherrschen, aber daß nach meinem Geschmack eine vornehme Einfachheit, die trotzdem reich sein kann, wenn ich mich so ausdrücken darf, dieser nun einmal etwas spielerischen Wirkung vorzuziehen ist."

Die Einrichtung machte noch einmal Furore, als Schinkels Entwürfe zum Albrechtpalais im Herbst 1832 auf der Akademieausstellung gezeigt wurden. Überliefert ist eine Zeichnung vom Ovalen Speisesaal mit üppigen Ornamenten und antikischen Wandbildern. Überliefert ist außerdem ein schinkelscher Entwurf im pompejanischen Stil, der für den Speisesaal gemalt, aber gegen einen weniger reizvollen ausgetauscht worden ist.

Auch Prinz Karls Palais war noch lange Familiengespräch im königlichen Haus. Aus seiner Düsseldorfer Garnison berichtete im Mai 1829 Prinz Friedrich, wie neugierig er auf Karls neue Wohnung sei. „Sein Palais soll ja alles übersteigen, was sich denken läßt . . . Es ging sogar die Fabel um, Sir Charles hätte das damalige Etablissement des Königs an Pracht übertroffen." Prinz Wilhelm verteidigte den Bruder gegen den Vorwurf der Verschwendung und fand genau die richtigen Worte: „. . .Denn sonst kann ich in Karls Palais nirgends übermäßige Pracht finden; mir scheint, daß man heutzutage den reinen und guten edlen Geschmack immer mit der Pracht verwechselt."

69 Titelbild zu Brentanos geplanter Sammlung *Mährchen von den Mährchen.* Unter einem Baldachin sitzt die böse Mohrin Rußika im Kreis der märchenerzählenden Spinnerinnen. Schinkel malte das Aquarell 1825. Aber erst 21 Jahre danach erschien der erste Band Brentano-Märchen – ohne das Titelbild.

70 Querschnitt durch die Vorhalle von Schloß Charlottenhof. Schinkel mischte hier bei der Gestaltung der Wände spielerisch pompejanische, römische und Renaissance-Ornamente. Delphin und Akanthusranke verwendete er oft bei Wanddekorationen.

71 Staatszimmer für das Palais des Prinzen August. Die Wände sind mit karmesinrotem Damast bespannt, umrahmt von goldenen Leisten. Unter der Decke ein Gesims von Akanthusblättern. Die hohen zum Garten gehenden Fenster sind mit einer Draperie aus gelbem Rips mit Quasten und seidenen Fransen dekoriert. In ihrer Mitte befindet sich ein breiter Pfeiler mit Spiegel und Leuchtern. Die Karyatiden, die zinnenartige Türgesimse tragen, sind knapp 1,50 Meter groß. Die Zeichnung stammt vielleicht von Schinkels Schwager, der die Umbauten alleinverantwortlich beaufsichtigen mußte, als Schinkel 1816 nach Heidelberg und an den Rhein fuhr.

72 Säulenhalle. Zeichnung von 1802, bevor Schinkel die Antike aus eigener Anschauung kennenlernte.

73 Das Atrium im Schlößchen Tegel. Der vorhandene Bau wurde von Schinkel erweitert und auf Wunsch des Eigentümers, Wilhelm von Humboldt, z. T. im griechischen Stil gehalten. Humboldt besaß eine beachtliche Sammlung antiker Skulpturen. Ein Schmuck des Hauses ist der im Atrium aufgestellte römische Marmorbrunnen.

74 Entwurf für die Wanddekoration im Speisesaal von Schloß Babelsberg, dem Sommersitz des Prinzen Wilhelm. Seine Braut, Prinzessin Augusta, schwärmte für englische Landhäuser im gotischen Stil. Sie lieferte Schinkel unermüdlich eigene Skizzen. Sogar gepolsterte gotische Stühle, ein gotischer Schreibtisch und andere ausgefallene Möbel kamen ins Schloß.

75 Schnitt durch den Mittelteil der beiden Stockwerke des Pavillons im Schloßpark Charlottenburg. Im Vestibül sieht man einen 2,56 m hohen von Schinkel entworfenen Kandelaber aus gebranntem und dunkelgrün bronziertem Ton. Der Leuchter wurde in der Ofenfabrik Feilner hergestellt.

76 Farbiger Entwurf für die Dekoration des Südzimmers im pompejanischen Stil im Kasino Glienicke. Links die westliche Fensterwand mit üppig drapierter violetter Gardine, rechts ein Teil der Längswand mit Blick auf die Terrasse und die Havel: darunter ein Muster der Zimmerdecke mit Sternen, Palmetten und Ranke.

HASSE
SEB: BACH
GRAUN
FASCH
MOZART

78 Ein weiß gemaltes Zeltdach mit den farbig dargestellten neun Musen schmückt das Halbrund über dem Zuschauerraum des Schauspielhauses am Gendarmenmarkt. Zwischen Zeltrand und vergoldeter halbkreisförmiger Umrandung sollte blaue Farbe den nächtlichen Himmel andeuten.

77 links: Der Konzertsaal im Berliner Schauspielhaus. Wände und Decken sind mit Stuckmarmor überzogen, die Ornamente zum Teil vergoldet. Die Kassettenbilder sind in leuchtenden Farben ausgemalt. An den Wänden die Büsten berühmter Komponisten. Der Saal wurde mit erwärmter Luft beheizt, die aus großen Kandelabern unter der Königsloge (links auf der Galerie) strömte.

79 Entwurf für die Ausschmückung der Balkendecke in den Skulpturensälen des Museums (Untergeschoß). Die unschönen Tragebalken erhielten Ornamentbeschläge, in die Mitte der dazwischenliegenden Felder kamen gemmenartige Motive, und zwar in allen Räumen.

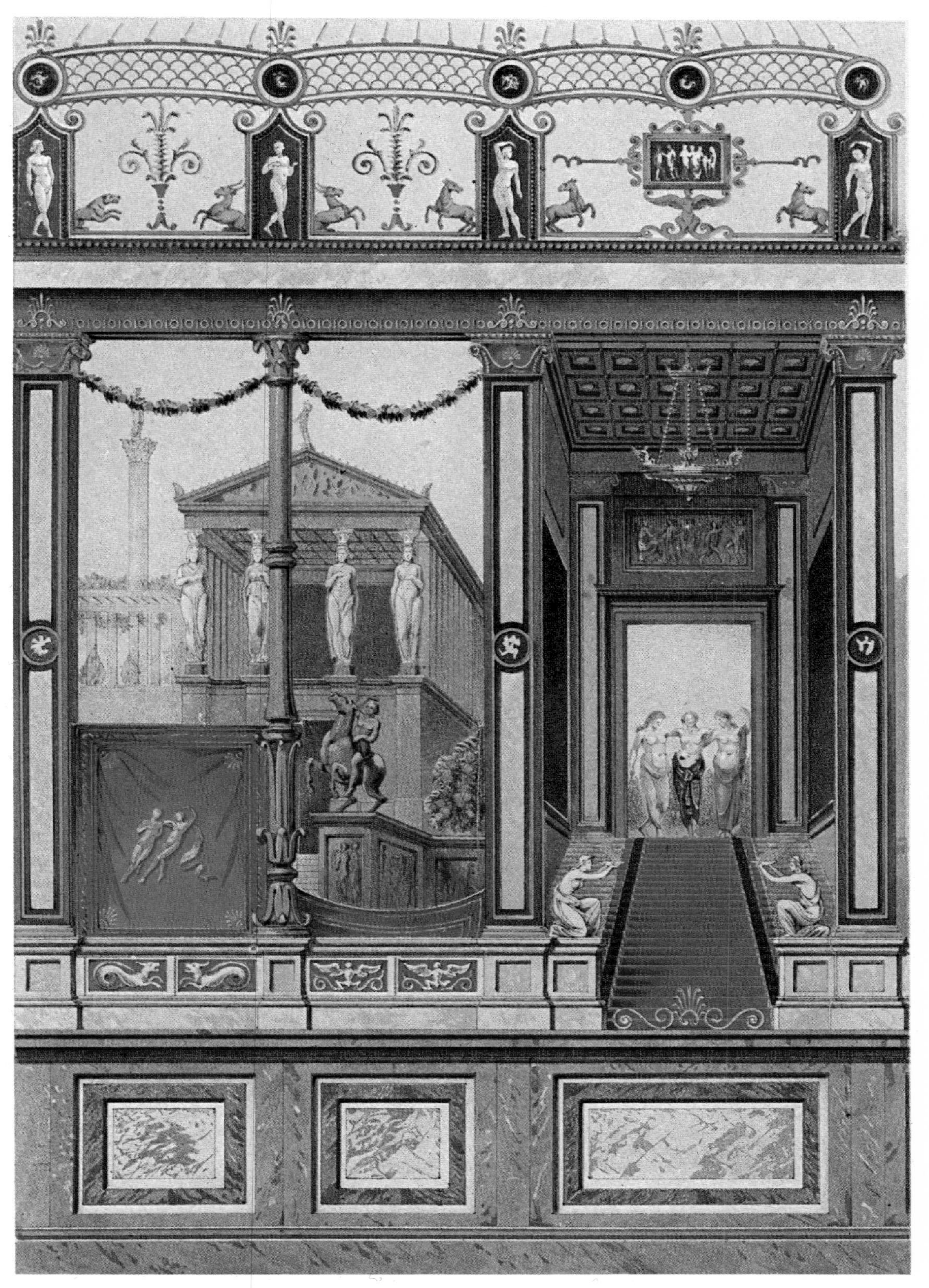

80 Entwurf zur Wanddekoration für das Palais des Prinzen Albrecht – eine reizvolle Scheinarchitektur mit perspektivischen Effekten. Eine mit rotem Teppich ausgelegte Treppe scheint ins Freie zu führen, wo sich drei Grazien umarmen.

81 Ein Musterblatt aus den *Vorbildern für Fabrikanten und Handwerker.* Es zeigt die Steinkonstruktion des Gesims- und Deckenwerks der Propyläen im Heiligtum von Eleusis bei Athen – so, wie sie Schinkel „nach den Schriftstellern der Alten" rekonstruierte.

# *Kunstgewerbe*

Im Frühjahr und Sommer 1826 fuhren Schinkel und der mit ihm befreundete Staatsrat Beuth nach Frankreich und England, um sich über die Einrichtung der Museen in Paris und London sowie über den Leistungsstand von Industrie und Gewerbe zu informieren. Beuths Augenmerk galt vor allem neuen technischen Fertigungsmethoden, den Walzwerken, Baumwollspinnereien, Fördermaschinen etc.; Schinkel suchte Anregungen für Fabrikbauten und für die Gewinnung neuer Baustoffe. Sie bewunderten den grandiosen technischen Fortschritt, sahen aber auch mit Beklemmung die Nachtseite dieser überstürzten Industrialisierung. „. . .in Manchester, wo wir gestern waren, sind seit dem Kriege 400 neue große Fabriken für Baumwollspinnerei entstanden, unter denen mehrere Gebäudeanlagen in der Größe des Königl. Schlosses zu Berlin stehn, tausende von rauchenden Obelisken der Dampfmaschinen ringsum, deren Höhe von 80 bis 180 Fuß allen Eindruck der Kirchthürme zerstört", berichtet Schinkel. „Alle diese Anlagen haben so enorme Massen von Waaren producirt, daß die Welt davon überfüllt ist, jetzt 12 000 Arbeiter auf den Straßen zusammenrottirt stehn, weil sie keine Arbeit haben." (An Susanne, 19.7.)

In Birmingham besuchten sie einen Mr. Thomason und sahen „dessen Warenlager von Plattiertem, Silberarbeiten, Bronzen, Glas usw. und seine Fabrik . . . Wir machen noch einen Gang in eine Papiermachéfabrik und zu einem Drahtflechtfabrikanten. Wo sich schöne Kunst blicken läßt, ist alles unerträglich . . ." (Tagebuch vom 19. Juni, 1826)

Auch in London, wo „die Sünden übel nachgeahmter antiker Architektur" und „die Menge der leicht und mit ermüdender Monotonie gebauten Wohnhäuser" Schinkels Mißfallen erregten, durchstöberten sie Werkstätten und Einrichtungsgeschäfte. Am 31. Mai notierte Schinkel: „Dann gingen wir in verschiedene Läden und sahen namentlich Möbel an." Und zwei Tage später: „Wir sahen bei H. & D. die Arbeiten eines Malers, der Eichenholz mittelst Kämmen und breiten Pinseln täuschend nachahmte. Die Instrumente wurden von uns gekauft." Eine groteske Situation. Zwei hohe preußische Regierungsbeamte kaufen im Ausland Kämme und Pinsel, um daheim ein Verfahren zur Imitation von Eichenholz, das bei ihnen ja reichlich wächst, zu erproben. Aber Preußen war noch immer ein armes Land und in gewerblicher Hinsicht ein Entwicklungsland. Seine Manufakturen, Webereien, Gießereien und Tischlereien konnten sich mit den französischen und englischen Spitzenwerkstätten nicht messen.

Wenn sich Schinkel auf seinen Reisen auch um solche Kleinigkeiten kümmerte, so hatte das einen tieferen Grund. Die romantische Einheit der Künste war für ihn kein leerer Begriff. Als Architekt sah er auch stets auf das Ganze: ein Gebäude, seine Innendekorationen, die Plastiken, Tapeten und Möbel sollten sich harmonisch zusammenfügen. Schinkel: „Der Architekt ist seinem Begriff nach der Veredler aller menschlichen Verhältnisse, er muß in seinem Wirkungskreise die gesamte schönste Kunst umfassen. Plastik, Malerei und die Kunst der Raumverhältnisse nach Bedingungen des sittlichen und vernunftgemäßen Lebens des Menschen schmelzen bei ihm in einer Kunst zusammen."

Diese Erkenntnis hatte er früh. Schon als 17jähriger Schüler der Bau-Academie „übte [er] die Kunst ein wenig schon durch Entwerfen von Bauprojecten und Formen für Geschirre, Vasen, Öfen, Meubles, Bronzen, Monumenten in Eisenguß, Bronze und Stein . . .", berichtet Schinkel 1826 in seiner bei Brockhaus gedruckten Selbstbiographie.

Diese kunsthandwerklichen Fähigkeiten verhalfen ihm noch vor seiner ersten italienischen Reise, als er sich als Architekt selbständig machte, zu ansehnlichen Nebeneinnahmen, weil er „vielfach für die

Eckartsteinsche Fayence-Fabrik beschäftigt war, indem er für dieselbe Zeichnungen zu allerhand Gefässen lieferte, auch Teller, Vasen u. dergl. eigenhändig mit Malereien versah. Er hatte hier ein festes Einkommen, welches sich auf 300 Thaler belief", erzählt der Schinkel-Biograph Kugler.

Nach der Heimkehr von seiner ersten Italienreise (1805) arbeitete Schinkel viel mit Tobias Christoph Feilner zusammen, einem gelernten Töpfer aus der Oberpfalz, der in Berlin 1812 die Werkstatt seines Chefs übernahm, in der damals rund 120 Arbeiter beschäftigt waren.

Feilners Berühmtheit gründete sich auf die von ihm entwickelten sauberen weißen Glasuren für die sogenannten „Berliner Kachelöfen", die bald die eisernen Ungetüme verdrängten.

Seine größte Bedeutung aber lag in der Entwicklung neuer Baukeramik wie Fassadenschmuck, Skulpturen und Reliefs, an der Schinkel lebhaft Anteil nahm.

Auch Gottfried Schadow, seit 1805 Rekor der Kunstakademie, hatte die im Ton schlummernden Anwendungsmöglichkeiten früh erkannt. Über die Ausstellung von 1806 ist in seiner Selbstbiographie zu lesen: „Untergeordnete Fächer schritten fort; man sah von einer Töpferwerkstatt ausgehen: Oefen, Camine, Gefäße und ganze Figuren, wo hohe Erfindungsgabe mit den Handgriffen des Gewerks und den chemischen Kenntnissen sich vereint hatten, nämlich Schinkel, der Architect, und Feilner, der Töpfer-Meister, und ein Material erhielt wieder seinen Werth."

„Was man mit diesem Material herstellen kann", erkannte Schinkel, Sohn der felsarmen Mark, schon auf seiner ersten Italienreise beim Anblick der aus Mauerziegeln gebauten Paläste in Ferrara und Bologna; „sie haben etwas für uns sehr Anwendbares, was ebensosehr der Solidität unserer Gebäude als ihrer Schönheit Vorteil bringen würde: das ist der Bau mit gebrannten Ziegeln, den man hier in manchen Kirchen und Palästen in der höchsten Vollkommenheit sieht."

In Berlin hat Schinkel dann zusammen mit Feilner eindrucksvolle Beispiele für Kunstkeramik geliefert. Mehrfach stellten sie ihre Erzeugnisse auf der Akademieausstellung aus. Meisterstücke waren zwei 2,56 Meter hohe Kandelaber aus gebranntem Ton, deren Anstrich patinierte Bronze vortäuschte.

Um „diese Fabrikation noch gemeinnütziger und für gewöhnliche Bürgerhäuser anwendbar zu machen" (Schinkel), errichtete Feilner 1829 in der Hasenhegerstraße ein in klassischer Tradition gebautes Wohnhaus aus Backstein mit schmückenden Tonreliefs unter den Fensterbrüstungen und anderem, sparsam angebrachtem Zierat. Ein Vorbild für die Veredlung des Ziegelbaus, den Schinkel wenige Jahre später mit der Bauakademie, deren Fassaden aus lasierten Ziegeln bestanden und mit reichem Keramikschmuck versehen waren, zu einem Höhepunkt führte.

Die aus einem Mangel heraus zu hoher Blüte entwickelte, auf antike Vorbilder zurückreichende Terrakottakunst, prägte mit zwei weiteren Gewerbezweigen wesentlich das Bild des preußischen Klassizismus: diese beiden anderen Techniken sind der Zinkguß und der Eisenkunstguß, beides Verfahren, die Schinkel außerordentlich förderte.

Der Eisenkunstguß, seit 1804 in der Königlichen Berliner Eisengießerei neben den schon bestehenden Hütten in Gleiwitz und Malone gepflegt, erhielt seinen Adel in den Jahren der Not, in denen man um des Vaterlands Befreiung Gold für Eisen gab. Die Gießereien fabrizierten patriotische Medaillen, eiserne Trauringe, Vasen, Leuchter, Spiegelrahmen, Uhrenständer und unzählige andere kunstgewerbliche Gegenstände. Besonders beliebt waren Denkmäler im Kleinstformat. Das schwarze, spröde Metall kam dem Geschmack der Menschen entgegen, denn es wurde Symbol preußischer Sparsamkeit, erlaubte aber gleichzeitig Erzeugnisse von hoher Kunstfertigkeit. Berliner Eisen, „fer de berlin", wurde nach den Freiheitskriegen im Ausland ein Markenbegriff für Schmuckwaren aus feinstem Eisenfiligran und Eisengespinst.

Schinkel war von der vielseitigen Verwendungsmöglichkeit des Eisens fasziniert. Von ihm stammen die Entwürfe für gußeiserne Gartenbänke im Park des Charlottenburger Schlosses, die vielgliedrige gotisierende Eisenlaube über dem Denkmal für Königin Luise in Gransee bei Berlin, er schuf das anmutige Seepferdchengeländer auf der Schloßbrücke, das eiserne Kriegsdenkmal auf dem Berliner

Kreuzberg mit den zwölf Genien von Rauch, Tieck und Wichmann. Zunehmend verwendete er Eisen auch für seine Bauten. So stützte er im Schauspielhaus die Logen nicht mit Steinpfeilern ab, sondern mit zierlichen und noch dazu tragfähigeren vergoldeten Säulchen, die die Sicht auch weniger behinderten.

Ein völlig neues Gebiet erschloß Anfang der 30er Jahre der Zinkguß. Bahnbrechend war hier Philipp Conrad Moritz Geiss, Sohn eines Eisenkunstgußfabrikanten, der 1832 die väterliche Firma auf Zinkguß umstellte und mit dem Guß von Kopien antiker Skulpturen, Gesimse, Säulen, Kapitelle, und anderen Bauteilen begann.

Schinkel, dem Geiss seine Produkte vorgeführt hatte, förderte diese Technik nach Kräften und stellte ihr 1840 ein hervorragendes Zeugnis aus:

„Je mehr man mit dem Zinkmetall umgeht und Gelegenheit hat, seine Aufwendung in der mannigfaltigsten Art zu fördern; finden sich fortwährend die bedeutendsten Vortheile des Materials, besonders für die Anwendbarkeit in der Architektur . . . Alle Ornamente, durchbrochene Arbeiten und Spitzen, welche sich aus der Architektur frei erheben um durchsichtige Krönungen in der Architektur zu bilden, werden in dem Metall auf die leichteste, solideste Weise hergestellt . . . Die vielen Vortheile, welche dies Metall in der Architektur der Meubles an die Hand giebt, an Vasen im Freien zu stellen und an anderen Gegenständen, z. B. Kandelabern, Schalen etc. wo es zugleich weniger Beschädigungen ausgesetzt ist als der Stein, ferner bei der Verkleidung roher eiserner Stützen in schönsten Säulenformen und Konsolen, Thürverkleidungen und anderen reich verzierten Architekturstücken giebt die Uebersicht seiner außerordentlichen Nützlichkeit und wird es für die Architektur künftighin unentbehrlich machen, wie es zu gleicher Zeit dazu beiträgt den Umfang der Architektur immerfort zu erweitern."

Und Schinkel führte auch gleich ein Beispiel aus der Praxis an: „Wir haben jetzt eine große Herstellung des Universitätsgebäudes beendigt, bei welchem etwa 1600 Fuß Hauptgesims mit Medaillons aus Zink hergestellt sind . . ."

Das war es eben! Das Verfahren führte dazu, daß kunstvolle Steinmetzarbeiten, durch Blechkopien verdrängt wurden und „Skulpturen" aus wertlosem Material Giebel und Gesimse schmückten. Daß nun auch immer häufiger nicht mehr materialgerecht verarbeitet wurde, dafür hatte man in dieser auf Sparsamkeit und Nützlichkeit ausgerichteten Zeit offenbar kein Empfinden.

Zu Schinkels ehrgeizigsten, jedoch nicht immer gelungenen gewerblichen Arbeiten gehören unzählige Möbel; die meisten davon entwarf er für die Innenausstattung der königlichen Paläste. Etwa um 1810, bei der Einrichtung einiger Räume im Palais Friedrich Wilhelm III., entwarf er für Königin Luise ein Bett aus hellem Birkenholz im Empirestil mit den typischen Bänder- und Schleifenornamenten, dazu zwei zierliche Toilettentischchen.

Der Entwurf stand stark unter französischem Einfluß, und auch in den späteren Jahren konnte er sich von fremden Vorbildern niemals ganz lösen. Einen eigenen Möbelstil hat Schinkel nicht entwickelt. Ornamente wie Greif, Sphinx, Palmette und Adler borgte er sich vom Empire. Am ehesten dem preußischen Klassizismus gemäß sind die Möbel für die prinzlichen Palais, die nach seiner Englandreise entstanden und neue Einflüsse verraten. So ersetzte er die im Empire sonst üblichen aufgenagelten Bronzeelemente durch vergoldete Schnitzereien. Ein weiteres spezifisch englisches Merkmal war das Einlegen von Messingstäben in Holz.

Am originalsten zeigte er sich bei der Entwicklung von Schränken, Vitrinen oder Schreibsekretären, weil ihre kantigen Formen architektonische Gliederungen erlaubten.

Nach dem Ende der Freiheitskriege begannen die Mitglieder der Königsfamilie damit, nach und nach ihre Wohnungen neu zu gestalten und, repräsentative Räume für die Söhne des Königs einrichten zu lassen. Diese Arbeiten übernahm Schinkel. Durch die Tätigkeit für das Königshaus konnte er einen Stamm tüchtiger Handwerker heranbilden, die auch die schwierigsten Arbeiten ausführen konnten. Einen hervorragenden Kunsttischler fand er in Karl Wanschaff. Noch immer galt das französische

Entwurf einer Gruppe für die Ecken der höher geführten Mittelpartie des Museums (aus: Architektonische Entwürfe)

Entwürfe für eiserne Brückengeländer (aus: Vorbilder für Fabrikanten und Handwerker)

Tischlerhandwerk als überlegen, doch Wanschaffs Möbel gefielen auch den kritischen Abnehmern bei Hofe. Schinkel schrieb am 17. Oktober 1816 in den Abnahmebericht zum Palais Prinz August: „Die Mahagoni-Bücherschränke im Bibliothekszimmer S. K. Hoheit des Prinzen von Preußen, welche der Tischlermeister Wanschaff angefertigt, sind von mir in allen ihren Teilen durchgegangen und revidiert worden; die gesamte Arbeit habe ich den Angaben volkommen gemäß, sauber und in dem besten Material ausgeführt gefunden, so, daß diese Arbeit als ganz vollendet und abgeschlossen angesehen werden kann . . ."

Als exzellenten Fachmann für Seidenstoffe hatte Schinkel den Fabrikanten Gabain (im Gabainschen Hause hatte er als junger Mann gewohnt), der die Stoffe für Möbel und Tapeten lieferte, zur Verfügung. Über die Einweihungsfeier der prachtvollen Wohnung des Prinzen August heißt es in den Erinnerungen von Hedwig Stägemann (spätere Olfers): „Schinkel hatte alle Verzierungen, selbst die Muster in den Seidenstoffen angegeben. Alle freuten sich darüber, daß es Berliner Zeuge waren und nicht Pariser Arbeit, und wie weit sie diese in Geschmack, Schwere und Eleganz übertrafen." Allenthalben spürte man das Bedürfnis, sich von den ausländischen Erzeugnissen unabhängig zu machen und sie an Qualität noch zu übertreffen.

Während des Aufbaus des Schauspielhauses (1818–1821) ruhten die Arbeiten für das Königshaus, aber Schinkels kunstgewerbliche Produktion lief nebenher. Schadow berichtet 1818: „Nach Schinkels Zeichnung ward ein kostbares Schwerdt angefertigt, auf dessen Scheide zwischen Verzierungen der heilige Michael als Haupt-Emblem gar wohl gelungen zu sehen waren." Keine Ausstellung verging, auf der nicht irgendwelche Gegenstände nach Schinkels Entwürfen zu sehen waren.

1818: Ein silberner Humpen mit getriebenen Verzierungen und von Rittern umgeben, in alterthümlichem Geschmack". 1820: „Ein silberner Pokal mit Figuren und Weinlaub". 1822: „Ein runder Tempel mit 24 Säulen, nach der Angabe des Herrn G.O.B.R. Schinkel, aus weißem Kararischen Marmor, zu einem Aufsatze passend". 1822: „Ein Arbeitstisch für Damen" usf. Die Schauspielerin Caroline Bauer erinnerte sich, daß ihr Kollege Unzelmann zum Abschied von der Bühne 1821 „einen prächtigen Silberpokal, nach Schinkels Zeichnung gefertigt" als Geschenk erhielt.

Hätte er eine Werkstatt für Möbel und kunstgewerbliche Gegenstände eingerichtet, so hätte er davon gut leben können. Kundschaft gab es genug, vor allem bei den Damen. Sein Schwiegersohn Wolzogen erzählt: „Die Berliner Damen aber konnten fortan kaum ein Vielliebchen mehr verlieren, ohne dem immer zur Aushülfe bereiten und immer mißbrauchten, von Arbeit fast erdrückten Künstler eine Zeichnung für ein Nähtischchen, ein Schmuckkästchen, eine Tischplatte, eine Fußbank, einen Garten oder Blumentisch, ein Postament oder eine Vase, ja selbst für Armbänder und andern Schmuck abzuquälen."

Auch die königliche Familie ließ nicht locker: 1824 war es der kunstliebende Kronprinz, für den im Berliner Schloß eine Wohnung ausgebaut und neu möbliert werden mußte – natürlich mit schinkelschen Möbeln. Dieser Umbau nahm drei Jahre in Anspruch. Zur selben Zeit wuchs bereits der Museumsbau aus dem Boden. Außerdem wünschte man Möbelgarnituren für den Landsitz Glienicke an der Havel, für Charlottenhof im Park von Sanssouci und für das Sommerhaus Friedrich Wilhelm III. im Charlottenburger Schloßpark. Diese Arbeiten zogen sich über Jahre hin: die Burgen am Rhein, das Schlößchen für Wilhelm von Humboldt in Tegel bei Berlin, das Schinkel gemeinsam mit Rauch zu einem klassizistischen Kleinod gestaltete; und es folgte der Adel mit nicht weniger anspruchsvollen Wünschen.

Doch wenn auch die Berliner Handwerksbetriebe vereinzelt zu Höchstleistungen fähig waren, so mangelte es doch an systematisch geschultem Nachwuchs. Schinkel sah nur zu genau, welch weiter Weg zurückzulegen war, bis das preußische Gewerbe mit den wachsenden Ansprüchen Schritt halten konnte.

Ein großer Schritt nach vorn war die von Staatsrat Beuth 1820 in Berlin ins Leben gerufene Technische Schule (das spätere Gewerbeinstitut), die in der Klosterstraße in einem eigens dafür umgebauten Barockpalais am 1. November 1821 den Lehrbetrieb begann. Die Schule hatte eigene Lehrwerkstätten in den Kellern, Öfen für die Glasherstellung und zum Metallschmelzen, Tiegelgießerei, Schmiede, Dreherei und sollte diejenigen Handwerker ausbilden, die künstlerisch geschult werden mußten; z. B. Töpfer, Gürtler, Schiffbauer, Tischler u.s.w.

Durch die Räume dieser Musterschule, die für die Gewerbeschulen ganz Preußens Vorbild sein sollte, wehte ein Hauch spartanischer Disziplin und strenger Ordnung. Die Technische Schule betrachtete sich als Zuchtstätte der gewerblichen Elite. Beuth wollte nämlich nicht nur hervorragende Facharbeiter, sondern auch moralisch einwandfreie Persönlichkeiten heranbilden. In diesem Leitgedanken berührte er sich mit Schinkels Auffassung von der erzieherischen Funktion der Kunst. Und dies erklärt auch die äußerst strenge Auslese und Disziplin am Gewerbeinstitut, deren Grundsätze Beuth im September 1829 in 400 Exemplaren nach seinem eigenhändigen Konzept drucken ließ:

„Es ist Pflicht der Zöglinge des K. Gewerbe Instituts, sich der Wohlthat werth zu zeigen, welche der Staat ihnen durch die Aufnahme angedeihen läßt. Diese Anstalt ist nur für sehr fähige, fleißige, ordentliche und moralische Menschen bestimmt; andere werden daraus entfernt. Ihr anzugehören soll eine Auszeichnung seyn. Wahrer Gewerbfleiß ist nicht ohne Tugend denkbar."

Die Lehrpläne sahen vor:

„Mehr als 30 Schüler werden nicht zugleich unterrichtet. Der Unterricht wird kostenfrei ertheilt. – Die Disciplin ist streng; nachlässige Schüler, oder solche die dem Unterrichte nicht folgen können, werden in den ersten Monaten entlassen, damit sie die Lehrer nicht ermüden und andern kein schlechtes Beispiel geben." – Jeder Lehrstoff wurde zweimal behandelt. In der ersten Stunde wurde gelernt und in der zweiten wiederholt.

Die Aufsicht über das Berliner Gewerbeinstitut und die anderen Gewerbeschulen in der Provinz behielt Beuth in den folgenden Jahren ausschließlich (und „ohne Schreiberei"!) in seinen Händen.

Schinkel hat an Beuths Schule nicht gelehrt und auch nicht an der Bauakademie, obwohl er am 20. Dezember 1820 den Professorentitel erhielt. Aber er hat mit Beuth in allen Fragen der Gewerbeförderung eng zusammengearbeitet. Von 1821 bis 1830 gaben Beuth und Schinkel die reichbebilderten und mit Erläuterungen versehenen *Vorbilder für Fabrikanten und Handwerker* heraus, die unentgeltlich an Bibliotheken, Behörden, Ausbildungsstätten sowie als „Belohnung und Auszeichnung" an verdiente Künstler vergeben wurden.

Auch Goethe erhielt ein Exemplar zur Begutachtung zugesandt. Im 3. Heft *Über Kunst und Altertum* (3. Band, 1822) publizierte er seine Gedanken über die beuth-schinkelschen Vorbilder:

„Mit Vergnügen finden wir sodann bemerkt, daß Herr Geheime Oberbaurat Schinkel auch in das Unternehmen mit Geist und Hand eingreift." Denn: „Ganz unerläßlich aber ist die Einheit auf dem Gipfel der Kunst; denn wenn der Baumeister zu dem Gefühl gelangt, daß seine Werke sich in edlen, einfachen, faßlichen Formen bewähren sollen, so wird er sich nach Bildhauern umsehen, die gleichmäßig arbeiten. An solchen Verein wird der Maler sich anschließen, und durch sie wird Steinbauer, Erzgießer, Schnitzwerker, Tischer, Töpfer, Schlösser, und wer nicht alles geleitet, ein Gebäude fördern helfen, das zuletzt Sticker und Wirker als behagliche Wohnung zu vollenden gesellig bemüht sind." Besser hätte das auch Schinkel nicht formulieren können.

Überhaupt ist die Übereinstimmung der Argumente erstaunlich, was auf einen lebhaften Gedankenaustausch zwischen Goethe und Schinkel bei der letzten Begegnung schließen läßt. „Es gibt Zeiten", fährt Goethe fort, „wo eine solche Epoche aus sich selbst erblüht, allein nicht immer ist es rätlich, die Endwirkung dem Zufall zu überlassen, besonders in den Tagen, wo die Zerstreuung groß ist, die Wünsche mannigfach, der Geschmack vielseitig. Von oben herein also, wo das anerkannte Gute versammelt werden kann, geschieht der Antrieb am sichersten; und in diesem Sinne ist obengenanntes Werk unternommen . . ."

Das anerkannte Gute aber ist im schinkelschen Sinne die klassische griechische Kunst, die mit vielen

Beispielen – Amphoren, Kapitellen, Vasen, Karyatiden, Säulen und einer Tempelrekonstruktion – vertreten ist. Außerdem reiht Schinkel eigene Entwürfe in die Musterkollektion mit ein, darunter Stühle, Sofas, Parkettfußböden, Brückengeländer und Bilderrahmen.

Was die Berliner Hausfrau nun mit einer griechischen Amphore anfangen soll, und ob dem biederen Zimmermeister die Kenntnis der antiken Tempeldachkonstruktion auf der Baustelle etwas nutzt, das erklären Schinkel und Beuth folgendermaßen: „Diese angemessene Anwendung auf unsere Bedürfnisse, so wie die aller Verzierungen, kann nur das Resultat des Studiums, der Kritik und des eigenen Talents sein; sie gehöret in das Gebiet der Kunst, eben so wie das Entstehen derjenigen Vorbilder dahin gehört, die aus dem inneren Leben des Künstlers frei hervorgegangen sind. Darauf soll der Fabrikant, der Handwerker als solcher keine Ansprüche machen, sondern sich lediglich darauf beschränken, diejenige Bildung und Fertigkeit zu erwerben, die erforderlich ist, den Geist der Vorbilder, die ihm gegeben werden, aufzufassen, und sie in diesem Geiste auf's Beste nachzuahmen und auszuführen . . . Der Fabrikant und Handwerker aber soll, wir wiederholen es, sich nicht verleiten lassen, selbst zu komponiren, sondern fleissig, treu und mit Geschmack nachahmen. Darum ist es nicht bloss wünschenswerth, daß er solche Werke der Vorzeit kennen lerne, welche er ohne Abänderung nachahmen kann sondern auch, dass ihm Vorbilder zur Nachahmung für mannichfaltige jetzt gebräuchliche Gegenstände gegeben werden . . .“

Einfacher ausgedrückt: „Wer die tüchtigste und zugleich die schönste Waare fertigt, darf auf sichern bleibenden Absatz rechnen . . .“ (Vorbilder für Fabrikanten und Handwerker, Vorwort)

# *Nicht gebaute Entwürfe*

Schinkels Architektenlaufbahn enthielt auch mancherlei Enttäuschungen, so daß man sich fragt, woher er immer die Kraft nahm, durchzuhalten, nicht zu resignieren und immer wieder an das Gelingen großer Werke zu glauben. In seinem Kopf waren viele Pläne, doch die Ungunst der Verhältnisse vereitelten sie. In eine Zeit hineingeboren, in der eiserne Sparsamkeit höchste Tugend war, im Dienste eines an den Künsten wenig interessierten Königs, der ihm oft genug in den Arm fiel – wie sollten da Künstlerträume reifen?

Besonders schmerzen mußte ihn, daß seine prachtvollsten Werke – obwohl für Majestäten entworfen – nur auf dem Papier etwas taugten und beiseitegelegt wurden, weil sie sich als unrealisierbar erwiesen.

In Preußen ging es nicht darum, großartige städtebauliche Akzente zu setzen. Wichtiger war vielmehr, möglichst sparsam und unter Verwendung verwertbarer Reste – und seien es Brandruinen wie beim Schauspielhaus – so geschickt zu bauen, daß der Eindruck einer überzeugenden Neuschöpfung entstand. Die Architekten unter Friedrich Wilhelm III. sollten nicht so sehr Prachtgebäude errichten, sondern Nutzbauten, die auch noch schön aussahen. Hierfür fand der König Schinkel!

Friedrich Wilhelm III. hat nur dann gebaut, wenn ihn die Verhältnisse dazu zwangen. Die Neue Wache war zwar sein persönlicher Wunsch, aber eben aus Platzmangel auch erforderlich. Der Wiederaufbau des Schauspielhauses war eine Notwendigkeit, denn es war das einzig größere Theater neben dem Opernhaus. Ebenso zwingend war der Bau des Museums, weil Preußen gegenüber England, Frankreich oder Italien kulturell nicht ins Hintertreffen geraten durfte. Die Bauakademie behob einen jahrzehntealten Übelstand für die Baubehörde und Bauschule. Die geplante Kirche für die wachsende Bevölkerung am Gesundbrunnen hat der König schnellstens gestrichen und stattdessen vier kleine (die Schinkel gut gelungen sind) verlangt.

Nur ein einziges Mal ist der nüchterne, gehemmte und spröde Friedrich Wilhelm III. aus sich herausgetreten für eine geniale Bau-Idee, die vermutlich sein Sohn, der Kronprinz, 1814 an ihn herangetragen hat: Die tapfere preußische Nation sollte einen großen Dankesdom in Erinnerung an die Freiheitskriege errichten. Den Auftrag erhielt der junge, damals als Architekt kaum geforderte 33jährige Schinkel.

Der Bildhauer Rauch hat die Pläne ganz sicherlich gesehen, denn er sandte seinem Freund Tieck eine genaue Beschreibung des Doms:

„. . .schon aus London laut Ordre des Königs wurde Schinkel aufgetragen, einen prächtigen Dom, Dankdenkmahl für Preußen in Berlin zu errichten, Entwürfe zu liefern, in 30 Jahren zu vollenden und alle Kräfte des Staates darauf zu verwenden, welche sonst in den anderen Straßenverzierungen verwendet würden. Schinkel hat einen herrlichen Entwurf geliefert, im gothischen Styl und erwartet des Königs Ankunft [vom Wiener Kongreß]. Außer der Fenstermalerei keine andere, sonst aber Bildhauerei, aber wirklich herrlich erfunden. Der König will das Spittelkirchviertel dazu kaufen, um Platz zu bekommen. Schinkel will aber mehr Platz und mit dem Potsdamer Thorplatz auch heraus in Freie die Stadt erweitern und dort den Dom aufstellen. Die Länge wäre 500 hiesige Fuß das Joch des Schiffs höher als des Schlosses, nur ein Thurm, die Kuppeln wie die des St. Baptisterium in Pisa angesetzt. Prächtig sind auch alle Fürsten des Hauses Brandenburg zu Pferde äußerlich angebracht." (Brief an Tieck vom 7. Januar 1815)

Rauchs Schilderung deckt sich mit Schinkels Domdenkschrift von 1814. Zur Debatte standen zwei einander widersprechende Absichten: Der König wollte den Dom in der Innenstadt bauen, am östlichen Ende der Leipziger Straße, Schinkel dagegen setzte ihn an das andere Ende der Leipziger Straße auf das Achteck, den Leipziger Platz, wo einst sein Lehrer Gilly das monumentale Denkmal Friedrich des Großen errichten wollte. Schinkel plante eine Vergrößerung des Platzes über die angrenzende Stadtmauer hinaus, denn „ein solcher Dom liegt besser fern vom alltäglichen Gewühl und Treiben der Menschen", so daß er „einen der größten und schönsten Plätze der Welt bilden würde".

Schinkel schreibt in seiner Denkschrift, er schätze sich glücklich, „nicht ganz unvorbereitet für diese große Aufgabe zu sein. Sie ist ihrer Natur nach ganz dieselbe, die ich seit langem schon in meinem Inneren bearbeite, und wo ich das, was darin etwa zur Reife gediehen wäre, gewagt hätte, Seiner Majestät alleruntertänigst zu Füßen zu legen. Ganz besonders steht der Charakter, in dem Seine Majestät das große Werk gehalten wünschen, meiner Natur nahe. Denn von jeher gewann ich den deutschen Alterthümern einen hohen Reiz ab, und sie forderten mich immerwährend auf, in ihr Inneres tiefer einzudringen."

Tatsächlich hatte sich Schinkel in dieser Zeit intensiv mit der gotischen Architektur auseinandergesetzt. Er suchte nach einem Weg, die mittelalterlichen Bauformen und Stilelemente gewissermaßen zu modernisieren und zu versachlichen. Das hatte auch praktische Gründe. So zeigen die Entwürfe zum Freiheitsdom deutlich sein Bestreben, den gotischen Formen das Spitzige, Emporstrebende zu nehmen. Unter ihnen ist ein phantasievoller Kuppelbau mit zwei spitzen Türmen, und ein nicht romantisierender langgestreckter Bau mit einer spitz auslaufenden Kuppel und einem Turm in gotischer Art. Den Bau bedeckt auch kein steiles Dach wie bei den alten gotischen Domen. Die hohen Dachgiebel empfand Schinkel als häßlich; er suchte fast immer nach Möglichkeiten, sie durch Flachdächer zu ersetzen – ein typisches Merkmal seiner Architektur!

Nicht gotisch am geplanten Dankdom waren auch der Rundgang mit dem steinernen Unterbau, in dem die Fürstengruft Platz finden sollte. Durch dieses Fundament, so meinte Schinkel, „gewinnt das Ganze in seiner äußeren Ansicht eine Ruhe und eine wohlthätige Festigkeit, welche fast allgemein an den alten Werken dieses Styls vermißt wird".

Mit diesem zweiten Projekt, das architektonische Elemente des Mailänder Doms aufnimmt, führte er seinen antigotischen Petrikirchenentwurf von (1809/10), einer Kuppelkirche, weiter. Allerdings behängte Schinkel den auf ein Fundament gestellten Dom entgegen seinem Bestreben nach einfacheren Formen mit gotischem Zierrat.

Schinkels Selbstbewußtsein ist verblüffend! Obwohl er bis dahin kaum praktische Bauerfahrungen hat, wagt er sich an einen Jahrhundertdom! Zudem betrachtet er den Dankesdom nicht nur als kirchliches und patriotisches Monument, sondern auch als „Centralpunkt aller höheren Kunstbetriebsamkeit des Landes", als eine „praktische Schule", die während der langen Bauzeit eine „ganz neue Kunstfertigkeit und Thätigkeit im Volke" begründe. „Der Staat müßte dieses Monument als den Mittelpunkt ansehen, wo alles, was er sonst für Gewerbe und Künste thun wollte, concentrirt würde, damit es auch der Mittelpunkt würde für die Bildung eines ganz neuen Geistes . . . wodurch ganz besonders der völlig erloschene alte werkmeisterliche Sinn wieder geweckt würde".

Der aus dem mittelalterlichen Kathedralbau übernommene Gedanke einer Zusammenfassung aller Kräfte für ein großes Werk, an dem Generationen fortbauen sollten, schien Friedrich Wilhelm III. denn doch zu verstiegen. Im Januar 1816 befaßte er sich mit dem Riesenprojekt: Wieder ist es Rauch, der seinem Freund Tieck berichtete:

„Der König ließ sich am Sonntag Schinkels Zeichnung zum Dohm holen und soll solche genau mit allen dazugehörigen Zeichnungen durchgesehen haben". Wann der König seine Entscheidung traf, ist nicht bekannt. Doch am 21. Juli 1819 äußerte er über den Dom, Schinkel hätte „zu

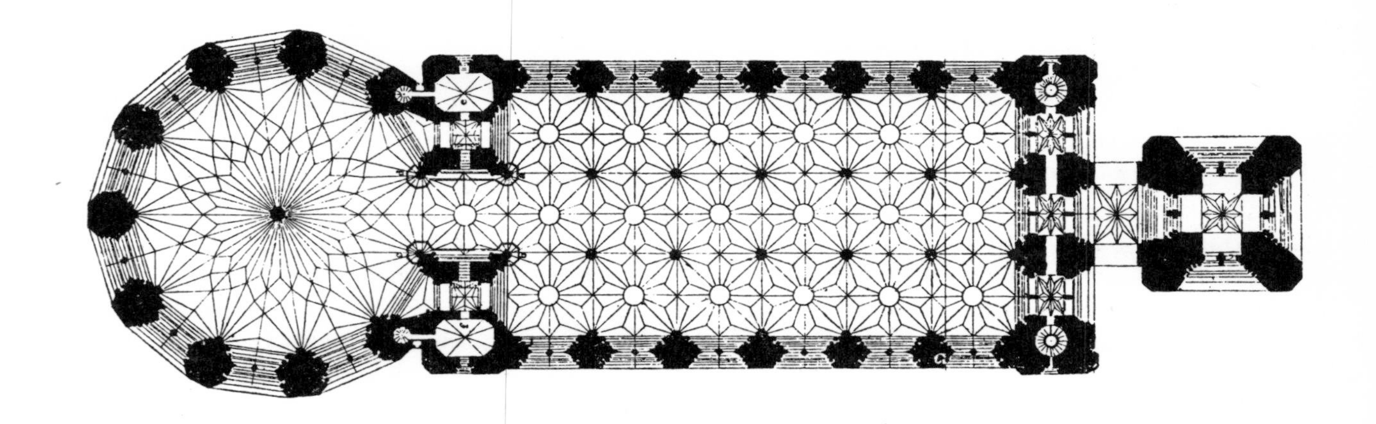

Grundriß und Entwurf für den Altarraum einer Kirche auf dem Spittelmarkt in Berlin (1819)

diesem Zwecke eine Zeichnung geliefert, von der jedoch die Kosten so sehr ins Große gingen, daß von der Ausführung abgestanden werden mußte".

Schinkels ehrgeiziger Plan, seine Karriere mit dem Bau eines Domes zu beginnen, zerplatzte wie eine Seifenblase.

Nicht anders ging es ihm mit einem Kaufhausentwurf, den er rund zehn Jahre später nach seiner Frankreich- und Englandreise durchsetzen wollte. Er hatte in beiden Ländern, die gegenüber Preußen wirtschaftlich und technologisch weiter fortgeschritten waren, nachhaltige Eindrücke empfangen und sich auf der Reise mit führenden Architekten wie dem gebürtigen Kölner Hittorff unterhalten, der später den Pariser Nordbahnhof baute. (Schinkel war seit 1824 korrespondierendes Mitglied der Akademie der Schönen Künste in Paris). In England studierte er die realistische Auffassung von der Gotik und sah fasziniert den Aufbruch ins Industriezeitalter, die eisernen Brückenkonstruktionen, die Fabrikhallen, Fördertürme, die Konsequenzen für den Architekten nach sich zogen. Schinkel, der im Geiste des noblen Klassizismus aufgewachsen war, sah dort aber auch Wohnkasernen und Fabrikgebäude von brutaler Häßlichkeit.

Zweifellos hatte Schinkel die Idee seines Kaufhauses aus Paris mitgebracht. Sie begeisterte ihn so sehr, daß er das Gebäude gleich neben der Universität Unter den Linden erbauten wollte. Dafür sollte die Akademie abgerissen werden.

Schinkels Warenhausentwurf ist noch heute vorbildlich: ein dreiflügeliger Bau, dessen Innenhof sich mit Grünanlagen und Springbrunnen zur Straße hin öffnet.

Der Bau gefällt durch einen harmonisch-heiteren Eindruck. Er wirkt wie mit leichter Hand hingesetzt mit seiner Fassade aus gegliederten Fensterreihen, den bunten Markisen vor den Läden. Wie die Bauakademie war das Kaufhaus als Gewölbebau gedacht – ein schönes Beispiel für Schinkels Art, sich fremde Anregungen zu eigen zu machen.

Darüber hinaus war es Schinkel darum zu tun, die Linden um ein attraktives Gebäude zu bereichern und eine großstädtische Atmosphäre zu schaffen: „Berlin erhält durch die Anlage eines so bedeutenden Kaufhauses einen Mittelpunkt des Verkehrs, wodurch für Einheimische, wie für Fremde manches Geschäft erleichtert und überhaupt ein Vereinigungspunkt gebildet wird, den man bis jetzt vergeblich suchte."

Einen derartigen Ort der Kommunikation hatte man aber bis dahin in Berlin nicht vermißt. Und so sollte es auch bleiben. Als Schinkel, der das Projekt von einer Aktiengesellschaft gebaut sehen wollte, sich an den Präsidenten der Staatsbank, v. Rother, wandte, gab dieser die Bauentwürfe am 17. April 1827 an den König weiter. Kurz danach wurde das Kaufhausprojekt – wie so manches, was von Schinkel phantasievoll gedacht und großzügig angelegt war – durch eine Kabinettsorder zu Fall gebracht. Am 7. Mai schrieb Staatsrat Stägemann, so sehr man Schinkels „rühmlichen Eifer für die Verschönerung Berlins durch Ausführung großer und prachtreichen Denkmale der Baukunst auch in den zurückgehenden Plänen und Zeichnungen anerkenne", so sei doch die „in Vorschlag gebrachte Lokalität dem gegenwärtigen Sitze der kaufmännischen Gewerbsamkeit nicht angemessen . . ."

Das erste große Berliner Kaufhaus entstand erst 1849, nach Schinkels Tod, am Werderschen Markt.

Das rumlose Ende des Kaufhausprojekts, der vergeblich für den Kronprinzen entworfene Lustgartendom, die mühsame Arbeit an den unerwünschten Phantasiepalästen für Prinz Wilhelm, das nicht gebaute Hallesche Tor, das Abwürgen mancher seiner Stadtplanungsprojekte – das machte Schinkel nicht mutlos.

Am 21. Januar 1835 bekam er einen Auftrag, der seine Tatkraft aufs Neue mobilisierte: Die alte Bibliothek am Opernplatz krachte aus allen Fugen, Schinkel sollte einen Neuentwurf liefern. Bereits nach vier Wochen legte er die fertigen Zeichnungen vor. Außerdem lieferte er einen zweiten Entwurf, der reicher ausgeschmückt, aber kleinlicher gegliedert war. Der Bau sollte nach seinen Berechnungen nicht mehr als 218 000 bis 230 000 Taler kosten (zum Vergleich: Schauspielhaus ca. 800 000 Taler). Dieser Summe enthielt schon die Gelder, die eigentlich für den Umbau der „Kommode" vorgesehen waren.

Volle vier Jahre mußte Schinkel, dem an diesem Bau sehr viel lag, auf eine Entscheidung warten. Endlich – am 16. März 1839 genehmigte der König den Bibliotheksplan grundsätzlich. Aber wankelmütig, wie er nun einmal war, nahm er am 8. Dezember seine Order zurück. weil das alte barocke Bibliotheksgebäude nun doch ausgebaut werden sollte. Zu diesem Umbau sollte dann Schinkel wieder die Pläne liefern.

Schinkels Karriere begann mit hoch gespannten Erwartungen, und sie endete ebenso. Darin liegt seine Tragik. Der Freiheitsdom von 1814, aus dem Überschwang des Sieges geboren, blieb eine romantische Utopie. Seine letzten großen Entwürfe waren prachtvolle Residenzen von weltentrückter Schönheit. Sie hätten die Krönung von Schinkels Lebenswerk werden können. Doch das Schicksal wollte es anders.

Der erste Auftrag kam auf Veranlassung des preußischen Kronprinzen von Prinz Otto von Bayern, der 1832 in Griechenland zum König gewählt wurde und das vom Türkenjoch befreite Land ordnen sollte. Otto I. – minderjähriger und idealistischer König eines unglaublich armen Landes – brauchte eine Residenz, und wie selbstverständlich wandte man sich an Schinkel, der ein Schloß mit Burgmauer für die Akropolis über der Stadt Athen entwarf.

Die Wahl Schinkels war glücklich, kein anderer besaß die künstlerische Sensibilität und gleichzeitig die überlegene Unbefangenheit, die ehrwürdigen Altertümer der Akropolis, den Parthenon, das Erechtheion, die Propyläen und die neu zu bauende Residenz harmonisch miteinander zu verbinden. Schinkels Plan sah eine Bebauung des gesamten Plateaus vor, weil alle Gebäude einstöckig sein sollten, damit sie den Parthenontempel nicht überragten und bei der Kostspieligkeit des Prachtbaus nach und nach gebaut werden könnten.

Schinkels humanistisch gebildete Zeitgenossen lobten das Projekt, das die klassischen Bauformen fein abgestimmt wieder aufnahm, über alle Maßen. Waagen meinte, Schinkel habe „ganz das Poetische und künstlerisch Hochbedeutende dieser Aufgabe" gespürt. „Mit der größten Pietät und dem feinsten Tact reiht sich Alles auf eine Weise um das Parthenon, daß dieses in Höhe wie in freier Ansicht Alles beherrscht".

Und der Kunsthistoriker Quast schrieb in seinem 1834 im Verlag George Gropius erschienenen Aufsatz *Alt und Neu Athen:* „Die äussere Ansicht der Burg, besonders von der unteren Stadt aus gesehen, ist auf malerische Wirkung, durch Stellung der einzelnen Theile zu einander, besonders berechnet . . . Baumgruppen verschiedener Grösse und Formen heben den goldglänzenden Marmor jener Bauwerke gegen den dunkelblauen Himmel nur noch glänzender hervor."

Gerühmt wurde vor allem der Empfangssaal mit der Balkendecke, die mit goldenen Hirschen, Fabeltieren, Stieren, Greifen, paarweise abwechselnd verziert war. „Der ganze Saal zeigt unter den reinen Formen griechischer Architektur eine wahrhaft orientalische Pracht, welche für den Palast eines Königs geeignet ist, dessen Reich noch jetzt mit dem Morgenlande in vielfachster Verbindung steht."

Der Königspalast auf der Akropolis sollte die Verbundenheit mit der Kultur der Hellenen symbolisieren, doch in einer Zeit, in der in Europa Eisenbahnen fuhren, Dampfmaschinen fauchten, in der in den Großstädten längst Gaslicht brannte, war zunächst kein rechter Platz für die Pracht antiker Säulenhallen, marmorglitzernder Springbrunnen und weinlaubumrankter Laubengänge.

Stattdessen baute der bayerische Hofarchitekt Friedrich Gärtner ein schlichtes Stadtschloß in Athen.

Wenn Schinkel allerdings jemals das von den Befreiungskriegen gegen die Herrschaft der Türken verwüstete Land besucht hätte – sein Schloß wäre vielleicht bescheidener ausgefallen. Fürst Pückler, der an Schinkels Akropolisplänen lebhaft Anteil nahm, berichtete ihm im März 1836 von den Verhältnissen in Athen:

„Verehrter Freund, Ich habe erfahren, daß Sie auf Ihren herrlichen Plan des neuen Schlosses zu Athen, auf diese lieblich erhabene Poesie, (denn sie besiegt den scheinbaren Widerspruch, der in diesen Worten liegt) nicht einmal ein Zeichen der Anerkennung und des Dankes, ja nicht einmal eine schlichte Antwort, einen Empfangsschein erhielten. Unser Kronprinz wundert sich selbst darüber, aber Sie, der preußische Geschäftsmann, dürfen es nicht. Ihre Zeichnung ist ja in kein Aktenstück geheftet worden mit: P. P. Schinkel aus Berlin sendet einen Plan, und auf der anderen Seite: Ist mit Dank zu beantworten. Dann hätten Sie lange Bescheid, so wurden Sie, wie natürlich, vergessen. Aber nicht vom jungen König, muß ich hinzusetzen. Dieser schwärmt für Sie, und Ihre herrliche Idee. Es war fast das Erste, was er mir sagte und am anderen Morgen schickte er mir den Architekten des Königs von Baiern (Gärtner) mit Ihrem Plan, als dem Ideal, und dem welcher ausgeführt wird, als der Prosa. Ausführbar ist der Ihrige hier nicht; Sie müßten dazu wieder Phidias und Kallikrates mitschicken, und vor allem die materiellen Talente, welche dem Perikles zu Gebote standen. Man ist aber hier so arm, daß man nicht einmal den Weg nach dem Pentelikon in Stand zu setzen im Stande ist, und daher die Säulen des Portikus am neuen Pallast aus Backsteinen erneuern wird.“ (Brief vom 28. März 1836)

Schinkel antwortete dem Fürsten am 4. Mai 1836:

„. . . Nicht leicht hätte mir etwas Erfreulicheres begegnen können, als der Empfang dieser schätzenswerthen Zeilen. . . .Als ich von den gemauerten Backstein-Säulen am neuen Palaste las und daß man außer Stande sei, den Weg nach dem Pentelikon [den Marmorsteinbrüchen] herzustellen, empfand ich in diesen Zeilen beruhigenden Trost über meine zum Theil als vergeblich zu betrachtende Arbeit eines Schloß-Entwurfs, wenngleich dieser Trost andererseits mit dem niederschlagenden Gefühle begleitet ist, daß alle Jugendwünsche und schöne Illusionen so weit dahin schwinden. Der Himmel ist zwar unbegreiflich, und oft noch sieht man Wunder, die man weder berechnen noch ahnen konnte . . .“

Und doch schien dieser Jugendwunsch Wirklichkeit zu werden. 1838 erhielt er den Auftrag, für die kränkelnde Zarin Alexandra Feodorowna im warmen Klima der Krim einen Palast zu bauen. Er sollte „an den Ufern des schwarzen Meeres in malerischer Gebirgsgegend der Krim . . . ganz im edelsten griechischen Stil erbaut werden . . . Diese Aufgabe, welche eine Menge perspektivischer und architektonischer Zeichnungen forderte . . . hätte mir noch mehr Genuß gewährt, wäre sie in eine ganz gesunde Periode meines Lebens gefallen, so mußte ich mit mir viele Kämpfe bestehen, um mich hintereinander daran zu halten. Diese Arbeit hätte sich zu einer Ausstellung wohl qualifiziert, aber die schleunige Absendung hinderte dieses Unternehmen . . .“ (Brief an Weyer vom 17. April 1839)

Die beschleunigte Absendung der Entwürfe läßt darauf schließen, daß Hoffnung auf eine Ausführung des Projekts bestand. Wieder hatte Schinkels unerschöpfliche Phantasie statt der gewünschten einfachen Sommerresidenz ein orientalisches Märchenschloß aufs Papier gebracht, mit Wasserspielen und kostbaren bändergeschmückten Säulen im Innenhof. Unübertroffen in seiner ausgewogenen Schönheit war der Karyatiden-Portikus mit der vorgelagerten Terrasse, die den Blick auf das Schwarze Meer freigab. Unter dem tempelartigen Pavillon in der Hofmitte befand sich ein Gewölbe, in dem Kunstgegenstände aufgestellt werden sollten.

Gustav F. Waagen bezeichnete Schloß *Orianda* als die reifste Leistung Schinkels – aber sie war eine Fata Morgana. Wegen mangelnder Wasserversorgung – so hieß es – wurde das Traumschloß nicht gebaut. Schinkel aber, der als bereits von Krankheit gezeichneter Mann mit unendlicher Mühe an den Entwürfen gearbeitet hatte und die letzten Hoffnung daran knüpfte, erhielt als Dank von der Zarin eine Perlmuttdose – vermutlich mit wertvollem Inhalt. Das war damals unter Fürsten üblich.

Aber nicht einmal alle seine eigenen Bauten hat er in der Vollendung gesehen. Auf der Schloßbrücke fehlten die Skulpturen. Ebenso die Figuren auf den Treppenwangen vom Schauspielhaus. Das Relief im Giebel der Neuen Wache wartete auf die Ausführung, die Museumsfresken waren noch nicht gemalt, die Entscheidung über die Plastiken vor dem Museum nicht gefallen.

Am 17. Dezember 1840 gab der neue König Friedrich Wilhelm IV. die Order, das noch fehlende Schmuckwerk an den Bauten des größten Berliner Baumeisters anzubringen.

Über eine gemeinsame Bautätigkeit der beiden geistig verwandten, romantisch gesinnten Männer ist viel spekuliert worden. Wir wissen, daß der Kronprinz mit Schinkel Entwürfe diskutierte und selber über tausend Skizzen und Entwürfe gezeichnet hat.

Er war Schinkels gelehriger Schüler, der ihn zusammen mit Rauch in bildender Kunst unterrichtet hatte und frühzeitig in die Pläne seines *Architektonischen Lehrbuchs* einweihte. Es sollte die Quintessenz der Architekturlehre enthalten, die Schinkel kommenden Baumeistern als Vermächtnis hinterlassen wollte.

Zum *Architektonischen Lehrbuch* gehörte ein „Papierprojekt" (Goerd Peschken), eine prunkvolle Residenz, ähnlich den Palästen von Athen und Orianda. Randnotizen und Zeichnungen des Kronprinzen bestätigen, daß er sich lebhaft mit dieser unrealistischen Residenz beschäftigt hat. Schinkels Beschreibung versetzt die Märchenresidenz in eine entrückte, romantische Welt. Ähnliche Motive hat er früher mit Vorliebe auf Ölbildern gemalt.

„Der Abhang eines mäßig hohen Gebirgs ward für die Lage der Residenz gewählt, unfern einer Stadt die sich an den Ufern eines lebhaften, schiffbaren Stroms ausbreitet und von reich angebauten Ländereien umgeben ist. Diese begleiten die Wogen des Flusses bis zur Mündung ins Meer. Hier verlieren sich die verschiedenen Verzweigungen zwischen fruchtbaren Inseln . . . Der Horizont des blauen Meers schließt die Aussicht wo die scharfen Linien einer schönen Berginselgruppe im klaren Himmelsdufte verschmelzen" . . .

Schinkel „liebt es, grossartige Baulichkeiten zum Hauptgegenstande seiner landschaftlichen Darstellungen zu machen und die Scenen der offenen Natur und die des menschlichen Verkehrs in Uebereinstimmung mit ihnen zu gestalten" (Kugler); Ausdruck dieses ursprünglich malerischen Gedankens sind seine Palastschöpfungen, die immer außerhalb der Städte angesiedelt sind und seine romantisch zu nennenden Anlagen wie Charlottenhof, Tegel, Glienicke, Babelsberg.

Die Residenz ist ein wesentlicher Bestandteil des architektonischen Lehrbuchs, wie auch verschiedene vom Kronprinzen erträumte Domprojekte für den Lustgarten. Aber es bleibt fraglich, ob der romantische König und sein Märchenschloß-Architekt ein gutes Gespann gebildet hätten. Bekanntlich vollbrachte Schinkel seine besten Leistungen, wenn er sich beschränken mußte. Unter dem sparsamen und nüchternen Friedrich Wilhelm III. konnte er zwar nicht alle seine Träume verwirklichen, aber manches davon wurde vielleicht auch besser nicht gebaut!

Schinkel war in eine Zeit hineingeboren, in der es in Deutschland keinen einheitlichen Stilwillen gab. Er war klassizistisch geschult, hatte „romantisch" zu bauen versucht, dann entdeckte er erneut den Klassizismus. Eine Zeitlang schwärmte er für die Gotik, sagte sich bald von zierlichen Formen los und konstruierte antikisch-gotische Bauten. Aus England brachte er den „Chapell-Stil" mit, aus Italien „sarazenische" Bauformen. Barocke Formsprache verabscheute er, sein Verhältnis zur Renaissance scheint indifferent gewesen zu sein.

Aus allen diesen Bauformen suchte er einen eigenen Stil herauszukristallisieren. Er bediente sich der verschiedensten Stile, die er auf selten klare und harmonische Weise miteinander verband.

„Jede Hauptzeit hat ihren Styl hinterlassen in der Baukunst, warum wollen wir nicht versuchen, ob sich nicht auch für die unsrige ein Styl auffinden läßt . . . Dieser neue Styl wird deßhalb nicht so aus allem Vorhandenen und Früheren heraustreten, daß er ein Phantasma ist, welches sich schwer allen aufdringen und verständlich werden würde, im Gegenteil, mancher wird kaum das neue darin bemerken, dessen größtes Verdient mehr in der consequenten Anwendung einer Menge im Zeitlaufe gemachte Erfindung werden wird, die früherhin nicht kunstgemäß vereinigt werden konnte".

Oberstes Gebot war für Schinkel die Zweckmäßigkeit, das Grundprinzip allen Bauens. „In der Architectur muß alles wahr sein, jedes Maskiren, Verstecken der Construction ist ein Fehler."

Seine Nachfolger haben diese klaren Grundsätze nicht immer beherzigt. Gegen Ende des Jahrhunderts machte sich in der Baukunst ein Historismus breit, der mitunter scheußliche Blüten trieb. Schinkel wäre es gewiß nicht eingefallen einen gotischen Bahnhof zu bauen oder klassizistische Fabrikanlagen. Wie er Zweckgebäude aus Backstein und Eisen ansprechend zu gestalten wußte, dafür hatte er schon vor der industriellen Revolution eindrucksvolle Beispiele geliefert.

Seine Wirkung reicht bis in unser Jahrhundert hinein. Nach den Baugreueln der Gründerzeit besannen sich viele Architekten auf Schinkel. Das 1919 gegründete Bauhaus (damals noch in Weimar, später in Dessau) nahm Schinkels Gedanken von der Einheit der Künste wieder auf. Architekten, Maler, Bildhauer, Handwerker, sollten die gleiche Grundausbildung haben und auf den neuen Bau der Zukunft hinarbeiten. Direktor und Namengeber der neuen Schule wurde Walter Gropius (1883–1969), ein Nachfahre des einst mit Schinkel befreundeten Theater- und Schaubildmalers Carl Wilhelm Gropius. Ihm folgte bald Mies van der Rohe (1886–1969) auf den Direktorenstuhl. Mies kam vom Neo-Klassizismus der Jahrhundertwende, er hatte an Schinkel sein Gefühl für Rhythmus, Proportion und Maaßstab geschult und erkannt, daß diese „Tugenden“ in jedem Gebäude jeder Epoche Anwendung finden können. Er erkannte, daß die Reinheit der Form an Schinkels Gebäuden gerade für die modernen Bauformen, die immer gewagter und nüchterner wurden, vorbildich sein sollten.

Schinkel: „Die Welt der Kunstformen läuft parallel mit den Formen der Natur; sie hat aber nicht diese selbst um ihrer selbst willen sondern sie dienen ihr zuweilen um eines menschlichen Ausdruckes willen . . .“ Baukunst war für Schinkel zuallererst ein Dienst am Menschen.

82 Der große Empfangssaal für den geplanten Palast auf der Akropolis. Durch das Portal blickt man in einen Hof mit Orangenbäumen. Weiße Pilaster und Säulen aus glänzend poliertem schwarzem Marmor tragen das reichverzierte Dachgebälk.

83 Südansicht (I) des Königspalastes auf der Akropolis. Die eiserne Statue der speerschwingenden Athene sollte vor dem Parthenontempel aufgestellt werden. Pallas Athene war die Schutzgöttin Athens, der Künste und des Handwerks.

84 Hauptansicht von Westen her gesehen (Durchschnitt). Von links: die antiken Propyläen, das Standbild der Pallas Athene, der Hippodrom (Rennbahn) vor dem Palastportal, der Parthenontempel und eine kleine Säulenkapelle.

85 Südansicht (II): Hinter den schattenspendenden Kolonnaden liegen die Gemächer des Königspaares. Im Rundturm befindet sich der Salon der Königin, darunter eine Badehalle. In der Mitte ist der Giebel der Empfangshalle sichtbar.

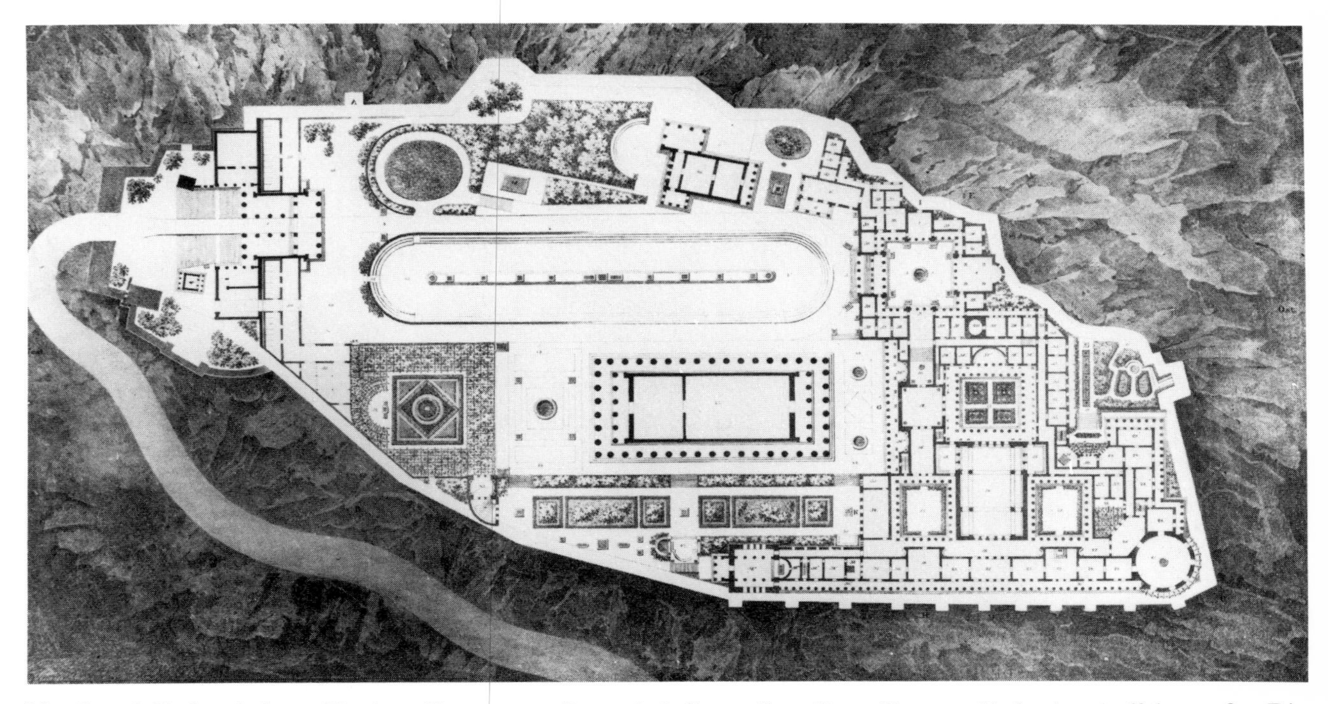

86 Grundriß der Anlage. Einziger Zugang zur Burg sind die antiken Propyläen am Ende der Auffahrtstraße. Die langgestreckte Rennbahn wird von dem (hier unzerstört gezeichneten) Parthenontempel und dem Erechtheion-Tempel flankiert.

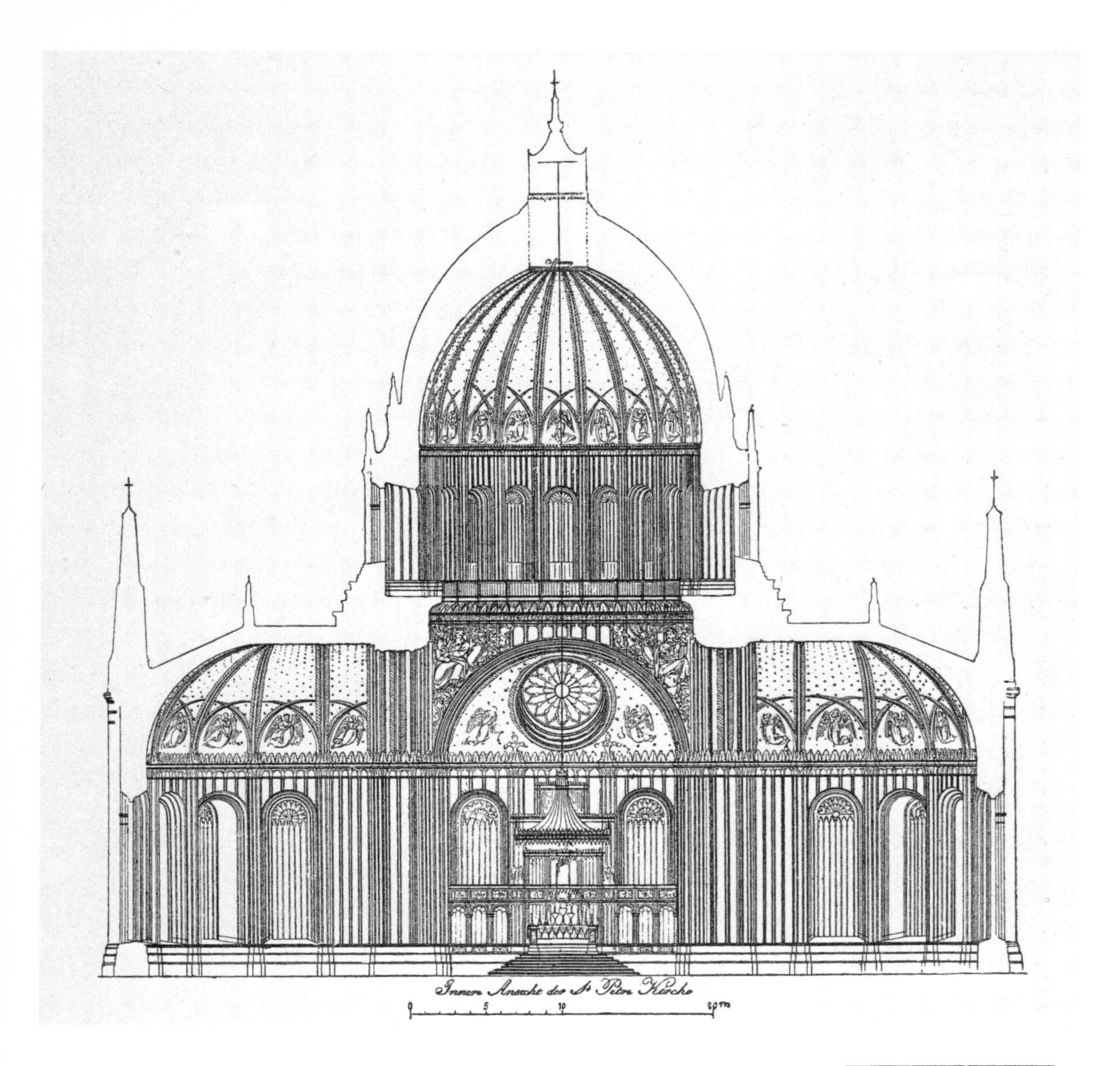


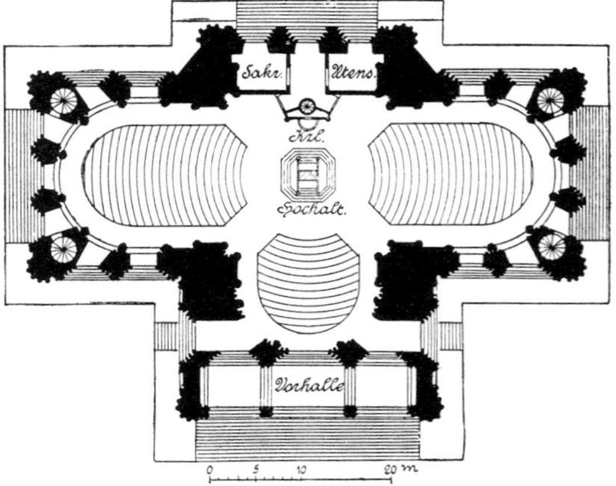


87, 88 Innere Ansicht und Grundriß der Petrikirche in Berlin, ein Lieblingsprojekt Schinkels. Er versuchte hier, antike und gotische Architektur miteinander zu verschmelzen. Die Kirche wurde nicht gebaut.

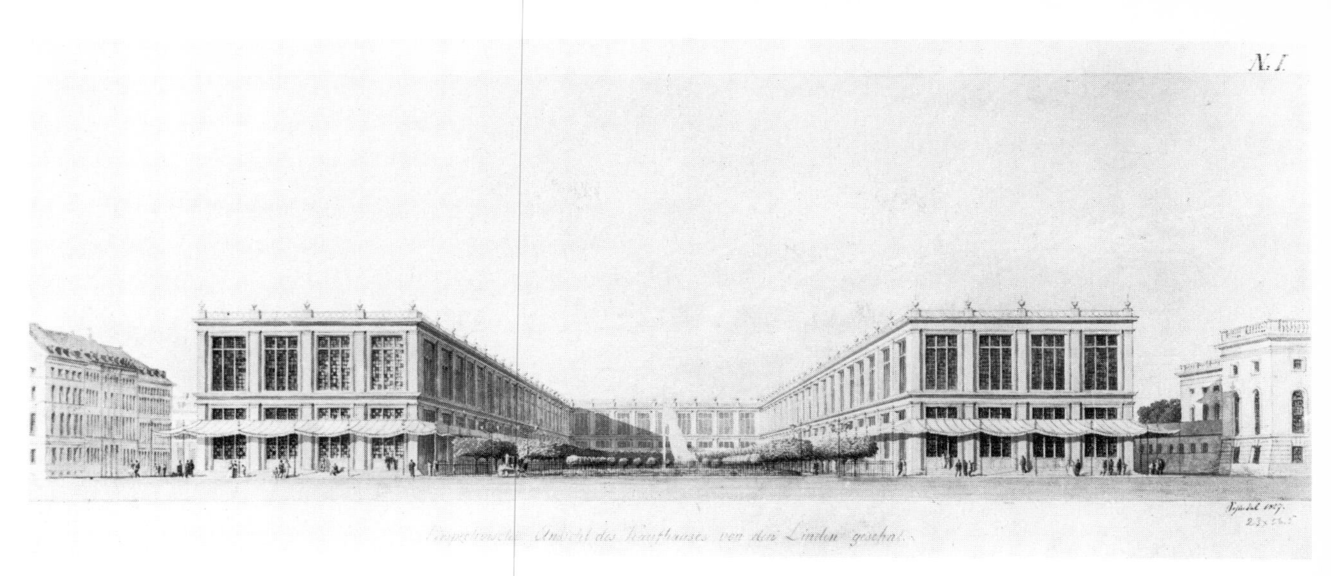

89 Entwurf für das Kaufhaus Unter den Linden. Das dreiflüglige Gebäude umschließt einen Hof mit Springbrunnen und Grünanlagen. Hinter den Fensterreihen verbergen sich jeweils zwei Stockwerke. Einzige Zierde sind bunte Markisen und ein Dachgeländer mit Vasen.

90 Entwurf zum Freiheitsdom. Der Kuppelbau mit gotisch aufgefaßten Spitzbögen steht in einem von hohen Spitzbogenarkaden umgebenen Hof. Zwischen den beiden Treppenaufgängen befindet sich eine Nische mit der Statue des Heiligen Michael.

91 Entwurf für einen Dom als Denkmal der Befreiungskriege. Das großformatige Blatt vereinigt Gedanken zu Außen-Ansichten, Dach- und Wandkonstruktionen und figürlichen Schmuck.

92 Schloßkirche für die Residenz eines Fürsten. Weil im religiösen Gebäude Gott dargestellt werden soll, gab Schinkel dem Gewölbe die „Natur der Zweige“. Die Kathedrale hat vier Türpaare, die sich nach allen Himmelsrichtungen öffnen, aber kein Hauptportal.

93 Der festungsartige Palast Orianda an der gebirgigen Südküste der Krim, nicht weit von Jalta. Das von der russischen Kaiserin ausgewählte Plateau liegt etwa 500 Meter über dem Meer und konnte nur auf dem Landweg erreicht werden. Das

Kellergeschoß sollte Geschütze aufnehmen. Schinkel erhielt aus Rußland Zeichnungen, die ihn mit den Verhältnissen am Bauplatz vertraut machten. Glanzstück ist ein tempelartiger Pavillon, der sich aus der Anlage heraushebt.

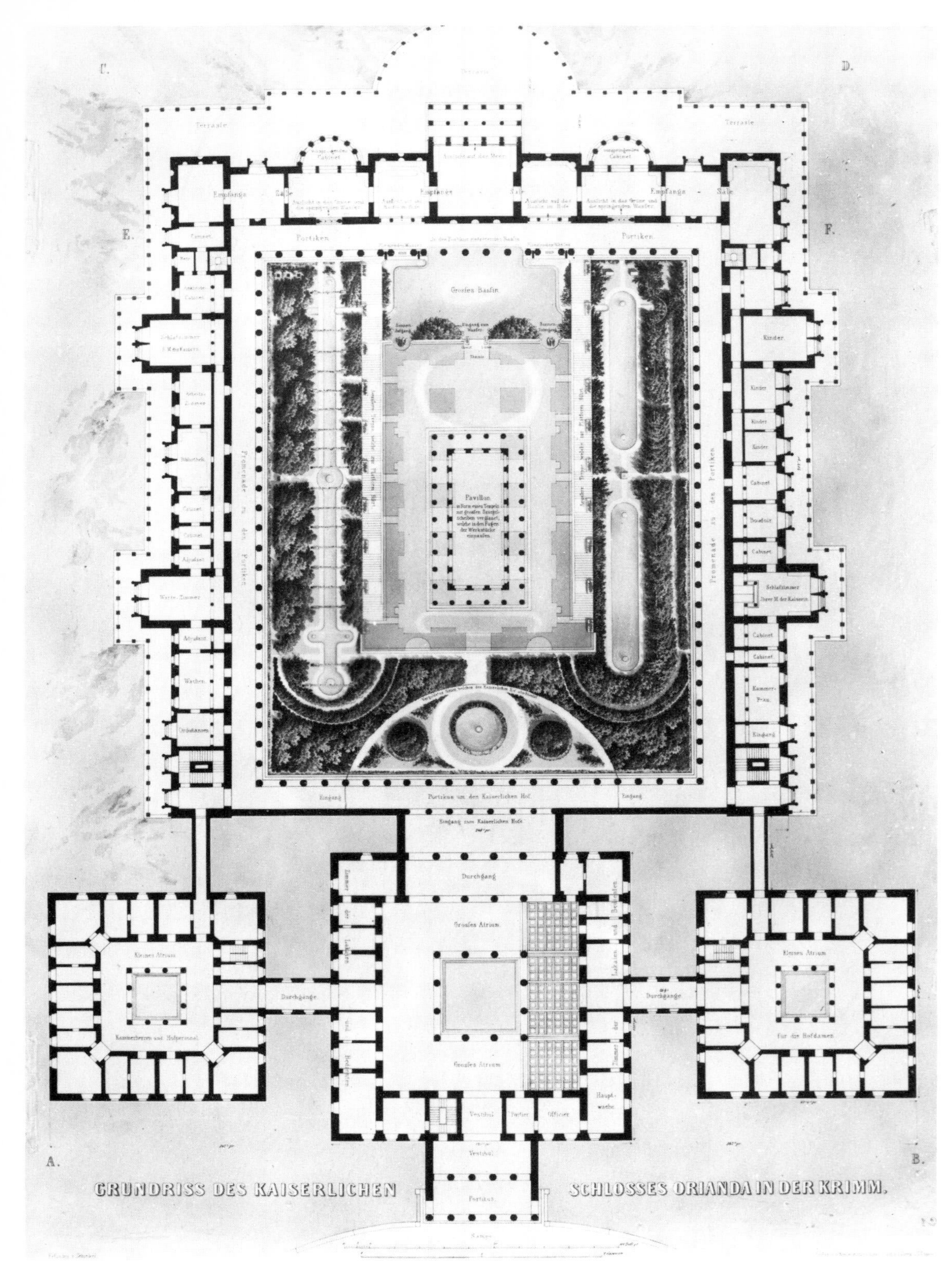


94 Grundriß des Schlosses Orianda. Am unteren Bildrand die Auffahrt. Dunkel gezeichnet die Grünanlagen im kaiserlichen Innenhof, den zwei Zimmertrakte flankieren. Oben die Terrasse mit Aussichtsräumen und dem Karyatidenportikus.

95 Die Karyatidenhalle auf der Terrasse über dem Schwarzen Meer. Auf Wunsch der Kaiserin folgte Schinkel „dem einfachen erhabenen Stile der rein griechischen Kunst". Da dieser ganz ideale Stil aber mit den neuen Lebensbedingungen „ganz direkt im Widerspruch" stand, mußte Schinkel vermitteln und modifizieren.

96 Der Palasthof mit Weinlaubengang, Wasserspielen und vergoldeten Tierfiguren. Die achteckigen Säulen sind mit Einlegearbeiten und Figurenfriesen verziert. Die Wand links gehört zu dem geplanten Museum unter dem tempelartigen Pavillon über den Palastdächern. Die Entwürfe für *Orianda* waren Schinkels letztes und phantastischstes Werk.

# Chronologie

Da die Kapitel-Einteilung dieses Buches sachlichen Kriterien folgt, schien es geboten, Daten und Fakten aus Schinkels Leben und Werk hier noch einmal chronologisch zu ordnen: familiäre Begebenheiten, Baupläne, Grundsteinlegungen, Reisen – dazu Ereignisse der Zeitgeschichte. Obwohl es sich um mehr als tausend Informationen handelt, kann diese Chronik natürlich nicht vollständig sein. Sie soll dem Leser nur helfen, eine Übersicht über das vielfältige Schaffen Schinkels zu gewinnen, der fast immer mit mehreren Projekten zugleich beschäftigt war.

| | |
|---|---|
| 1781 | 13. März: Karl Friedrich Schinkel wird als zweites von fünf Kindern in Neuruppin geboren. Ältere Schwester Sophie geb. 10.11.1771. Vater ist Johann Cuno Christoph Schinkel (geb. 30.1.1736), Archidiakon und Inspektor der Schulen in Neuruppin, Mutter ist die Kaufmannstochter Dorothea Rose (geb. 28.11.1749). |
| 1782 | 22. Sept.: Schinkels Bruder Friedrich Wilhelm August wird geboren. |
| 1783 | Die Unabhängigkeit der Vereinigten Staaten von Nordamerika wird von England anerkannt. |
| 1785 | 19. Juli: Schinkels Schwester Charlotte Sophie Friederike wird geboren. |
| 1786 | 17. August: Friedrich der Große gestorben. Nachfolger sein Neffe Friedrich Wilhelm II. |
| 1787 | 26. August: Verheerende Feuersbrunst in Neuruppin. Die Wohnung der Schinkels am Kirchplatz brennt ab.<br>25. Oktober: Schinkels Vater stirbt an den Folgen der „Erhitzung“ bei den Löscharbeiten. |
| 1788 | In Preußen wird die erste Dampfmaschine in Tarnowitz aufgestellt. |
| 1789 | 14. Juli: Sturm auf die Bastille. Französische Revolution. |
| 1791 | 24. Mai: Karl Fasch gründet in Berlin die Singakademie zur Pflege des Chorgesanges. |
| 1792 | Letzte Krönung eines Römischen Kaisers in Frankfurt. |
| 1793 | Zweite Teilung Polens. – Schreckensherrschaft in Frankreich. – Der preußische Kronprinz heiratet die mecklenburgische Prinzessin Luise. |
| 1794 | Schinkels Schwester Dorothea stirbt in Krentzlin bei der ältesten Schwester Sophie, die mit dem Prediger Wagner verheiratet ist.<br>Gottfried Schadow vollendet den Siegeswagen für das Brandenburger Tor in Berlin.<br>Frühjahr: Schinkels Mutter übersiedelt mit den Kindern nach Berlin. Sie ziehen in das Predigerwitwenhaus der Marienkirche in der Papenstraße 10.<br>3. April: Schinkel wird in das Gymnasium zum Grauen Kloster aufgenommen. Mitdirektor ist Friedrich Gedike, ein Freund des verstorbenen Vaters.<br>Das Preußische Allgemeine Landrecht tritt in Kraft. |
| 1795 | Prinzessinnengruppe Luise und Friederike, Plastik von Gottfried Schadow.<br>September: Friedrich Gillys Marienburg-Blätter werden in der Akademie der Künste ausgestellt und erregen großes Aufsehen.<br>Franzosen setzen sich am Rheinufer fest. – Dritte Teilung Polens.<br>Geburt des späteren Königs Friedrich Wilhelm IV. |
| 1796 | Herbst: *Herzensergießungen eines kunstliebenden Klosterbruders* erscheinen anonym. Verfasser dieser Sammlung kunsttheoretischer Schriften (1. Teil) sind die Freunde Wilhelm Heinrich Wackenroder und Ludwig Tieck. |

1797 Schinkels Bruder Friedrich Wilhelm August stirbt.
Geburt des Prinzen Wilhelm, des späteren ersten Deutschen Kaisers.
September: F. Gillys Entwurf zum Denkmal Friedrichs des Großen wird auf der Akademie-Ausstellung gezeigt. Der 16jährige Schinkel ist davon so beeindruckt, daß er Architekt werden will.
16. November: Friedrich Wilhelm II. stirbt. Thronfolger ist der 27jährige Friedrich Wilhelm III.
Schinkel, der sich als Maler versucht, malt u. a. *Gebäude am Wasser, Bärtiger Krieger mit Helm, Landschaft mit Kuhhirt, Küstenlandschaft mit Felsschloß u. a.*

1798 Die Fachzeitschrift *Sammlung nützlicher Aufsätze und Nachrichten, die Baukunst betreffend* erscheint (–1806). Redakteur ist David Gilly, Friedrich Gillys Vater.
Ostern: *Franz Sternbalds Wanderungen,* ein romantischer Künstlerroman von Ludwig Tieck, erscheint im 1. Teil.
Schinkel verläßt das Gymnasium vor Ende des Winterhalbjahres mit Obersekundareife, um die Architektenlaufbahn einzuschlagen.
Mai: Napoleons Zug nach Ägypten (–Okt. 1799).
November: Grundsteinlegung zur neuen Münze von Heinrich Gentz.
Ende d. J.: Schinkel zieht in das Haus David Gillys und tritt eine Art Lehrlingsverhältnis an. Er übt sich durch Kopieren von Vorlagen. – Erster Bühnendekorationsentwurf, angeregt durch Gilly.
Bilder: *Aussicht auf Neapel und Vesuv, Potsdam bei Sonnenaufgang, Weiher im Wald, Landschaft mit Ruinen, Südliche Landschaft mit einem See* u. a.

1799 April: König Friedrich Wilhelm III. stiftet die Bauakademie (21.4.). David Gilly liest über die Konstruktion der Gebäude, Wegebau, Strombau- und Deichbaukunst. Sein Sohn, der auch Schinkels Lehrmeister ist, betreut das Fach Optik und Perspektive.
1. Oktober: Die Bauakademie eröffnet zum ersten Semester. Unter den 95 Eleven ist auch Schinkel. – Friedrich Gillys Sammlung von Zeichnungen von der Marienburg erscheint.
Dezember: Napoleon Erster Consul. Schinkel malt: *Landschaft mit Kuppeldom, Landschaft mit Fluß und Viadukt, Ruinen antiker Tempel, Felstal mit Soldaten.*

1800 8. März: Schinkels Mutter stirbt in Berlin.
April: Der Bau des Theaters von Langhans am Gendarmenmarkt in Berlin beginnt.
3. August: Friedrich Gilly stirbt 28jährig an Tuberkulose. Im Testament hatte er bestimmt, daß Schinkel die noch nicht zu Ende geführten Bauten übernehmen soll. – Schinkel baut den Pomona-Tempel, ein Lusthäuschen, auf dem Pfingstberg bei Potsdam (erster Nachweis seiner Architektentätigkeit). – Etwa um die gleiche Zeit Bau eines Wirtschaftsgebäudes in Bärwinkel bei Neuhardenberg.
17. November: In einem Vorschlag zur Preisverteilung steht Schinkel an der Spitze der 18 besten Eleven. Um diese Zeit vermutlich das Kondukteur-Examen.
Romantisierender Museumsentwurf. – Gemälde *Waldlandschaft mit zwei badenden Kindern, Felsgestade am Meer.*

1801 Umbau von Schloß Buckow für von Flemming (bis 1803). Weitere Bauten auf märkischen Herrensitzen u.a. für Familie von Prittwitz auf Quilitz. – Entwurf für einen Kandelaber.

1802 Bau eines Wirtschaftsgebäudes in Behlendorf. – Um diese Zeit Entwürfe für die Eckartsteinsche Fayence-Fabrik.
Mai: Entwürfe für das Haus des Zimmermeisters Steinmeyer in der Friedrichstraße 103.
September: Kurzer Aufenthalt in Jena. – Schinkel zeigt auf der Akademie-Ausstellung den Entwurf zu einer Bühnendekoration in der Schlußszene des Trauerspiels *Iphigenia in Aulis.* Dadurch wurde in diesem Fache alles bisher Dagewesene übertroffen, urteilte Schadow.

November: Wilhelm von Humboldt trifft in Rom ein, um seinen Posten als preußischer Resident beim Heiligen Stuhl anzutreten.

1803 Februar: Reichsdeputationshauptschluß zu Regensburg. – Franzosen besetzen Hannover.

1. Mai: Schinkel und sein Studienfreund Steinmeyer jr. brechen zu einer großen Italienreise auf. Die Route führt über Dresden, Prag, Wien nach Triest. August in Venedig, seit Anfang Oktober in Rom.

1804 bis April in Rom; dann Weiterfahrt nach Neapel und Sizilien. 8.–11. Mai nach Messina; 16.–18. Mai Besteigung des Aetna; Juni durch Sizilien mit Besuch der Antikentempel bei Agrigent und Segest. Anfang Juli Brief aus Neapel an den Berliner Buchhändler Unger: Schinkel schlägt ein Werk über frühmittelalterliche Baukunst vor. – Juli wieder in Rom, Oktober in Genua, Ende November in Paris. – Im gleichen Jahr wird Graf (später Fürst) Hardenberg preußischer Außenminister (April) und Reichsfreiherr vom Stein Wirtschafts- und Finanzminister (27.10.).

Dezember: Reisebericht aus Paris an David Gilly. Kritische Beurteilung der antiken Architektur.

2. Dezember: Napoleon krönt sich in Notre Dame (Paris) zum Kaiser der Franzosen. – Gründung der Kgl. Eisengießerei in Berlin.

1805 März: Heimkehr mit Steinmeyer aus Italien und Frankreich. – Beschäftigung beim Bau des Schlosses Owinsk Warthe. Baudirektor war zuvor D. Gilly.

Sommer: Die Franzosen fallen in Süddeutschland ein.

Dezember: In der Schlacht von Austerlitz werden die Österreicher und Russen vernichtend von Napoleon geschlagen (2.12.).

Gemälde: *Antike Stadt an einem Berg* (zwischen 1805–1807), *Aussicht vom Vesuv auf den Golf von Neapel* (1805–09), *Aussicht auf Owinsk* (1805–09).

1806 Juni: Die Stettiner Kaufmannsfamilie Tilebein plant einen Umbau ihres Hauses, den Schinkel ausführen soll.

Juli: 16 deutsche Fürsten verlassen den Reichsverband und gründen den *Rheinbund* (17.7.) unter französischem Protektorat.

Sommer (?): Schinkels erste Reise nach Pommern. Er soll für die Tilebeins ein Landhaus in Zülchow bei Stettin bauen. Wahrscheinlich lernt Schinkel in diesen Wochen seine spätere Frau, Susanne Berger, kennen.

August: Kaiser Franz legt die römische Kaiserwürde nieder und nennt sich Kaiser von Österreich. Ende des tausendjährigen Heiligen Römischen Reiches.

Oktober: Preußisches Ultimatum auf Abzug aller französischen Truppen rechts des Rheins und Auflösung des Rheinbundes (1.10.). – Brief Tilebeins an Schinkel wegen Bauauftrags (nie ausgeführt). Prinz Louis Ferdinand von Preußen fällt bei einem Vorhutgefecht bei Saalfeld (10.10.). – Vernichtende Niederlage der Preußen bei Jena und Auerstedt (14.10.). – Einzug Napoleons in Berlin durch das Brandenburger Tor (27.10.). – Die Franzosen marschieren in Stettin ein (30.10.).

Dezember: Die Franzosen entführen die Quadriga vom Brandenburger Tor. Sie wird auf dem Wasserweg nach Paris gebracht, wo sie im Mai 1807 ankommt. Schadows Werk wird einstweilen im Erdgeschoß des Louvre aufgestellt.

Kostümentwurf Schinkels: *französischer Dragoner,* vermutlich Skizze für ein Diorama.

1807 Verteidigung Kolbergs durch Gneisenau und Nettelbeck bis Friedensschluß.

Februar: Unentschiedene Schlacht bei Preußisch-Eylau.

Juli: Preußen verliert im Frieden von Tilsit die Hälfte des Staatsgebietes, u. a. die westelbischen Gebiete. Hohe Kontributionen (7. und 9.7.).

Oktober: Edikt zur Bauernbefreiung; Beginn des großen preußischen Reformwerks von Hardenberg und Stein (u. a. Gewerbefreiheit, Judenemanzipation)
Zu Weihnachten: Schinkel zeigt erstmals öffentlich Schaubilder: *Konstantinopel, Jerusalem, Insel Philae, Apollinopolis, Genua,* sowie eine *Norwegische* und eine *Französische Gegend.* – Kopien von elf Einzelstudien zu Theaterkostümen.

1808 Winter: Fichtes Reden an die Nation im Saal der Berliner Akademie im von den Franzosen besetzten Berlin. – Sulpiz Boisserée beginnt mit dem Ausmessen der Domruine in Köln. – Beginn system. Grabungen in Pompeji.
Städteordnung und Verwaltungsreform in Preußen durch Minister vom Stein.
Herbst: In einer von Steinmeyer gebauten Bude zeigt Schinkel neben der Hedwigs-Kirche ein Panorama von Palermo.
November: Karl Freiherr von Altenstein preußischer Finanzminister.
Dezember: Die französische Besatzung rückt aus Berlin ab (3.12.). – Reichsfreiherr vom Stein durch Napoleon geächtet.
Weihnachten: Schaubild *Hafen von Kapstadt, Markusplatz in Venedig, Dom zu Mailand, Schweizertal am Fusse des Montblanc, Ausbruch des Vesuvs, Erleuchtung der Kuppel von St. Peter in Rom* u. a.

1809 Januar: Zelter gründet die Liedertafel (24.1.).
Februar: Wilhelm von Humboldt Leiter der Sektion Kultus und Unterricht (20.2.).
März: Schinkel reist im Auftrag des Königs nach Treptow an der Rega (Ostpommern), um verschiedene Motive für die Zarin, Witwe Paul I., zu malen, die in Treptow aufgewachsen ist.
April: Krieg zwischen Österreich und Frankreich. – Aufstände gegen die französische Herrschaft (Andreas Hofer, Major von Schill).
August: Stiftung der Berliner Universität (16.8.). – Schinkel heiratet die Kaufmannstochter Susanne Berger aus Stettin (17.8.).
September: Brand der Petrikirche (20.9.). Schinkel legt bald Entwürfe für den Wiederaufbau vor.
Oktober: Friede von Schönbrunn zwischen Österreich und Frankreich (14.10.).
Dezember: Rückkehr des Königs und der Königin Luise aus Königsberg nach Berlin (23.12.). Gemälde *Gotische Klosterruine und Baumgruppen.*
Weihnachten: Schaubilder *Ponte Molle bei Rom, Der schiefe Turm von Pisa, Engelsbrücke in Rom* u. a.

1810 Inneneinrichtung einiger Räume im vom König bewohnten Kronprinzenpalais. Verschiedene Möbel, darunter ein Bett im Empirestil für Königin Luise.
Februar: Schaubild *Dom mit Brücke im Morgenlicht.*
April: Entlassungsgesuch Humboldts (29.4.).
Mai: Schinkel zum Oberbau-Assessor ernannt (15.5.). – Er übernimmt das „ästhetische Fach".
Juni: Einer der ersten Aufträge Schinkels ist die Prüfung des Plans zum Erweiterungsbau für das Palais des Königs, dem einzigen größeren Bauunternehmen jener Jahre. – Schinkel bearbeitet ein Gutachten über die baufällige Orangerie im Botanischen Garten in Schöneberg. – Hardenberg wird Staatskanzler (6.6.). – Fortsetzung der Steinschen Reformen.
Juli: Königin Luise stirbt in Hohenzieritz im Alter von 34 Jahren (19.7.).
August: Gutachten zur Einrichtung der neuen Universität.
September: Geburt von Schinkels erster Tochter, Marie Susanne Eleonore (2.9.). – Gutachten zur Stadtkirche in Teltow. – Eröffnung der Akademieausstellung. Schinkel zeigt einen Entwurf zum Grabmal für Königin Luise und Steindrucke.
Oktober: Erster Immatrikulationstag an der Berliner Universität (5.10.).

November: Die *Berliner Abendblätter* berichten u. a. über Schinkels Grabmalsentwurf (13.11.).
Dezember: Gutachten zum Entwurf des Oberlandesbaumeisters Colberg für Neubau der Petrikirche. Schinkels Gegenentwurf ist ein Kuppelbau.
Weihnachten: Schaubild *Harzgegend mit einem Eisenhammer.*
Gemälde *Dom hinter Bäumen, Der Abend,* im gleichen Jahr vermutlich auch *Blick von den Pichelsbergen über die Spreewiesen nach Spandau.*

1811 Schinkel veröffentlicht Tafelwerk mit seinem Entwurf zur Petrikirche.
März: Die Akademie der Künste ernennt Schinkel zum ordentlichen Mitglied (13.3.).
Frühjahr: Friedrich Ludwig Jahn gründet in der Hasenheide (im Süden Berlins) den ersten Turnplatz.
Sommer: Schinkel reist mit seiner Frau ins Salzkammergut (über Dresden und Prag). Besuch mit Brentano beim Grafen (später Fürst) Pückler-Muskau. Eine Reihe von Reisezeichnungen. *Gasteiner Wasserfall* u. a.
Juli: Im Auftrag des Königs fährt Schinkel zu einer Auktion nach Köpenick.
Oktober: Gutachten zur geplanten Turmuhr an der Universität. – In Gransee wird Schinkels Luisendenkmal, eine gußeiserne gotisierende Laube, eingeweiht (19.10.).
November: Selbstmord Heinrich von Kleists am Wannsee (21.11.). – Schinkels zweite Tochter Susanne Marie Sophie geboren (23.11.).
Weihnachten: Schaubild *Italienischer Palast in Festbeleuchtung, Gotische Kirche in einer Seestadt.*
Bühnendekoration *Die Vestalin* (Entwurf).
Gemälde *Der Morgen* (Rundbild), *Königssee bei Berchtesgaden, Mittelalterliche Stadt an einem Fluß* (vermutl. die erste Kathedralvision).

1812 Januar: Entwurf für Kirche in Voigtsdorf (Schles.).
Juni: Napoleon rückt mit seiner „großen Armee“ in Rußland ein.
Juli: Gutachten zum Anatomischen Theater. – Gutachten zum schwer beschädigten Gewächshaus im Botanischen Garten in Schöneberg.
August: Bericht zum geplanten Zivilkasino in Potsdam.
September: Brand Moskaus (14.9.).
Schinkel zeigt auf der Akademieausstellung Plan und innere Ansicht für neuen Saal der Singakademie.
Oktober: Räumung Moskaus (ab 19.10.). Beginn des französischen Rückzugs.
Gemälde *Landschaft mit Motiven aus dem Salzburgischen.*
Zu Weihnachten: Schaubild *Brand Moskaus.*

1813 Januar: Stellungnahme zur Kirche in Voigtsdorf (Schles.). – Um sich dem Zugriff der Franzosen zu entziehen, verlegt Friedrich Wilhelm III. seine Residenz nach Breslau (22.1.).
Februar: Mitunterzeichnung des Gutachtens zur alten Friedrich-Werderschen Kirche.
März: Russische Truppen marschieren nach dem Abzug der Franzosen in Berlin ein. – Aufforderung an Schinkel zum Entwurf des Eisernen Kreuzes (13.3.). – Aufruf Friedrich Wilhelms III. *An mein Volk* und *An mein Kriegsheer* (17.3.). – Schinkel sendet die Zeichnungen zum EK an Kabinettsrat Albrecht ab (20.3.).
April: Landsturmedikt (21.4.). – Schinkel meldet sich zum Landsturm (21.4.).
Mai: Schlacht bei Großgörschen, Scharnhorst verwundet, stirbt in Prag.
Juli: Pläne für Grabmalsentwürfe für Friederike Koch, die Braut des verstorbenen Chorkomponisten Flemming (als gotischer Tempel). – Erstes größeres Gutachten zur Wiederherstellung der Klosterkirche.
August: Denkschrift an Iffland (19.8.). Bewerbung als Bühnenmaler. – Angriff der Franzosen

auf Berlin durch Bülow bei Großbeeren abgewehrt (23.8.). – Sieg des Generals Kleist bei Nollendorf.
September: Erneutes Gutachten zur Klosterkirche.
Sieg der Generale Tauentzien und Bülow bei Dennewitz.
Herbst: Drei weitere Gutachten zur Werderschen Kirche, mitunterzeichnet.
Oktober: Völkerschlacht bei Leipzig mit über 100 000 Toten und Verwundeten (16.–19.10.).
Sieg Blüchers bei Möckern. Rückzug Napoleons über den Rhein. Auflösung des Rheinbunds.
November: Bauvorhaben Klosterkirche wird wegen unübersehbarer Finanzlage abgesetzt.
Dezember: Schinkels einziger Sohn Karl Raphael geboren (6.12.). – Zweites Theatermemorandum an Iffland (11.12.). – Blücher überschreitet in der Silvesternacht den Rhein.
Weihnachten: Schaubild *Völkerschlacht bei Leipzig.*
Gemälde *Blick auf den Mont Blanc, Gotischer Dom in einer Stadt, Landschaft mit Pilger* u. a.

1814 Wandbilder-Zyklus für den Kaufmann Jean Paul Humbert.
Januar: Gutachten zur Garnisonskirche Schweidnitz.
März: Einmarsch der Verbündeten in Paris (31.3.).
Mai: Ankunft Napoleons auf Elba (4.5.). – Auf Befehl des Königs entwirft Schinkel neues Siegeszeichen für die Victoria auf dem Brandenburger Tor.
Juni: Entwurf für die Siegessäulen für die Triumphstraße. – Die Quadriga kommt aus Paris in Schloß Grunewald an (9.6.).
Sommer: Denkschrift zum Freiheitsdom. Verschiedene Entwürfe.
Juli: Gestaltung der Triumphstraße Unter den Linden. – Der Kronprinz besichtigt mit Boisserée den Kölner Dom (16.7.).
August: Friedrich Wilhelm III. reitet an der Spitze der Truppen in Berlin ein (7.8.). – Einzug der russischen Verbündeten (12.8.). – Schinkel wohnt in der Friedrichstraße 99. – Vermerk zur Senkung der Renovierungskosten für die Klosterkirche.
September: Der Pariser Platz (Quarrée) und der Leipziger Platz (Oktogon) erhalten ihre Namen, zum Andenken an die siegreichen Schlachten (15.9.). – Abreise des Königs zum Wiener Kongreß (18.9.).
Oktober: Auf der Akademie-Ausstellung zeigt Schinkel zwei eigene Kompositionen in Öl. – Gutachten zur Rettung des Berliner Rathausturms. – Schinkel muß den Auftrag zur Einrichtung des Palais Prinz August wegen Überbeschäftigung ablehnen.
November: Vermerk zum Kirchturmentwurf im pommerschen Brietzig. – Gutachten über Schäden an Gendarmenmarkt-Kirchen.
Jahresende: Großer Plan für die Neugestaltung des Tiergartens. – Umbauten im Palais Hardenberg. – Pläne für Umbau der Dorfkirche in Neuhardenberg. – Entwurf zum Hermannsdenkmal.
Weihnachten: Schaubilder – zwei *Ansichten der Insel Elba.*
Gemälde *Schloß am See, Altan mit Fernblick.*

1815 Januar: Zweite Denkschrift zur französischen Kirche auf dem Gendarmenmarkt. – Graf Brühl wird zum Intendanten der Kgl. Schauspiele in Berlin ernannt (10.1.).
Februar: Beginn des Abbruchs der 1809 ausgebrannten Petrikirche. – Brentano besucht die Bauschule im Haus der Oberbaudirektion. – Entwurf für Kirchturm in Brietzig (Pom.).
März: Ernennung zum Geheimen Oberbaurat (12.3.).
Rückkehr Napoleons nach Frankreich.
April: Gutachten für die Kirchen auf dem Gendarmenmarkt. – Gegenentwurf zum Ohlauer Tor in Breslau.
Mai: Gutachten über Reparaturkosten an Gendarmenmarkt-Kirchen.

Juni: Schlußakte des Wiener Kongreß (8.6.). Gründung des Deutschen Bundes anstelle des alten Reiches. – Endgültige Niederlage Napoleons bei Belle Alliance (18.6.). – Verbannung auf die Insel St. Helena.
Sommer: Beginn der Ausbesserungen an der französischen Kirche (bis Sommer 1816).
August: Bericht über den Zustand der zerstörten Schloßkirche in Wittenberg. – Gutachten zur Denkmalpflege (17.8.).
September: Bericht wegen mutwilliger Zerstörungen am Pontonhof (12.9.).
Oktober: Kabinettsorder verbietet unerlaubte Änderungen an Denkmälern und öffentlichen Gebäuden (4.10.). – Rückkehr des Königs aus dem Hauptquartier in Paris. – Gutachten zur Erhaltung des Lettner in Xanten, Stiftskirche (25.10.). – Entwurf für Eisengitter auf der Langen Brücke am Schloßplatz.
November: Friedrich Wilhelm III. wünscht den Ausbau von Stallungen im Akademiegebäude für das geplante Museum.
Weihnachten: Schaubild von *St. Helena.*
Gemälde *Erntefestzug* (für Hardenberg), *Gotische Kirche auf einem Felsen am Meer, Mittelalterliche Stadt an einem Fluß, Felslandschaft* (für Gneisenau), *Griechische Stadt am Meer.*

1816 Januar: Premiere der *Zauberflöte* mit Schinkels Bühnenbildern (18.1.).
Februar: Der König läßt sich Schinkels Entwürfe zum Freiheitsdom holen. – Neue Kostenanschläge zur Petrikirche.
März: Beginn des Umbaus der alten Akademie zur Einrichtung eines Museums. – Denkschrift zu einem neuen Kuppeldom (1.3.). – Entwurf für Innengestaltung der Domkirche am Lustgarten, Kanzel hinter dem Altar.
Frühjahr: Beginn der Arbeiten am Palais Prinz August.
April: Friedrich Wilhelm III. befiehlt den Entwurf einer neuen Wache (2.4.) und den Innenausbau der Domkirche (14.4.). – Gutachten zum Bau der Büchsenmacherei. – Denkmal für Gefallene in Spandau eingeweiht.
Juni: Premiere der Oper *Ariodan* mit Schinkels Dekorationen (1.6.). – Auftrag zur Kunstreise an den Rhein (19.6.). – Den kurz zuvor begonnenen Innenausbau im Palais Prinz August überträgt Schinkel seinem Schwager Berger.
Sommer: Beendigung der Arbeiten an der französischen Kirche am Gendarmenmarkt. – Beginn der Arbeiten an der deutschen Kirche.
Juli–September: Kunstreise an den Rhein und Niederrhein. Abreise: 9.7. Am 11.7. Gespräch mit Goethe in Weimar. Vom 20.7. bis ca. 7. August: Verhandlungen in Heidelberg mit den Brüdern Boisserée wegen Ankaufs ihrer Gemäldesammlung für Preußen. Weiterfahrt über Worms, Trier (Besichtigung der Porta Nigra, des Amphitheaters, der Kaiserthermen) nach Koblenz und Kloster Laach. In Köln erste Dombesichtigung, Besuch verschiedener Gemäldesammlungen. Abfahrt nach Aachen (4.9.). Von dort weiter nach Löwen, Antwerpen, Brüssel, Amsterdam. Rückfahrt über Kleve, Kalkar, Xanten, Düsseldorf, Skizze für Boisserées Vignette zum *Domwerk.* Köln (26.9.) nach Berlin.
August: Premiere der Oper *Undine* mit Schinkels Bühnenbildern (3.8.). – Bericht an Minister Altenstein wegen der Sammlung Boisserée (6.8.).
September: Bericht über den Zustand der Domruine in Köln (3.9.: 1. Gutachten). – Bericht über Verschönerung der Domumgebung in Berlin.
Oktober: Bericht an Altenstein über die Sammlung Boisserée (15.10.). – Bericht über Boisserée an Legationsrat Eichhorn (19.10.). Weiterhin Tätigkeit für das Palais Prinz August.
November: Gutachten über Erhaltung des Torbaus der kgl. Bank.
Dezember: Gutachten über Standort der Militärärzteschule.

1817 Anfang des Jahres: Bebauungsplan für die Innenstadt.
Januar: Bericht zum Votum des Ministers v. Bülow gegen die Sammlung Boisserée. – Gutachten zur Büchsenmacherei und zur Restaurierung der Bildwerke am Zeughaus. – Schreiben zur Klosterkirche Chorin (8.1.). – Premiere der Oper *Rittertreue* mit Bühnenbildern Schinkels (31.1.).
Februar: Premiere der Oper *Athalia* mit Bühnendekorationen Schinkels (25.2.).
März (?) Beginn der Inneneinrichtung des Palais Prinz Friedrich.
Der König befiehlt Abbruch der Fundamente der Petrikirch-Ruine. – Plan zur Militärärzteschule. – Gutachten zum Umbau des Berliner Rathauses.
April: Entwurf zum Berliner Rathaus: florentinisch, antikisch (nicht ausgeführt). – Einweihung des Palais Prinz August in Anwesenheit des Königs. – Gutachten für die kath. Kirche in Kreuzberg (Schlesien). – Premiere des Trauerspiels *Axel und Walburg* mit Bühnendekoration Schinkels (28.4.).
Mai: Reise nach Pommern, teils dienstlich, teils privat (mit Familie). – Endgültiger Entwurf für das Berliner Rathaus. – Grundbau der Büchsenmacherei. – Gutachten zur Erhaltung der Statuen auf dem Berliner Schloß (17.5.) – Fundamentierungsarbeiten für den Bau der Neuen Wache beginnen am Kastanienwäldchen.
Juni: Reise nach Potsdam. – Premiere des Trauerspiels *König Yngurd* mit Bühnendekoration Schinkels (9.6.). – Baubeginn des Militärarresthauses. Das Sockelgeschoß der Neuen Wache wird gemauert.
Juli: Gutachten zur Instandsetzung der ehem. Klosterkirche Kamenz (Schlesien). – Entwurf zu einem Denkmal Blüchers im Schuppenpanzer (Breslau). – Das Theater am Gendarmenmarkt brennt völlig aus (29.7.).
August: K. F. Langhans schickt an den König Wiederaufbaupläne zum Theater. – Intendant Graf Brühl bittet um die Genehmigung, Architekten für den Theaterneubau heranzuziehen (1.8.). – Erster Entwurf zum Bauvorhaben ev. Arnsberger Kirche (Westf.). – Erster Entwurf zur kath. Kirche in Neheim (Westf.). – Denkmal in Großbeeren eingeweiht.
September: Beginn des Innenausbaus der Büchsenmacherei. – Gutachten zur Erhaltung der Standbilder auf dem Dach des Fürstenhauses am Werderschen Markt. – Gutachten zum Standort der Arnsberger Kirche (Westf.). – Gutachten und Neubauentwurf zur kath. Kirche in Neheim (Westf.). – Besichtigung der Renovierungsarbeiten in der Berliner Nikolaikirche. – Denkmal in Dennewitz eingeweiht (6.9.).
Oktober: Premiere des Trauerspiels *Alceste* mit Bühnendekoration Schinkels (15.10.). – Bericht zum Umbau der alten Post. – Einweihung der renovierten Nikolaikirche (30.10.). – Einweihung des Doms am Lustgarten mit dem neuen Innenausbau von Schinkel. – Wartburgfest (18.10.) der Studenten mit den Farben schwarz-rot-gold als den vermeintlichen Farben des alten Reiches; Einheit Deutschlands gefordert.
November: Planungen für die Kirche in Arnsberg (Westf.). – Bericht über Umbau der alten Post. – Der König befiehlt den Aufbau des Schauspielhauses am Gendarmenmarkt (19.11.).
Dezember: Erneutes Gutachten zum Fürstenhaus. – Karl Freiherr von Stein zum Altenstein wird Kultusminister (–1838).
Gemälde *Triumphbogen, Spreeufer bei Stralau.*

1818 Januar: Premiere *Tankred* mit Bühnendekoration Schinkels (5.1.). – Premiere von Schillers Trauerspiel *Die Jungfrau von Orleans* mit Bühnendekoration Schinkels (18.1.). – Plan zum Straßendurchbruch zur Neuen Wilhelmstraße.
Februar: Erläuterungsschreiben zum Denkmalprojekt auf dem Kreuzberg.
März: 2. Entwurf für Kirche in Neheim (Westfalen).

April: Order an Schinkel zum Entwurf des neuen Theaters (2.4.). – Der König genehmigt Schinkels Theaterbaupläne (30.4.).

Mai: Grundskizze für Artillerie- und Ingenieurschule. – Der König genehmigt Schinkels Entwurf für Kirche in Großbeeren.

Juni: Reparaturen am deutschen Dom auf dem Gendarmenmarkt beendet.

Juli: Grundsteinlegung zum Schauspielhaus (4.7.). – Schinkel muß eine Dienstreise zur Marienburg wegen Überlastung absagen. – Premiere des Schauspiels *Sappho* mit Bühnendekoration Schinkels (13.7.).

August: Büchsenmacherei der Militärbehörde übergeben. – Premiere des Singspiels *Lodoiska* mit Bühnendekoration Schinkels (3.8.). – Bau der Neuen Wache beendet. – Zeichnungen für Neubau der Gendarmenmarktskirchen (nicht ausgeführt).

September: Bericht an Minister von Bülow über Arbeiten zum Kreuzbergdenkmal. – Grundsteinlegung (19.9.). – Gutachten zur Garnisonskirche in Schweidnitz (Schlesien). – Der König genehmigt Plan zur Aufstockung der zum Pontonhof gehörenden Gebäude. – Auf der Akademieausstellung zeigt Schinkel kunstgewerbliche Gegenstände nach seinen Entwürfen. – Aufführung der Oper *Die Vestalin* mit Bühnendekoration Schinkels (15.9.).

Oktober: Fertigstellung der Kaserne der Lehr-Eskadron. – Premiere von *Orpheus und Eurydike* mit Bühnendekoration Schinkels (15.10.).

November: Erläuterungen zur Inneneinrichtung der Apostelkirche in Münster. – Auftrag zum Entwurf einer Kirche in Hemer (Westf.).

Dezember: Premiere des Schauspiels *Lila* mit Bühnendekoration Schinkels (9.12.). – Entwurf für Dorfkirche in Hemer (Westf.) und Bitte um Gewährung einer Hilfskraft wegen Überbeanspruchung.

1819 Beginn der Mitarbeit an den *Vorbildern für Fabrikanten und Handwerker.* Weiterbau des Schauspielhauses.

*Die Welt als Wille und Vorstellung,* das Hauptwerk von Arthur Schopenhauer, erscheint.

Auftrag zum Neuentwurf des Dom-Äußeren (Lustgarten).

Januar: Einweihung der neu eingerichteten Marienkirche. – Premiere des Trauerspiels *Don Carlos* mit Bühnendekoration Schinkels (6.1.).

Februar: 2. Entlastungsgesuch an Minister von Bülow. – Domauftrag für Schinkel: Umbau des Äußeren.

März: Der König befiehlt Bau der neuen Schloßbrücke an Stelle der alten Hundebrücke. – Premiere des Schauspiels *Hermann und Thusnelda* mit Bühnendekoration Schinkels (29.3.).

Frühjahr: Pläne zum Umbau des Doms am Lustgarten (Kuppelentwurf).

April: Grundsteinlegung zur Kirche in Hemer (14.4.). – Friedrich Tieck übernimmt Bildhauerarbeiten am Schauspielhaus.

Mai: Gutachten zum Stufenbau von St. Hedwig. – Schinkel schickt weitere Entwürfe für den Domturm ans Ministerium. – Premiere des Schauspiels *Die Braut von Messina* mit Bühnendek. Schinkels (14.5.). – Privataufführung einzelner Szenen des Faust durch Initiative des Fürsten Radziwill (Vollständigere Aufführung im Mai 1820 mit Schinkels Dekoration; erster Versuch der Bühnendarstellung des *Faust* überhaupt).

Juni: Pläne zur Wiederherstellung der Porta Nigra (Trier). – Premiere des Schauspiels *Ratibor und Wanda* mit Bühnendek. Schinkels (11.6.). – Entwürfe zur neuen Schloßbrücke.

Sommer: Entwurf zum Kutusoff-Denkmal in Bunzlau, Schlesien.

Juli: Baubeginn Marschallbrücke. – Gutachten zum Umbau der alten Post von Schlüter. – Schinkel Mitglied der Technischen Deputation. – Entwurf zum Halleschen Tor an Minister von

Bülow (nicht ausgef.). – Peter Beuth zum Direktor der Technischen Deputation für Gewerbe ernannt (21.7.). – Grundsteinlegung zum Denkmal des russischen General Kutusoff.
August: Gutachten zum Neubau des Rathauses von Oppeln (Schlesien). – Beginn der Ausschachtungsarbeiten zum Potsdamer Zivilcasino.
Karlsbader Beschlüsse leiten scharfe Maßnahmen gegen liberale Bewegungen ein, verschärfte Zensur von Bundestag in Frankfurt verabschiedet, Beginn der Demagogenverfolgungen.
September: Gutachten zum Gesellschaftshaus in Arnsberg (Westf.).
Oktober: Premiere des Singspiels *Axur, König von Ormus* mit Bühnendek. Schinkels (24.10.).
Herbst: Reise zur Marienburg.
November: Bericht über Wiederherstellung der Marienburg (11.11. an Hardenberg). – Vorschläge zur Restaurierung des Standbildes König Friedrich Wilhelms I. in Köslin.
Dezember: Premiere der Oper *Nittetis* mit Schinkels Bühnendek. (1.12.). – Wilhelm von Humboldt erhält seinen Abschied (31.12.).

1820 Weiterbau des Schauspielhauses. – Bau des Schlosses Neuhardenberg (vor 1814: Quilitz) für den Staatskanzler.
Januar: Neuentwurf für die Spittelmarktkirche im „altdeutschen Stil“ u. a. Entwürfe.
Frühjahr: Beginn des Außenumbaus des Doms. – Stich der *Domwerk*-Vignette.
März: Gutachten über das Zeughausdach.
April: Grabmalsentwurf für Scharnhorst in Form einer Kapelle. – Saalschmuck für das Raffaelfest (18.4.).
Mai: Schinkel schickt an Boisserée das 1. Heft seiner *Architektonischen Entwürfe.* – Festliche Aufführung der Oper *Vestalin* zur Ankunft des neuen Generalmusikdirektors Gasparo Spontini. – Gutachten zur Neueinrichtung der Schloßkapelle in Bonn.
Juli: Besprechung im Humboldt-Schlößchen Tegel über geplanten Umbau. – Schinkel lehnt Weinbrenners Entwurf für das Düsseldorfer Theater ab. – Gutachten zur Einrichtung der ev. Kirche in Trier.
August: Einweihung der Kirche in Hemer (Westf.). – Ernennung Schinkels zum Professor der Akademie für Baukunst. – Besuch mit Rauch und Tieck bei Goethe in Weimar.
September: (?) Beginn des Umbaus in Tegel. – Premiere des Trauerspiels *Die Fürsten Chawansky* mit Bühnendek. Schinkels (9.9.). – Premiere der Gluck-Oper *Armide* mit Bühnendek. Schinkels (13.9.).
Oktober: Kirche in Großbeeren eingeweiht. – Gutachten zum Entwurf des Appellationsgerichts in Köln. – Schinkel übernimmt Planung für Aufstellung und Unterbringung der Sammlungen für das Museum.
November: Entwurf für Pfarrkirche in Appelhülsen (Rhld.). – Gutachten zum Gymnasium-Neubau in Düsseldorf.
Dezember: Erneutes Gutachten für Kirche in Neheim.
Gemälde *Schloß am Strom.*

1821 Bau des Potsdamer Zivilkasinos mit Einrichtung (bis 1824).
Beginn des Freiheitskrieges der Griechen gegen die türkische Herrschaft.
Januar: Festsäle des neuen Schauspielhauses fertiggestellt. – Fest *Lalla Rookh* im Schloß mit Dekorationen Schinkels. – Peter Beuth gründet den *Verein zur Beförderung des Gewerbfleißes* (15.1.). – Aufführung *Othello* mit Bühnendekoration Schinkels (16.1.).
Februar: Entwurf zur Werderschen Kirche in Form eines römischen Tempels mit umlaufenden Säulen. – Gesuch um Arbeitsentlastung an Minister von Bülow.
Frühjahr: Beginn des Schloßbrückenbaus.
März: Gutachten zur Arnsberger Kirche (Westf.). – Planungen zur neuen Singakademie. –

Einweihung des Kreuzbergdenkmals in Gegenwart des russischen Großfürsten Nikolaus (7. Jahrestag des Einzugs in Paris, 31.3.). – Schinkel erhält den Roten Adlerorden III. Klasse.
April: Schreiben an Bülow wegen dringend notwendigen Blitzableiters am Kreuzbergdenkmal.
Mai: Zeichnungen zur neuen Singakademie. Premiere der Oper *Olympia* mit Bühnendek. Schinkels (14.5.). – Einweihung des Schauspielhauses (26.5.), dazu Bühnendekoration Schinkels.
Juni: Premiere des Trauerspiels *Das Bild* mit Bühnendek. Schinkels (23.6.). Reise nach Dresden mit Rauch.
Juli: Gutachten über die Kirche in Altenberg. – Gutachten zur Anlegung eines botanischen Universitätsgartens. – Änderung der Pläne zur Singakademie.
Sommer: Fünfwöchige Reise mit der Familie nach Stettin. Schinkel verbringt eine Woche auf Rügen.
September: Abnahme der Gerüste am Dom im Lustgarten. – Ausführliches Gutachten zum Kölner Dom (21.9.).
Oktober: Schinkel schickt eigenen Entwurf für das Düsseldorfer Theater ab (nicht ausgef.). – Stellungnahme zu geplanten Änderungen und Entwurf zur Inneneinrichtung in Apostelkirche in Münster.
November: Bericht über die Arbeiten zur Einrichtung des Museums in der alten Akademie. – Eröffnung der zweiklassigen *Technischen Schule* mit 13 Schülern (ab 1827 Gewerbeinstitut) (1.11.). – Tod des preußischen Staatskanzlers Fürsten Hardenberg (26.11.).
Dezember: Berichte und Stellungnahme zu Kirchen in Issum, Münster und auf dem Kreuzberg bei Bonn.
Gemälde *Rugard auf Rügen, Stubbenkammer, Stettin von Frauendorf aus gesehen, Aussicht auf das Haff.*

1822 Bau des Torhauses an der Langen Brücke. – Schinkel wohnt Unter den Linden 4 a. – Beginn des Baus Jagdschloß Antonin für Fürst Radziwill (bis 1824).
Januar: Griechenland erklärt sich als von der Türkei unabhängig (13.1.). In Europa starke Unterstützung der Hellenen. – Schinkel legt Skizzen zum Umbau der Domkirche vor.
Februar: Schreiben wegen Sammlung von Zeichnungen wertvoller Baudenkmäler (12.2.). – Memorandum zum geplanten Anatomiegebäude in Bonn. – Gutachten zum Gymnasium in Minden. – Premiere der Oper *Aucassin und Nicolette* mit Bühnendekoration Schinkels.
Frühjahr: Grundsätzliche Denkschrift für die Umbauten und Planungen fürs Museum.
März: – Stellungnahme zum Wiederaufbau des abgebrannten Armenhauses in Kreuzberg (Schlesien). – Gutachten zum Neubau der Stadtpfarrkirche in Iserlohn. – Premiere des Balletts *Aline* mit Bühnendek. Schinkels (27.3.). – Gutachten zum Gymnasium in Minden.
April: Eingabe an Bülow wegen baulicher Mängel am Akademiegebäude. – Der König ernennt Museumskommission.
Mai: Abschließender Bericht zur Werderschen Kirche. – Grundsteinlegung Artillerie- und Ingenieur-Schule. – Premiere des lyrischen Dramas *Nurmahal* mit Bühnendekorationen Schinkels (27.5.). – Grundsteinlegung zur Schloßbrücke (29.5.).
Juni: Order an Schinkel zur Wiederherstellung des Brandenburger Doms. – Arbeiten an Entwürfen für die Umbauten zur Einrichtung des Museums. – E.T.A. Hoffmann gestorben (25.6.).
Juli: Rauch besichtigt Schinkels Entwurf zum Denkmal Friedrichs des Großen (stehend in einer Quadriga in antiker Tracht). – Gutachten zur Pfarrkirche in Kamenz. – Reise zum Fürsten Pückler, Planungen zum Schloßumbau etc. – Beschwerde Schinkels wegen ungenügender Kontrollmöglichkeiten seiner Behörde.

Großer Saal im Jagdschloß Antonin (aus: Architektonische Entwürfe)

Ende des Sommers: Schinkel erhält Auftrag zur Regulierung der Anlagen des Lustgartens.
August: Schinkels jüngste Tochter Elisabeth geboren (17.8.). – Bericht zur Klosterkirche Kamenz (Schles.).
September: Erneutes Gutachten zur alten Post. – Gutachten zum Aachener Theaterneubau.
Herbst: Umbau des alten Gebäudeteils in Tegel vollendet.
Oktober: Einweihung der Marschallbrücke.
November: Entwürfe und Kostenanschläge zum Museumskomplex.
Dezember: Schinkel arbeitet an einem neuen, eigenen Museumsprojekt.

1823 Schloßentwurf für Graf Potocki (Krakau) nicht ausgeführt. – Möbel für das Potsdamer Zivilkasino. – Erster Entwurf zum Ottobrunnen Pyritz. – Landhaus Behrend vollendet.
Januar: Rückkehr des Königs Friedrich Wilhelm III. von der Italienreise. – Lageplan an den König wegen der Packhofanlage. – Große Denkschrift zum neuen Museumsbau gegenüber dem Schloß am Lustgarten (8.1.).
Februar: Gutachten zur Turmkonstruktion der ev. Kirche in Trier. – Schinkel-Votum gegen Ablehnung seines Museumsentwurfs durch Hirt.
März: Gutachten zu Feuerschutzproblemen beim Königstädtischen Theater etc. am Alexanderplatz im ehemaligen Manufakturgebäude. – Bericht zum Heilbrunnenbau in Aachen. – Gutachten zur Pfarrkirche St. Mennatis (Kreis Koblenz).
Frühjahr: Stadt Koblenz schenkt Prinz Friedrich Wilhelm zur Hochzeit die Burg Stolzenfels; erste Besprechung wegen des Ausbaus. – Schinkelplan für Ausbau Burg Rheinstein.
April: Der König genehmigt Schinkelplan zum Potsdamer Tor. – Neuer Entwurf zum Aachener Heilbrunnenbau. – Niederschrift zum Neubau des Oberlandesgerichts in Ratibor. – Der König genehmigt die Pläne für die alte Post. – Der König genehmigt Schinkels Museumsbau und Verlegung des Packhofs (24.4.).
Mai: Stellungnahme zum geplanten Kirchturm in Schwelm (Westf.).
Juni: Gutachten Schinkels zum Bau des Königstädtischen Theaters.
Juli: Grundsätzliches Gutachten zur Wiederherstellung des Kölner Doms (3.7.). – Gutachten zum Umbau des Gymnasiums zum Grauen Kloster.
August: Gegenentwurf zur Fassade des Düsseldorfer Regierungsgebäudes. – Niederschrift zum Gerichtsgebäude in Ratibor. – Gutachten zur Verlegung der Kunst- und Bauschule Breslau.
September: Vorläufige Gesamtkalkulation zum Museumsbau. – Gutachten für Gewächshausentwurf in Breslau.
Herbst: 1. Entwurf für Ausbau der Burg Stolzenfels. – Erneute Stellungnahme zum Kirchturm in Schwelm (Westf.). – Artillerie- und Ingenieurschule bezugsfertig.
Oktober: Premiere des dramatischen Gedichts *Dido* mit Bühnendek. Schinkels (5.10.).
November: Einzug des Kronprinzenpaars über die neue Schloßbrücke (28.11.).
Dezember: Premiere der Oper *Libussa* mit Bühnendek. Schinkels (1.12.). – Neuer Bauplan für die Innenstadt mit dem neuen Museum.
Gemälde *Griechische Landschaft.*

1824 Zwei Wachtgebäude zum Potsdamer Platz. – Kriegsakademie (–1825). – Auftrag zur Einrichtung von Wohnräumen für den Kronprinzen im Berliner Schloß. – Umbau des Kavalierhauses auf der Pfaueninsel. –Endgültiger Entwurf zum Scharnhorstdenkmal mit Löwe.
Anfang (?) des Jahres: Entwürfe für die neue Werdersche Kirche im antikischen Stil und „altdeutsch“ mit vier Türmen.
Januar: Auswärtiges Mitglied der Akademie der Schönen Künste in Paris (28.1.). – Gutachten über Umzug des Anatomischen Theaters in die freiwerdende Pepiniere (Militärärzteschule). – Absperrung des Spreearms und Aushub der Baugrube für das Museum.

Frühjahr: Das erste Heft von Boisserées *Domwerk* mit Schinkels Vignette erscheint. – Vermerk über Jacobikirche in Greifswald. – Bauzeichnungen zum Wohnhaus Graefe aus Schinkels Atelier. – Prinz Karl von Preußen erwirbt das Besitztum Klein-Glienicke mit altem Gutshaus von der Familie des Fürsten Hardenberg.
März: Entwurf zur Pfarrkirche St. Georg in Schönberg (Rhld.).
April: Mit Prinz Karl in Glienicke (8.4.). – Abschließender Aktenvermerk zur Denkmalserfassung in westf. Bezirken (12.4.). – Premiere des Schauspiels *Das Kätchen von Heilbronn* mit Bühnendek. Schinkels (21.4.). – Prüfungsbericht zum Aachener Brunnenhaus. – Gutachten zum Düsseldorfer Gymnasiumsbau. – 2. Entwurf zum Ottobrunnen in Pyritz.
Mai: Pläne für das Kasino in Glienicke. – Schlußgutachten zur Stiftskirche in Herford (Westf.). – Gutachten zum Trierer Dom. – Gutachten zur Erneuerung der Jacobikirche in Greifswald.
Juni: Notizen zu baulichen Mängeln am Opernhaus und in der Inneneinrichtung. – Dritter Entwurf zum Pyritzer Ottobrunnen. – Gutachten zur Verschönerung des Platzes an der Werderschen Kirche. – Erneuter Besuch in Glienicke mit dem Hofmarschall Prinz Karls. Abreise nach Italien zum Studium der Museen. Begleiter sind Dr. Waagen, der Medailleur Brandt und August Kerll (29.6.).
Juli: über Halle, Kassel nach Köln (am 8. Juli Dombesichtigung). Weiterfahrt am 13.7. über Worms, Heidelberg, Stuttgart (Besuch bei den Brüdern Boisserée. Besichtigung ihrer Sammlung 17.7.). Lausanne; Mailand (2.8.–6.8.); Florenz (17.8.–21.8.). In Rom 27.8.–1.9. Weiterfahrt über Capua; Neapel (5.9.–26.9.). Von dort Ausflüge zu den Tempeln von Paestum; nach Amalfi (10.9.–12.9.) und Pompeji (17.9.), Besichtigung der freigelegten Gräberstraße, des Amphitheaters etc.; dreitägige Fahrt nach Sorrent und Capri vom 19. bis 21.9.; Rückreise von Neapel am 26.9. über Rom (29.9.–24.10.), Florenz; Venedig (7.–11.11.), Verona, Innsbruck; über München (22.11.), Weimar (am 2.12. Besuch bei Goethe) nach Berlin.
Juli: Berlin: Einrammen der Pfähle für das Museumsfundament.
September: Auf der Akademieausstellung sind zwei Landschaften von Schinkel ausgestellt. Außerdem zwei acht Fuß hohe Kandelaber aus der Fabrik Feilner (nach Schinkels Entwurf).
Oktober: Einweihung des Schlößchens Tegel in Anwesenheit des Königs. Schinkel wird durch Rauch vertreten (31.10.).
Dezember: Prüfungsvermerk zur Kirche in Groß-Strehlitz (Schles.).
Gemälde *Die neue Schloßbrücke in Berlin.*

1825 Einrichtung der Wohnräume für den Kronprinzen im Berliner Schloß. Möbel für Teesalon, Sternsaal, Arbeitszimmer, Erasmuskapelle etc. – Raffaelkabinett, Grünes Zimmer etc. im Charlottenburger Pavillon. – Innenentwürfe für Schloß Glienicke. – Beginn der Arbeiten für Charlottenhof.
Januar: Brief an Pückler wegen der geplanten Schloßrampe. – Neues Konzept zum Ausbau der Schwelmer Kirche (Westf.). – Einweihung des Kasinos in Potsdam (2.1.).
Februar: Stellungnahme zur Rampe in Muskau. – Schlußbericht zur Fassade des Düsseldorfers Regierungsgebäudes. – Schinkelbrief an Pückler wegen der Vasen für die Rampe.
April: Beginn der Maurerarbeiten für das Museum. Benötigt werden sechs Millionen Backsteine. – Gutachten zum Plan für ein Fasanenmeisterhaus im Tiergarten. – Schinkel an Pückler wegen Entwurfs zum Quellengebäude im Hermannsbad/Muskau.
Mai: Legen der Grundmauern für die Werdersche Kirche. Ausführung eines gotisierenden Zweitürmeentwurfs. – Entwurf für die Kirche in Balster (Pommern). – Die jüngste Tochter des Königs, Prinzessin Luise, erhält zur Vermählung mit Prinz Friedrich der Niederlande von der Stadt Berlin Schinkels Gemälde *Blick in Griechenlands Blüte* zum Geschenk (21.5.). – Premiere der Oper *Alcidor* mit Bühnendek. Schinkels (23.5.) – Stellungnahme zur geplanten Uferstraße

bis zur Schloßbrücke.
Juni: Gutachten zur Instandsetzung von St. Clemens in Wissel (Rhld.). – Der König genehmigt Schinkels Plan zur Fasanenmeisterei.
Juli: Feierliche Grundsteinlegung zum Museum (9.7.). – Bericht zum Wiederaufbau der abgebrannten Kirche in Liegnitz (Schlesien). – Einweihung der Glienicker Brücke (31.7.).
August: Erneuter Bericht zur Kirche in Liegnitz.
September: Bericht zur Rampe in Muskau. Fehler bei der Ausführung vermutet. – Bericht und Entwurf zur ev. Kirche Oberhonnefeld (Rhld.). – Gutachten zur Wiederherstellung des Kolberger Doms. – Bericht über die Einrichtung der neuen Kirche in Trier.
Oktober: Zweiter Plan zur Pfarrkirche St. Georg in Schönberg (Rhld.).
November: Vorschläge zur Verbesserung des Turms der Kirche in Pegelow (Pommern). – Brückenentwürfe für Muskau.
Dezember: Gutachten zur Kirche Groß-Strehlitz (Schlesien). – Premiere des Trauerspiels *Macbeth* mit Bühnendek. Schinkels (15.12.). – Bericht über neue Schäden an der Kirche in Altenberg (Rhld.).
Ende des Jahres: Besprechungen über die Baulichkeiten auf dem Packhofgelände. – Entwurf zum Leuchtturm von Arkona auf Rügen. – Auftrag zum Entwurf eines Theaters für Hamburg.

1826 Inneneinrichtung von Schloß Glienicke. – Baubeginn Charlottenhof im Park von Sanssouci. Entwürfe für Springbrunnen im Lustgarten.
Gasbeleuchtung Unter den Linden.
Anfang des Jahres: Entwurf einheitlicher Rahmen für Museumsbilder. – Pläne zu zwei Feldsteinkirchen in Pommern. – Besprechung mit Caroline von Humboldt wegen Ausmalung von Schloß Cappenberg für Frh. vom Stein.
Januar: Planungen zu den Packhofanlagen. – Brief wegen Gartenbank in Muskau.
Februar: Schreiben an Baurat Moser wegen Packhofprojekts (20.2.). – Zeichnungen zur Berl. Nikolaikirche eingeschickt.
März: Im Schauspielhaus: Lebende Bilder mit Schinkels *Die Bekränzung Apollos* (6.3.). – Premiere des Trauerspiels *Alexander und Darius* mit Bühnendek. Schinkels (10.3.). – Brief wegen Beseitigung des Schalls im Akademiegebäude. – Der König erteilt Schinkel Erlaubnis zur England- und Frankreichreise (21.3.). – Gutachten zu zwei Stiftsgebäuden am Ottobrunnen in Pyritz. – Gutachten zum Ausbau von Schloß Jägerhof, Düsseldorf.
April: Schreiben zum Plan für ein Torhäuschen in Muskau. – Änderungsvorschläge für die kath. Pfarrkirche in Rees (Rhld.). – Abreise nach Frankreich und England. Route über Weimar (17.4. Besuch bei Goethe) – Frankfurt – Koblenz (21.4.). Wiedersehen mit Clemens Brentano; – Trier – Metz – Paris (29.4.–21.5.). In Paris gemeinsame Besichtigungen mit Alexander von Humboldt. Gast bei der Familie von Hittorff. Weiterfahrt nach Calais (Ankunft 23.5.) – London (23.5. – Mitte Juni): Besichtigung der Museen, Privatgalerien, Gaswerke, der Arbeiten am Themse-Tunnel etc. – Birmingham (Ankunft 18.6.). Weiterfahrt nach Schottland – Edinburgh (Anfang Juli) – Manchester – Liverpool (ca. 19.7.) – Am 29.7. wieder in London – Rückreise über Lüttich – Aachen (13.8.). Besichtigung des fast fertigen Elisenbrunnens – Köln – 13.8. – Münster – Berlin 27.8.
Mai: Grundsteinlegung zum Leuchtturm von Arkona (1827 vollendet).
Juni: Am Kreuzbergdenkmal wird das letzte Standbild eingebaut (18.6.). – Luisenkirche in Charlottenburg fertiggestellt.
Sommer: Entwurf zum Kolberger Rathaus.
Juli: Planungen zur Fontaine im Lustgarten. – Übergabe der Fasanenmeisterei.
September: Auf der Akademieausstellung zeigt Schinkel *Villa in Tegel* und eine in der

Werkstatt von Rauch ausgeführte Marmorschale nach seinen eigenen Entwürfen. – Kuppelentwurf des Kronprinzen für Nikolaikirche in Berlin.
Herbst: Mauern der Werderschen Kirche bis zur Gesimshöhe unter den Fenstern.
Oktober: Gutachten über Matena-Kirche in Wesel (Westf.). – Bericht über die England- und Frankreichreise an den König (24.10.). Diverse Verbesserungsvorschläge für den Museumsbau. – Einweihung von Schloß Glienicke.
November: Richtfest zum Museum (10.11.).
Dezember: Entwurf eines Altarbildes für die Luisenkirche in Charlottenburg. – Order zur Rettung der Frankf. Marienkirche. – Dekabristenaufstand in Rußland wird von Zar Nikolaus, dem Schwiegersohn Friedrich Wilhelm III., niedergeschlagen.
Ende des Jahres: Museumsrohbau ist unter ein sicheres Zinkdach gebracht.

1827 Erweiterung und Umbau des Gewerbeinstituts. – Ausbau der Beletage von Schloß Neindorf bei Oschersleben.
Januar: Gutachten zur Heißluftheizung in Jägerhof. – Gutachten zum Turm der Kirche Heerwege (Schles.). – Bericht zur Kirche Altenkirchen (Rhld.) – Bericht zur Frankfurter Marienkirche. – Kaufhausentwurf für das Gelände der Akademie Unter den Linden.
Februar: Der König lehnt Schinkels Verbesserungsvorschläge für Museumsbau ab. – Brief Schinkels an Albrecht über die seiner Meinung nach dem Museum vorenthaltenen Gelder. – Gutachten zur Reitbahn der Lehr-Eskadron.
Frühjahr: Elisenbrunnen in Aachen fertiggestellt.
März: Erneutes Gutachten Schinkels zur Heißluftheizung in Jägerhof. – Vertrag zwischen Schinkel, Schmid und Tieck wegen der Anfertigung der Modelle und Abgüsse für die beiden Dioskuren auf der Vorderseite des Museums. – Order an Schinkel wegen Restaurierung und Innenausschmückung des Brandenburger Doms.
April: Anmahnung wegen der Altenberger Kirche. – Nochmaliger Antrag des Kabinettsrat Albrecht wegen der Figuren auf dem Museum und der geplanten Verbesserungen. Die Kuppel des Museums nähert sich dem Schlußring. – Einweihung des Hauses der Singakademie am Kastanienwäldchen.
Mai: Gutachten für Kirchenneubau St. Gertrudis in Eller (Rhld.). – Der König lehnt Schinkels Kaufhausentwurf ab. – Gutachten zum neuerbauten Flügel in Jägerhof. – Schinkel bedankt sich bei Albrecht wegen der vom König nachträglich für Verschönerungen bewilligten Gelder. – Erste Aktivitäten für die Inneneinrichtung des Palais Prinz Karl. Eröffnung des Hamburger Theaters. – Premiere des (unvollendeten) lyrischen Dramas *Agnes von Hohenstaufen* mit Bühnendek. Schinkels (28.5.).
Mai/Juni: A. W. Schlegel hält in Berlin Vorlesungen über „Theorie und Geschichte der bildenden Künste".
Sommer: Grundbau für Reitbahn der Lehr-Eskadron. – Beginn der Inneneinrichtung des Palais Prinz Karl.
Juni: Order zur Wiederherstellung des Brandenburger Doms. – Die Einrichtung von Schloß Glienicke fast vollendet. – Anmerkung zum Orgelwerk in Kierspe (Westf.).
Juli: Vertragsentwurf für die Lieferung der Bilderrahmen fürs Museum. – Bericht zur Erneuerung der ev. Kirche in Götterswickerhamm (Rhld.).
August: Gutachterstreit um den lateinischen Text der Museumsinschrift. – Mängelrüge wegen Abweichung vom Anschlag bei Turmbau der Kirche von Kirschseiffen (Rhld.). – Schreiben wegen Fehlbetrag bei Bau der ev. Kirche in Altenkirchen (Rhld.). – Schinkel befürwortet den Entwurf des Architekten Cremer für das Aachener Regierungsgebäude.
September: Stellungnahme Schinkels zum neuen Ausbauvoranschlag der Altenberger Kirche. –

Beendigung der Maurerarbeiten an der Werderschen Kirche. – Plan für neue Kirche in Tempelburg (Pommern).

Oktober: Gutachten zum geplanten Kirchenbau in Lütgendortmund (Westf.). – Fertigstellung des Museumsberichts, gekoppelt mit weiteren Verschönerungswünschen (24.10.).

Eröffnung von Gropius' Diorama (29.10.); letzte Ausstellung 31.5.1850.

November: Innenausbau des Museums. Maler- und Stukkateurarbeiten etc.

Dezember: Möbel und Einrichtung für Palais Prinz Karl. Fortsetzung der Arbeiten. – Gutachten zum Mauritz-Tor in Münster.

1828 Bau des Wachtgebäudes am Stettiner Heumarkt. – Schloß in Werder/Havel. – Entwurf für ein Orgelgehäuse für die Marienkirche in Treptow.

Anfang des Jahres: Entwurf zur Orgel, Kanzel und Altar der Johanniskirche in Stettin.

Januar: Entwurf für den neuen Berliner Dom in Form einer Basilika an den Kronprinzen (1.1.). – Entwürfe zur Dekoration für das Dürerfest am 6.4.– Brief wegen Orgelschmuck in Gevelsberg (Westf.).

Februar: Schlußbericht zum Kirchturm in Kirschseiffen (Rhld.). – Laut Königlicher Order soll Schinkel die Entwürfe für die beiden Vorstadtkirchen (Wedding, Voigtland) ohne besondere Verzierungen und Türme gestalten. – Gutachten zu Orgelentwürfen für Kanzel und Altar in der Stettiner Johanniskirche. – Auftrag zum Bau der zwei Vorstadtkirchen.

Frühjahr: Entwürfe für das Feilner-Haus.

März: Schinkel muß Besichtigungsreise zur reparaturbedürftigen Jacobikirche in Stettin wegen Krankheit und Überarbeitung absagen. Gutachten zur Kirche in Bütow (Pommern). – Gutachten zum Neubauentwurf einer Kirche in Oberhonnefeld (Rhld.). – Gutachten zum Kirchturm in Heerwege (Schles.).

April: Belegung der Unteroffizierschule (Potsdam). – Vermerk über Kirche in Cosel (Schles.). – Grundsteinlegung zur Kirche in Straupitz (Schlesien). – Zeichnungen für Bücherschränke für General F. L. A. von der Marwitz (Schloß Friedersdorf in der Mark).

Mai: Weisung des Königs, für die beiden neuen Kirchen (Wedding und Voigtland) jeweils 2500–3000 Sitzplätze zu planen. – Entwurf eines Auftragsformulars für die Museums-Bilderrahmen. – Brief an Waagen wegen Herstellung und Kosten der Bilderrahmen.

Juni: Neuer Plan für die Kirche in Tempelburg (Pom.). – Gutachten zum Abänderungsentwurf für das Exerzierhaus (Prenzlauer Tor).

Sommer: Schloßbauplan für Prinz Wilhelm auf dem Grundstück des alten Packhofs. –Vollendung der Reitbahn-Halle.

Juli: Premiere der Feenoper *Oberon* mit Bühnendek. Schinkels (2.7.). – Brief wegen Einsparung beim Bau der Werderschen Kirche.

August: Beginn der Verhandlungen über den Umbau des Palais Redern am Pariser Platz. – Gutachten zur geplanten Kirche in Peckelsheim (Westf.). – Minister Altenstein legt dem König sämtliche Kirchenzeichnungen Schinkels vor. Die vom König geforderten 3000 Sitze pro Vorstadtkirche würden die Bauten erheblich verteuern. Die Werdersche Kirche hat dagegen nur 1200 bzw. 1500 Sitzplätze. – Der König genehmigt den Bau der Packhofanlagen nach den vorliegenden Planungen.

September: Saalschmuck für das Naturforscherfest im Konzertsaal des Schauspielhauses. – Revisionsbericht zum Gutachten wegen der Altenberger Kirche (Rhld.). – Auf der Akademieausstellung werden Bildwerke von Tieck und Wichmann für Schinkelbauten gezeigt. Außerdem Entwürfe zu den Ausmalungen in Schloß Glienicke, im Palais Prinz Karl.

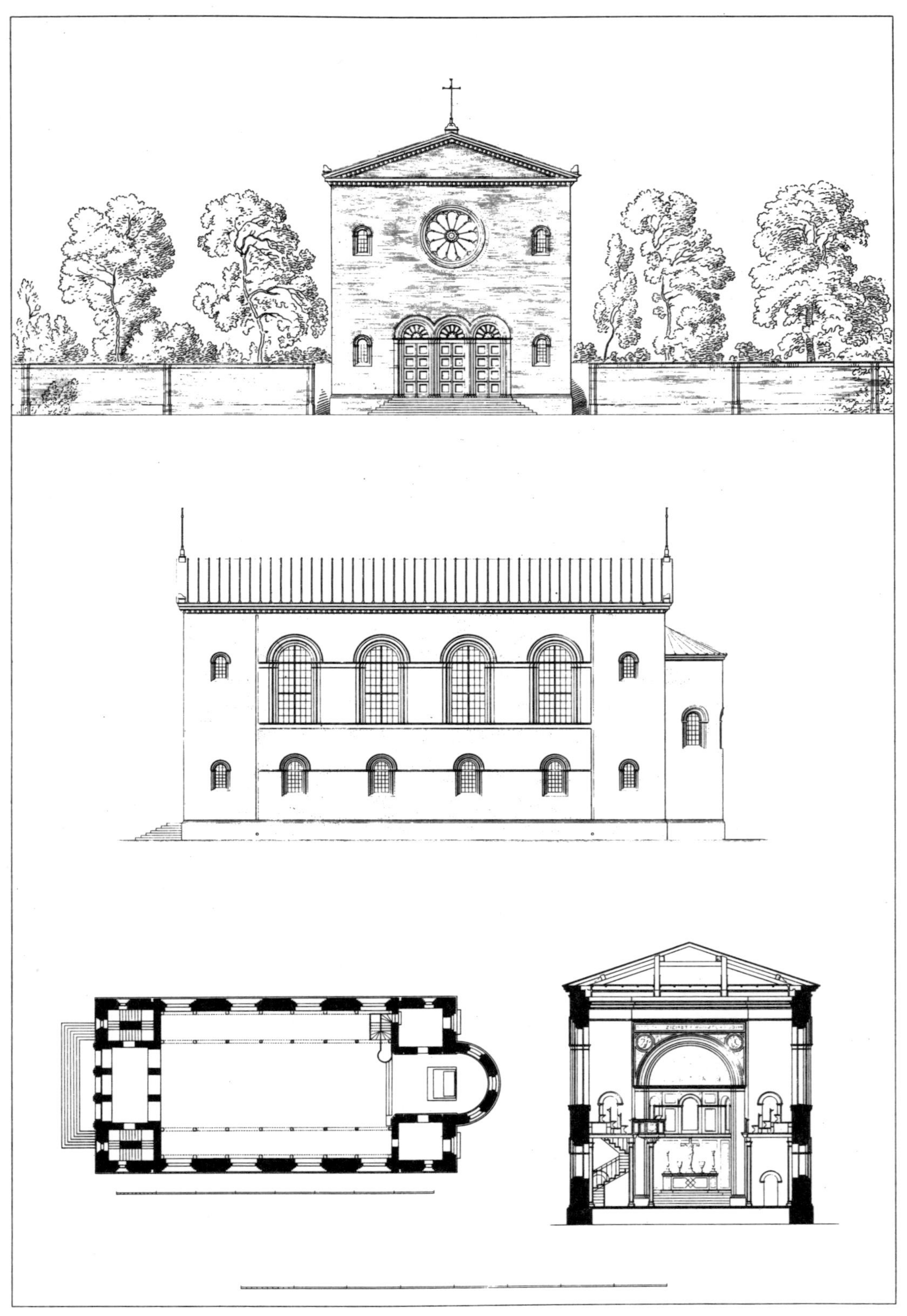

Vorder- und Seitenansicht, Grundriß und Querschnitt der Nazarethkirche am Leopoldplatz, Berlin-Wedding (aus: Architektonische Entwürfe)

Oktober: Reitbahn zur Benutzung übergeben. – Exerzierhaus am Prenzlauer Tor unter Dach. – Schinkel hat einen farbigen Entwurf für die Museumsfresken (eine Hauptwand) beendet. Thema: *Darstellung des Götterlebens.*
November: Kontroverse wegen Schinkels gleichzeitiger Tätigkeit als Gutachter und Architekt.
Dezember: Einrichtung einer vorläufigen Wohnung für Prinz Wilhelm im Generalkommando Unter den Linden. – Anmerkung zum Kirchturm in Lütgendortmund (Westf.). – Wegen des Erwerbs der Kollerschen und Bartholdyschen Vasen- und Terrakottensammlungen muß das Kellergeschoß des Museums ausgebaut werden. – Gutachten zum Neubauentwurf zur Kirche St. Laurentius, Elberfeld (Rhld.). – Einweihung und Silvesterfeier im Palais Prinz Karl in Anwesenheit des Königs. Auch Schinkel ist unter den geladenen Gästen (31.12.). – Intendant Graf Brühl nimmt seinen Abschied (31.12.).

1829 Möbel für die Wohnung von Beuth im Gewerbeinstitut. – Gärtnerhaus in Charlottenhof bei Potsdam, Sanssouci (bis 1833). – Weiterhin Einrichtung der Wohnung für Prinz Wilhelm im Gebäude des Generalkommandos. – Zeichnungen zum Denkmal Friedrichs des Großen in Form einer Trajansäule. – Arbeiten für den Lustgarten. – Weiterbau Werdersche Kirche.
Januar: Gutachten zum Neubau der Pfarrkirche in St. Peter, Kettwig (Rhld.).
Februar: Gutachten zum Anbau am Gymnasium zum Grauen Kloster. – Gutachten zur Kirche in Eichenau (Schles.).
März: Gartenstuben und Laube am Feilnerhaus. – Schreiben zum Innenausbau der Werderschen Kirche.
Frühjahr: Aufstellung der Granitschale am Lustgarten.
April: Brief an Graf Redern wegen Umbau des Palais. – Brief an Altenstein wegen Planungen zur Spittelmarktkirche. – Brief an den Hamburger Senator Jenisch wegen Hausbau. – Gründung des Deutschen Archäologischen Institutes in Rom (21.4.).
Mai: Gutachten zum Palais Redern wegen angeblicher Gefährdung der Schönheit des Pariser Platzes. – Der König genehmigt Redern-Bau. – Gründung einer Kommission zur Einrichtung des Museums. Vorsitzender Wilhelm von Humboldt; Mitglieder: Schinkel, Waagen, Rauch u. a. – Stellungnahme zur Abnahme der Kirche in Neheim (Westf.). – Grundsteinlegung zum Gollenberg-Denkmal (Pom.). – Rohbau des Museums zur Besichtigung geöffnet. 3000 Besucher bis in den Juni. – Entwürfe für Museumspostamente.
Juni: Bericht über Kostenüberschreitungen bei Domarbeiten in Köln. – Entwurf zur Giebeldekoration am Regierungsgebäude in Aachen. – Brief an Fürst Pückler wegen Umbauten in Muskau. – Gutachten Götterswickerhammer Kirche (Rhld.). – Prinz Wilhelm und Prinzessin Augusta beziehen die neue Wohnung im Generalkommando. – Aufführung des Schauspiels *Agnes von Hohenstaufen* mit Bühnendek. Schinkels (12.6.).
Juli: Arbeit am 2. Teil der Freskobilder für das Museum: *Menschenleben.* (Der 1. Teil, *Götterleben,* Okt. 1828 beendet.) – Grundsteinlegung zum Kolberger Rathaus (2.7.). – Fest *Der Zauber der weißen Rose* in Potsdam mit Schinkels Dekorationen.
August: Badereise zur Erholung. – Einweihung des Denkmals Friedrich Wilhelms II. in Neuruppin (26.8.); Skulptur von Tieck, Sockel von Schinkel.
September: Grundsteinlegung zur Kirche in Tempelburg (Pom.). – Stellungnahme zur Anatomie in Bonn. – Kostenrechnung für die beiden Kirchen in der Oranienburger Vorstadt.
Herbst: Exerzierhaus am Prenzlauer Tor zur Benutzung übergeben. – Überführung der Gemälde in die Galerie des Museums.
Oktober: Brief an Redern wegen beabsichtigten Wappenaufsatzes am Palais. – Gutachten zur Marienfelder Kapelle in Warendorf (Westf.). – Vermerk zur Kirche in Sagan (Schles.). – Gutachten der Museumskommission zur Packhofanlage.

November: Stellungnahme zum Entwurf einer Kirche in Königshütte (Schles.). – Beschwerdebrief an Humboldt wegen unsachgemäßer Behandlung antiker Vasen für das Museum.
Dezember: Rechtfertigungsschreiben wegen erhöhter Kosten der Werderschen Kirche.

1830 Gustav Friedrich Waagen tritt seine Stellung als 1. Direktor der Gemäldegalerie (Museum) an. – Pläne für eine neue Bibliothek. – Bronzebrunnen für den Hof des Gewerbeinstitutes.
Januar: Pläne zur Erneuerung der Stettiner Johanniskirche. – Neue Entwürfe zum Denkmal Friedrichs des Großen: Reiterstatue mit „architektonischer Umgebung“ u. a.
Februar: Gutachten zur Erweiterung der Charité. – Entwürfe zum Schloßsaal in Gleiwitz für Fürst Carolath-Beuthen (Schles.).
März: Neuer Packhof im Bau. – Gutachten zur Turmruine von Schloß Ravensberg (Westf.).
Frühjahr: Änderungsentwurf für die Fassade der Kaserne der Gardes du Corps.
April: Beginn der Innenarbeiten im Palais Prinz Albrecht, u. a. Gaskandelaber im Treppenhaus. – Planungen für die beiden Vorstadtkirchen. – Gutachten zum Umbau des Berliner Rathauses.
Mai: Vermerk zur Kirche St. Kunibert in Köln nach Turmeinsturz. – Gutachten zu Änderungen am Haus von Zimmermeister Glatz.
Juni: Letzte Innenarbeiten im Museum am Lustgarten. – Revolution in Paris. – Einweihung der wiederhergestellten Marienkirche in Frankfurt/Oder (20.6.).
Juli: Friedrich Wilhelm III. besichtigt das Museum (1. Juli).
Juli/September: Reise nach Italien mit Familie (25.7.–Sept.). Die Route führt über Magdeburg – Elberfeld – Köln (2.8.–8.8.) nach Bonn. Ausflug zum Drachenfels und weiter über Rüdesheim – Heppenheim – Heidelberg. Von dort am 15.8. in die Schweiz, nach Mailand und Venedig.
August: Eröffnung des Museums am 60. Geburtstag des Königs (3.8.); besucht werden können die Gemäldegalerie und im Erdgeschoß der mittlere Kuppelsaal sowie der anstoßende Nordsaal. Die Gemäldegalerie zeigt insgesamt 1198 Bilder. – Humboldt-Bericht über Tätigkeit der Museumskommission (21.8.).
September: Ausschachtungsarbeiten für die Elisabeth-Kirche am Rosenthaler Tor. – Auf der Akademieausstellung zeigt Schinkel einen Entwurf für ein Wandbild in der Museumsvorhalle. – Grundsteinlegung zur Nikolaikirche in Potsdam (3.9.). – Vasengalerie im Museum fertig eingerichtet.
Herbst: Innenarbeiten im Palais Redern.
Oktober: Der König besichtigt die Werdersche Kirche (23.10.).
November: Aufstellung der Schinkelbüste von Tieck im Treppenhaus des Museums (27.11.). – Beginn des polnischen Aufstands gegen die russische Herrschaft; blutig niedergeschlagen, Einleitung der Russifizierung. Polensympathie in Deutschland.
Dezember: Schinkels Ernennung zum Oberbaudirektor (16.12.). – Innenarbeiten im Palais Redern fast beendet.

1831 Hauptwache in Dresden (bis 1833). – Entwurf künstlicher Ruine für Muskau (Schles.). – Pläne für das Augusteum der Leipziger Universität.
Januar: Fortsetzung der Inneneinrichtung im Palais Prinz Albrecht mit Möbeln von Schinkel. – Entwurf für 2. Museumswand vollendet: *Darstellung des Menschenlebens.* – Achim von Arnim gestorben (21.1.).
Februar: Gutachten zum Umbau der alten Bibliothek („Kommode“). Schinkel erhält Order, die Kirchenbauten in Potsdam und Berlin aus Kostengründen zu verlangsamen.
März: Planungen zur Bauakademie. – Neue Entwürfe für Vorstadtkirchen.

April: Übergabe der Werderschen Kirche an den Magistrat (8.4.). – Wegen der schlechten Lüftung der Werderschen Kirche läßt Schinkel in Fußbodenhöhe Löcher bohren.
Mai: Rechtfertigungsschreiben wegen überschrittener Kosten zum Gitter der Werderschen Kirche.
Juni: Übergabe der restlichen Museumsräume.
Juli: Weihe der Werderschen Kirche (3. Juli). – Schreiben wegen des Gittertors in Muskau (Schles.).
August: Zur Kur in Marienbad.
September: Planungen zur Bauakademie. – Choleraseuche in Berlin eingeschleppt; unter den Opfern sind Gneisenau (gest. 23.8. in Posen), Clausewitz (gest. 16.11. in Breslau) und Hegel (gest. 14.11. in Berlin).
Oktober: Verhandlungen über Umbau der Charité.
November: Entwurf für eine schmale Querwand in der Museumsvorhalle: *Urzustand der Welt.*
Dezember: Entwurf für eine Grabkapelle in Muskau.

1832 Packhofanlage im wesentlichen vollendet. – Die *Geschichte und Beschreibung des Doms von Köln* von Boisserée liegt gedruckt vor.
Anfang des Jahres: Städtebauplan für die Gegend zwischen Schloßplatz und Gendarmenmarkt. – Fertigstellung des Kolberger Rathauses.
Januar: Emblem für den Tunneleingang bei Altenahr (Rhld.). – Schreiben an Redern wegen der Kosten für Maurerarbeiten. – Stellungnahme zum Gittertor in Muskau (Schles.). – Entwurf für die zweite Querwand der Museumsvorhalle: *Anbruch eines neuen Tages.*
Februar: Gesamtkostenanschlag für Bauakademie.
März: Der König befiehlt den Bau von drei kleinen Vorstadtkirchen: Johanniskirche (Altmoabit), Nazarethkirche (Wedding), Paulskirche (Gesundbrunnen). – Goethe in Weimar gestorben (22.3.).
Frühjahr: Ausmalung des Doms in Minden nach Schinkels Angaben.
April: Beginn der Bauarbeiten zur Bauakademie. – Sulpiz Boisserée besucht Schinkel in Berlin (Aufenthalt bis Mai). – Schinkel besichtigt und genehmigt die Bauplätze für die Vorstadtkirchen.
Mai: Einweihung des Palais Prinz Albrecht (9.5.). – Karl Friedrich Zelter gestorben (15.5.). – Der König verfügt die Erhaltung der Spittelmarktkirche. – Hambacher Fest führt zur Aufhebung der Presse- und Versammlungsfreiheit (27.5.).
Juni: Entwurf für Bischofsstuhl in Münster. – Der König genehmigt Baubeginn für die Sternwarte in Berlin. – Grundsteinlegung für die Paulskirche am Gesundbrunnen (16. Juni). – Dienstreise nach Schlesien (17.6.–11.8.). Die Route führt über Kottbus, Muskau („Privatgeschäfte"), Görlitz, Glatz, Neiße bis nach Krakau (ebenfalls Privatangelegenheiten). Rückfahrt über Gleiwitz – Oppeln – Breslau – Liegnitz – Frankfurt a. d. Oder.
August: Besichtigung der Kirche in Liegnitz (5.8.). – Einweihung der Kirche in Straupitz (5.8.).
September: Beginn der Bauarbeiten für die Sternwarte.
Oktober: Grundsteinlegung zur Sternwarte (22.10.). – Griechische Nationalversammlung wählt Otto von Bayern, Sohn König Ludwigs I., zum König der Hellenen.
November: Einweihung der Kirche in Tempelburg (Pom.).
Dezember: Beginn der Renovierungsarbeiten im und am Schloß Erdmannsdorf (Schles.). – Brief an Friedrich Wilh. III. wegen geplanten Kuppelentwurfs für die Nikolaikirche in Potsdam.

1833 Potsdam-Sanssouci: Römische Bäder. – Bauplan für die Innenstadt.
Januar: Schinkel erhält den Roten Adler-Orden III. Klasse mit Schleife.
Februar: Gutachten zum Neubau des Rathauses in Glogau (Schles.).

März: Fortsetzung der Bauarbeiten an den Vorstadtkirchen und der Sternwarte. – Gründung des deutschen Zollvereins (22.3.).
April: Zeichnungen für farbige Ausmalung der Johanniskirche in Moabit. – Gutachten zur Klosterkirche in Cappenberg (Westf.).
Mai: Entwurf zu einem Postament für eine Statue im Palais Redern. – Turmentwurf für Kirche in Brieg (Schles). – Brief wegen des Tores am Blumengarten in Muskau (Schles.). – Schriftstück zum beabsichtigten Abbruch des Kreuzganges von St. Mauritz in Münster. – Schriftsatz zum Abbruch des Kreuzganges Stift Asbeck (Westf.).
Juni: Das Dach für das Wohngebäude des Direktors der Sternwarte wird gerichtet. – Erläuterung zum Stadtbauplan. – Erläuterung zur Fassade der Bauakademie. – Entwurf für Ausmalung im oberen Museumstreppenhaus: *Naturgewalt.*
Juli: Dienstreise (5. Juli–7. Sept.). – Besuch der Provinzen Sachsen, Westfalen und Rheinland. – Die Route führt über Wittenberg, Halle, Merseburg, Naumburg, Erfurth, Mühlhausen, Soest, Hagen, Elberfeld, Düsseldorf (Besichtigung des umgebauten Theaters, 31.7.) nach Köln. Besprechungen mit dem Dombaumeister Zwirner. Weiterfahrt nach Aachen: Besichtigung des Theaters und des Trinkbrunnens (7.8.). In Trier Besichtigung der Ausgrabungen – Altenberg. Rückreise über Köln (ausführlicher Dienstreisebericht über den Dombau, 24.8.) nach Berlin.
Oktober: Entwurf zum Schloß Babelsberg für Prinz Wilhelm.
November: Entwurf für Hermbstaedt-Grabmal. – Der Kronprinz besichtigt den Kölner Dom.
Dezember: Innenarbeiten in der Paulskirche am Gesundbrunnen.
Winter: Schinkelentwurf für Schill-Denkmal in Wesel.

1834 Umbau von Schloß Kurnik. – Umbau der Johanniskirche in Zittau. – Inneneinrichtung vom Jenischhaus in Hamburg. –
Anfang des Jahres: Grabmalentwurf (Bonn) für B. G. Niebuhr, den Lehrer des Kronprinzen.
Januar: Gutachten zur Erhaltung der Altenberger Kirche (Rhld.).
Februar: Schriftsatz Schinkels über Kirche in Brieg (Schles.).
März: Baubeginn Schloß Babelsberg. – Vorschlag: Glasmalerei in den Vorstadtkirchen. – Schinkel schickt Entwürfe zu 12 musizierenden Engeln für den Dom nach Köln (13.3.). – Premiere der Oper *Die deutschen Herren in Nürnberg* mit Bühnendek. Schinkels (14.3.).
April: Erneuter Entwurf zum Niebuhrgrabmal. – Gutachten zum Weiterbau der Matenakirche in Wesel (Rhld.). – Gutachten über die Rettung der Burg Wewelsburg (Westf.). – Entwürfe zum Schloß auf der Akropolis. – Entwurf zur Ausmalung des Museumstreppenhauses: *Kriegsgewalt.*
Mai: Zum 10. Jahrestag seines Glienicker Besitzes lädt Prinz Karl auch Schinkel, Persius, Lenné ein. – In Berlin Enthüllung des Scharnhorstdenkmals am Tag von Groß-Görschen (2.5.). – Enthüllung der Büste des Großen Kurfürsten im Schloßhof von Stettin; Sockelentwurf von Schinkel. – Gutachten zum Neubau einer Reitbahn und eines Stalles in Warendorf (Westf.).
Juni: Besichtigung des Rohbaus der Sternwarte. – Grundsteinlegung zum Schloß Babelsberg (1.6.).
Sommer: Schinkel arbeitet an einem neuen Domplan: Auftakt zum Ausbau des Kölner Doms in voller Höhe.
Juli: Dienstreise (8. Juli–1. Sept.) in die östlichen Provinzen. Die Route führt über Posen – Gnesen – Thorn – Bromberg – Kulm – Graudenz – Elbing – Königsberg – Pillau – Kurische Nehrung – Memel – Tilsit – Masuren – Insterburg – Königsberg – Danzig – Oliva – Köslin – Kolberg. Besichtigung des Doms und des Rathauses nach Schinkels Entwürfen (28.8.). Über Stettin Weiterfahrt nach Berlin.
September: Gutachten über den Fortbau des Kölner Domes; Befürwortung des Rohausbaus.

Oktober: Entwurf für Ausmalung der Apsis in der Kirche am Rosenthaler Tor.
November: Nach der Besichtigung der Moabiter Johanniskirche verbietet der König Schinkels neuartiges Kruzifix: Christus auf einer Weltkugel.
Dezember: Gutachten zum evtl. Abbruch der Marienkirche in Dortmund.

1835 Fertigstellung der Großen Neugierde in Glienicke. – Innenausbau der Bauakademie. – Plan zum Tiergarten am Brandenburger Tor. –Bauakademie wird *Allgemeine Bauschule.*
Erste deutsche Eisenbahn Nürnberg-Fürth. – Verbot der liberalen Bücher des „Jungen Deutschlands": Börne, Gutzkow, Heine, Laube u. a. (bis 1842).
Januar: Schinkel erhält den Auftrag zum Entwurf einer neuen Bibliothek (21.1.). – Gutachten zur Bebauung des Köpenicker Feldes.
Februar: Bericht und Bauzeichnungen zum geplanten Bibliotheksgebäude (23.2.).
März: Direktor Encke bezieht seine Wohnung in der Sternwarte.
April: Der Kronprinz befiehlt den Aufbau der Klause bei Kastel (Rhld.) nach einem Schinkelentwurf. – Schinkelgutachten zum Modellplan für Dorfkirchen. – Wilhelm von Humboldt gestorben (8.4.).
Mai: Schinkel wird Korrespondent und Ehrenmitglied des Institute of British Architects in London (4.5.). – Schreiben zur Deckenausführung in der Matena-Kirche in Wesel (Rhld.). – Schloß in Liegnitz (Schles.) abgebrannt.
Juni: Stellungnahme zur Erweiterung des Krefelder Stadtplans. – Erlaß Friedrich Wilhelms III. an Schinkel und Rauch wegen des seit Jahren ruhenden Denkmals für Friedrich den Großen. – Weihung der Vorstadtkirchen (bis Juli).
Sommer: Zweiter Entwurf zur neuen Bibliothek.
Juli: Baubeginn der Klause bei Kastel (Rhld.). – Dienstreise (12.7.–11.8.) in Begleitung seiner Frau. Durch die Altmark, Vorpommern und die Neumark. Die Route führt über Tangermünde – Stendal – Werben – Gardelegen – Salzwedel. Dann nordwärts an die Ostseeküste, vermutlich über Schwerin und Wismar nach Stralsund. Überfahrt nach Rügen (4.8.); Unterbringung in dem von Schinkel entworfenen Leuchtturm von Kap Arkona; Besichtigung des von ihm entworfenen Gasthauses im Schweizer Stil auf Stubbenkammer. In Pommern noch Greifswald, Anklam, Pasewalk. Durch die Neumark zurück nach Berlin.
August: Versteigerung der Verkaufsräume im Erdgeschoß der Bauakademie.
September: Aufstellung des großen Fernrohres in der Sternwarte.
Oktober: Mitunterzeichnung des Gutachtens zum ausgebrannten Schloß in Liegnitz (Schles.). – Einweihung des Schlosses Babelsberg (18.10.).
November: Empfehlung zur Wiederbenutzung von St. Marien in Dortmund (Westf.) – Zwei Entwürfe für ein Grabmal des Generals Tauentzien.
Dezember: Stellungnahme zum Aufbau von Schloß Altena (Westf.).
Winter: Innenausbau der Bauakademie. – Altarentwurf für die Kirche in Groß-Krummöls (Schles.).

1836 Januar: Rahmenentwurf für den Altar der Liebfrauenkirche in Halle/Saale.
Februar: Entwurf für die Kirche in Erdmannsdorf (Schles.). – Der König genehmigt die Ausführung eines Reiterstandbildes Friedrichs des Großen (29.2.). – Entwurf zum Ausbau der Burg Stolzenfels.
März: Anmerkung zu dem vom Kronprinzen ausgewählten Marmorsarkophag für die Klause bei Kastel (Rhld.). – Schinkel erhält den Roten Adlerorden II. Klasse mit Eichenlaub (14. März). – Brief wegen der Kirche in Erdmannsdorf.
April: Die Bauakademie wird zur Benutzung übergeben. Schinkel bezieht die Dienstwohnung im Obergeschoß.

Mai: – Beginn der Dienstreise nach Schlesien (6. April). Mit der Familie in Erdmannsdorf. Zeichnung für den Umbau des Rogauer Schlosses. Besichtigung des abgebrannten Schlosses in Liegnitz. Danach zur Kur in die böhmischen Bäder, nach Salzburg und Tirol (Ende Mai–Anfang August).
Juni: Ehrenmitglied der Akademie der bild. Künste in Petersburg (24.6.).
August: Vorschläge zum Ausbau der Burg Stolzenfels. – Auszeichnung mit dem Commandeurkreuz des Kgl. griechischen Erlöserordens (12.8.).
Oktober: Stellungnahme zur Inschriftplatte am Sarkophag in der Klause bei Kastel (Rhld.). – Einweihung des Brandenburger Doms mit neuer Turmspitze.
November: Mitteilung an Schinkel, der Kronprinz wünsche die Erhaltung des alten Chorgestühls in der Klosterkirche. – Brief an den Kronprinzen wegen Gestaltung des Sarkophags in der Klause bei Kastel (Rhld.).
Dezember: Arbeitsbesprechung in Sachen Erdmannsdorf: Park und Schloß.

1837 August Borsig gründet Maschinenbauanstalt in Berlin. – König Ernst August von Hannover hebt Staatsgrundgesetz von 1833 auf. Entlassung der dagegen protestierenden „Göttinger Sieben“: Albrecht, Dahlmann, Ewald, Gervinus, J. u. W. Grimm, W. Weber.
Februar: Gutachten zum Ausbau der Burg Stolzenfels.
März: Schreiben wegen Kirche in Erdmannsdorf (Schles.). – Inneneinrichtung Palais Prinz Wilhelm beendet.
Frühjahr: Denkmalsentwurf im Auftrag des Kronprinzen zur Erinnerung an den Aachener Kongreß 1818 (Heilige Allianz).
April: Vermerk zur Bedachung der Porta Nigra in Trier. – Erläuterungen zur Burgenrenovierung.
Mai: Kuraufenthalt in Teplitz, Marienbad.
Juni/Juli: Einzug von Prinz Wilhelm und Prinzessin Augusta in Babelsberg. – Innenarbeiten noch nicht abgeschlossen. – Im Anschluß an die Kur besucht Schinkel Erdmannsdorf und andere schlesische Orte.
August: Schreiben über die Erhaltung des Franziskanerklosters in Görlitz. – Graf Brühl gestorben (9.8.).
September: Neuer Entwurf zum Turm der Jerusalemkirche. – Einweihung der Nikolaikirche in Potsdam (17.9.).
November: Stellungnahmen zur Kirche und dem Glockengestühl in Erdmannsdorf. – Mitunterzeichnung des Gutachtens zur Zobtenkapelle (Schles.).
Dezember: Schreiben wegen des Sarkophags der Klause bei Kastel – Besichtigung der alten Bibliothek wegen evtl. Aufnahme der „Kunstkammer“. – Schinkel macht den Kronprinzen auf eine Skulptur des Bildhauers Kiß aufmerksam: *Amazone zu Pferde, die von einem Tiger angegriffen wird.*
Zeichnungen *Ansicht des Zobtenberges, Promenade von Marienbad.*

1838 Entwürfe zum Schloß Orianda auf der Krim.
Anfang des Jahres: Erste Verhandlungen mit Prinzessin Marianne über den Schloßbau Kamenz (Schles.).
Januar: Skizzen zur Unterbringung der Kunstkammern in der Bibliothek.
Februar: Kostenberechnungen und Abänderungsentwürfe zur geplanten Bonner Sternwarte. – Bemerkungen zur Turmuhr in Erdmannsdorf.
März: Pläne zum Rundturm auf dem Jagdschloß Granitz (Rügen). – Gutachten zur Erhaltung der Klosterkirche.
April: Entwürfe für Burg Stolzenfels: Rittersaal und Erdgeschoßsaal. – Gutachten zur Einrich-

tung der Parochialkirche. – Dienstreise nach Schlesien. Besichtigung des Bauplatzes von Kamenz. Besuch in Erdmannsdorf.
Mai: Beginn der Terrainarbeiten für Schloß Kamenz. – Schreiben wegen Ausstattung der Kirche in Erdmannsdorf.
Juni: Mit Familie zur Kur nach Kissingen. Während des Urlaubs Brief an Berger (19.6.) wegen des Turmeinsturzes in Erdmannsdorf; Briefe nach Kamenz in Bauangelegenheiten. – Pläne für Franziskanerkloster Görlitz (9.7.).
Juli/August: Schinkel trifft nach seiner Kur in Mainz ein (30.7.). Weiterfahrt nach Koblenz, Burg Stolzenfels. In Köln vom 5.8.–20.8. Rückfahrt über Düsseldorf (20.8.) – Iserlohn – Arnsberg über Kassel nach Berlin.
August: Einweihung der Klause bei Kastel (26.8.).
September: Briefliche Bauberatung des Bauleiters Martius in Kamenz. – Letzter umfassender Bericht über Kölner Dom von Schinkel. – Charles Percier, Mitbegründer des Empirestils, gestorben (5.9.).
Oktober: Reise nach Kamenz: Grundsteinlegung am Geburtstag des Kronprinzen (15.10.). Besprechungen mit Prinzessin Marianne und Prinz Albrecht.
November: Schinkel wird zum Oberlandesbaudirektor ernannt (13.11.) und übernimmt die Leitung der Oberbaudeputation.
Dezember: Schinkel verhandelt mit Martius in Berlin über die farbigen Glasuren der Fassade in Kamenz.

1839 Erste preußische Eisenbahn Berlin-Potsdam.
Januar: Korrespondenz mit Martius wegen der Bauarbeiten in Kamenz: Dampfmaschine, Wasseranlage u. a.; Brief an Prinzessin Marianne wegen der Fenster des Schlosses.
Februar: Briefwechsel zum Bau in Kamenz: Gewölbe, Glasurstein.
März: Schinkels Entwurf zum Hermannsdenkmal nach Detmold abgeschickt. – Weiterhin Bauberatung für Kamenz: Kostenberechnung, Türrahmen, Glasursteine, Arkadengänge.
April: Brief an Beuth wegen Zusammentritts einer Bibliotheksbaukommission. – Bauberatung für Kamenz: Türen, Gewölbe. – Gutachten zur Erhaltung der Klosterkirche. – Gutachten zu Innendekorationen in Muskau (Schles.). – Entwürfe für Tirolerhaus in Erdmannsdorf. – Schinkel erwähnt in einem Brief an Prinzessin Marianne seinen schlechten Gesundheitszustand.
Mai: Briefwechsel wegen Kamenz. – Gutachten zum Innenausbau und neuem Turm der Luisenstadt-Kirche. – Gegenentwurf für die Kirche in Königshütte (Schles.).
Juni: Bauberatung für Kamenz: Maschinenhaus, Wasseranlage, Fensterstürze und Bodenangleichung. Ausführlicher Bericht an Prinzessin Marianne.
Juli: Bauberatung für Kamenz: Glasuren, Ziegeleiprobleme.
Juli: Zur Kur in Kissingen. Während der Kur Durcharbeitung des Bauberichts von Martius.
September: Bauberatung für Kamenz. – Gutachten zur Stadtplanung in Krefeld.
Oktober: Bauberatung für Kamenz.
Dezember: König Friedrich Wilhelm III. nimmt seine Order zum Neubau der Bibliothek zurück. Stattdessen soll die alte Bibliothek („Kommode") in Stand gesetzt werden.
Winter: Grundlegende Änderung der Planung für Schloß Kamenz.

1840 Anfang des Jahres: Skizze zur Fürstentreppe des Stettiner Schlosses. – Neuer Entwurf zum Ancillon-Denkmal.
Februar: Gutachten zum Ausbau der Luisenstadtkirche. – Unterzeichnung des Vertrages zum Ancillon-Denkmal.
März: Ehrenmitglied der Akademie der Künste in Stockholm (21.3.). – Entwürfe für ein Grabmal des Kriegsministers von Witzleben.

April: Brief an Martius über die Weiterführung des Baus in Kamenz.
Mai: Letzter Besuch Schinkels in Kamenz (6. bis 10.5.); Schinkelzeichnung von der Baustelle. – Freiherr von Altenstein gestorben (14.5.). – Caspar David Friedrich gestorben (7.5.).
Juni: Grundsteinlegung zum Denkmal Friedrich des Großen Unter den Linden in Anwesenheit von Bischof Eylert, Rauch und Schinkel. – Cornelius erhält Auftrag zur Ausführung der Museumsfresken. – Friedrich Wilhelm III. gestorben (7.6.). Der bisherige Kronprinz besteigt als Friedrich Wilhelm IV. den Thron.
Juli/September: Bebauungsplan für Moabit. – Badereise nach Gastein Ende Juli. Am 7. September wieder in Berlin. – Unheilbare Erkrankung Schinkels.
November: König Friedrich Wilhelm IV. befiehlt den Fortbau des Kölner Domes (23.11.).
Dezember: Der König befiehlt die Anbringung des fehlenden Schmucks an Schinkels Bauten (17.12.).

1841 März: Königlicher Erlaß zur Umwandlung der Spreeinsel in eine „Freistätte für Kunst und Wissenschaft" (8.3.). – Schinkels 12. Engelsfigur wird im Kölner Dom angebracht (17.3.).
Juni: Königliche Order zur Ausführung der Fresken am Museum.
Juli: Kostenberechnung für die Anbringung des Schmucks an den Schinkelbauten.
Oktober: Tod Schinkels (9.10.)
November: Gründung des Dombauvereins (21.11.)

1842 Januar: Kabinettsorder über den Fortbau des Doms nach dem 2. Schinkelschen Projekt. – Friedrich Wilhelm IV. kauft den künstlerischen Nachlaß Schinkels für 30 000 Taler (16.1.).
Juli: Clemens Brentano gestorben (28.7.).
September: „Grundsteinlegung" zum Fortbau des Domes. Friedrich Wilhelm IV. zieht mit seiner Gemahlin in altdeutschen Kostümen in die Burg Stolzenfels ein.

1843 Mai: Friedrich Wilhelm IV. befiehlt die Aufstellung der Amazone von Kiß an der Museumstreppe (23.5.).

1844 Oktober: Der erste Teil der Museumsfresken wird festlich illuminiert vorgeführt (16.10.).

1846 Abschluß der Arbeiten am Giebelschmuck der Neuen Wache (18.6.).

1847 Der zweite Teil der Museumsfresken wird am Geburtstag des Königs enthüllt (15.10.).

1848 Im Schauspielhaus tagt die preußische Nationalversammlung

1851 Aufstellung der zwei Amoretten an der Treppe des Schauspielhauses (29.5.).

1861 Das Museum erhält die vorgesehenen Portaltüren, die noch fehlenden beiden Pegasus-Gruppen und den Löwenkämpfer an der Treppe. – Tod König Friedrich Wilhelms IV. Nachfolger wird sein Bruder Wilhelm I. (seit 1857 Prinzregent), der spätere erste Deutsche Kaiser.

1880 Vollendung des Kölner Doms.

Haupttreppe und Vorhalle des Museums am Lustgarten in Berlin (aus: Architektonische Entwürfe)

# *Nachwort und Dank*

Die in diesem Buch abgedruckten Zitate folgen strikt den jeweiligen Vorlagen; Orthographie und stilistische Eigentümlichkeiten wurden nicht geändert. Die Quellen sind im Literaturverzeichnis angegeben.

Außerdem hatte ich Gelegenheit, im Rauch-Archiv der Staatlichen Museen in Berlin-Ost handschriftliche Originalmanuskripte, Briefe und Tagebücher, einzusehen. Dabei fand ich u. a. Rauchs außerordentlich interessanten Bericht über Schinkels erste, weitgreifende Pläne zur Denkmalpflege. Andere, bereits gedruckt vorliegende Schinkel-Erwähnungen habe ich am Original überprüft und teilweise ergänzt. Bei dieser mühevollen Arbeit hat mich die Leiterin des Rauch-Archivs, Frau Dr. Janda, geduldig und hilfreich unterstützt.

Mein aufrichtiger Dank gilt auch Herrn Dr. G. Riemann, dem Kustos des Schinkel-Museums der Staatlichen Museen Berlin-Ost, Kupferstichkabinett und Sammlung der Zeichnungen. Herrn Dr. Riemann fühle ich mich ganz besonders verpflichtet, weil er trotz der monatelangen intensiven Vorbereitungen für die große Schinkelausstellung noch Zeit fand, meine Bildwünsche für die Illustration zu erfüllen. Im Schinkel-Museum habe ich die Reisetagebücher einer Schinkeltochter gelesen und wichtige Handschriften zu Kunsttheorien einsehen können.

Um den Beziehungen zwischen Schinkel und Brentano nachzuspüren, habe ich die umfangreiche Brentano-Briefsammlung im Freien Deutschen Hochstift, Frankfurt/Main, mit der freundlichen Erlaubnis von Herrn Dr. Jürgen Behrens und Herrn Dr. Hartwig Schultz durchgesehen. Ihnen danke ich die Auffindung einiger noch unveröffentlichter Schinkelerwähnungen. Mein Dank gebührt ebenso Frau Prof. Dr. Margarete Kühn, der Herausgeberin des *Lebenswerks,* die mir wertvolle Hinweise gab. In gleicher Weise bin ich Frau Dr. Ulrike Harten, Mitarbeiterin am *Lebenswerk,* für Informationen zur Theatergeschichte verpflichtet.

Unermüdliche Helfer waren mir Herr Rolf Bertschat und Herr Willy Schmidt von der Bibliothek der Hamburger Kunsthalle, die Damen und Herren der Berliner Kunstbibliothek, sowie Frau Dr. G. Wagner von der Lipperheideschen Kostümbibliothek in Berlin-West genauso wie die Mitarbeiter der andern Abteilungen der Stiftung Preußischer Kulturbesitz, wie Nationalgalerie und Kunstgewerbemuseum. Auch Herr Prof. Dr. Börsch-Supan von der Verwaltung der Staatlichen Schlösser und Gärten in Berlin-West versagte nicht seine Hilfe.

Zu danken ist ferner dem Deutschen Archäologischen Institut für die freundschaftliche Überlassung zweier Offset-Lithos (Abb. 11 und 19) und den Fotografen Jörg P. Anders, Hans Joachim Bartsch und Karl H. Paulmann für die sorgfältige und schnelle Herstellung der fotografischen Aufnahmen und Ektachrome. Auch die Landesbildstelle Berlin war mit Bildvorlagen behilflich.

Den weitaus größten Teil der von mir gesuchten zeitgenössischen Zeitungen fand ich im Landesarchiv Berlin. Dort entdeckte ich die seit damals nicht wieder veröffentlichten Kritiken und Berichte zu Schinkels Schaubildern. Aber auch im Geheimen Preußischen Staatsarchiv, in der Berliner Senatsbibliothek und in der Staatsbibliothek Berlin fand ich ungehobene Schätze.

Die gute Zusammenarbeit mit dem Verleger, Dr. Klaus J. Lemmer, seine Geduld und spontane Begeisterungsfähigkeit waren mir während der Abfassung des Manuskripts eine wertvolle Unterstützung. Auf seinen Rat hin habe ich zwei Kapitel über das ursprüngliche Konzept hinaus erheblich erweitert.

Zu den Äußerungen Schinkels: Seine Gutachten, Dienstreiseberichte etc. finden sich in den betreffenden Bänden des *Lebenswerks.* Angaben zu den Bauvorhaben enthält seine *Sammlung Architektonischer Entwürfe.* Eine komplette Sammlung seiner Briefe liegt noch nicht vor. Der von Wolzogen herausgegebene schriftliche Nachlaß enthält leider Eingriffe in den Text, ist also nur als Orientierungshilfe verwendbar. Deshalb habe ich die Berichte und Briefe von Schinkels Italienreise ausschließlich dem Werk *Karl Friedrich Schinkel, Reisen nach Italien,* von Gottfried Riemann, entnommen. Der Band veröffentlicht zum erstenmal alle erhaltenen italienischen Reiseaufzeichnungen vollständig nach den Originalmanuskripten.

Mario Zadow

# *Literaturangaben und Quellennachweis*


*Schinkel: Tagebücher, Briefe Biographien*

August Grisebach: Carl Friedrich Schinkel. Leipzig 1924

Franz Kugler: Karl Friedrich Schinkel. Eine Charakteristik seiner künstlerischen Wirksamkeit. Berlin 1842

Carl von Lorck: Deutschland in Schinkels Briefen und Zeichnungen. Dresden 1937

Carl von Lorck: Karl Friedrich Schinkel. Berlin 1939

Karl Friedrich Schinkel. Briefe, Tagebücher, Gedanken. Hg. von Hans Mackowsky. Berlin 1922

Karl Friedrich Schinkel. Aus Tagebüchern und Briefen. Hg. von Günter Meier. Berlin 1967

Paul Ortwin Rave: Genius der Baukunst. Eine klassisch-romantische Bilderfolge an der Berliner Bauakademie. Berlin o. J. (ca. 1942)

Karl Friedrich Schinkel. Reisen nach Italien. Tagebücher, Briefe, Zeichnungen, Aquarelle. Hg. von Gottfried Riemann, Berlin/Ost 1979

Schinkels Tochter (?): Reisetagebücher von 1830 und 1838. Handschr. Staatliche Museen Berlin-Ost, Schinkel-Archiv

Gustav Friedrich Waagen: Karl Friedrich Schinkel als Mensch und als Künstler. Kleine Schriften, Stuttgart 1875 S. 297–381

Gustav Friedrich Waagen: Über das Verhältnis Beuths zu Schinkel. In: Zeitschrift für Bauwesen 4 (1854) S. 297

Alfred Freiherr von Wolzogen: Schinkel als Architekt, Maler und Kunstphilosoph. In: Zeitschrift für bildende Kunst 3 (1868) und Zeitschrift für Bauwesen 1864 Sp. 61 ff., Sp. 219

Alfred Freiherr von Wolzogen: Aus Schinkels Nachlaß. Reisetagebücher, Briefe und Aphorismen. 4 Bände. Berlin 1862–1864

Hermann Ziller: Schinkel (Künstlermonographie Band XXVIII). Bielefeld und Leipzig 1897

*Veröffentlichungen Schinkels*

Schinkel: Dekorationen auf den kgl. Theatern zu Berlin. 32 Tafeln in fünf Heften. Neue Ausgabe Potsdam 1847/49

Schinkel/Beuth: Vorbilder für Fabrikanten und Handwerker. 2. Auflage Berlin 1863

Schinkel: Sammlung architektonischer Entwürfe enthaltend teils Werke, welche ausgeführt sind, teils Gegenstände, deren Ausführung beabsichtigt wurde (174 Tafeln) Hg. von Schinkel Berlin 1819–1840

Schinkel: Werke der höheren Baukunst, 4. Ausg. 1878 (1. Abt.: Entw. zu einem Königspalast auf der Akropolis zu Athen 2. Abt.: Entw. zu dem kaiserl. Palaste Orianda in der Krim, geplant 15 Tafeln, erschienen 8)

*Schinkel/Lebenswerk*

Schinkel-Lebenswerk. Hg. von Paul O. Rave, fortgeführt von Margarete Kühn.

Hans Kania: Potsdam, Staats- und Bürgerbauten (1939)

Günther Grundmann: Schlesien (1941)

Paul Ortwin Rave: Berlin. Bauten für die Kunst, Kirchen, Denkmalpflege (1942)

Johannes Sievers: Bauten für den Prinzen Karl (1942)

Paul Ortwin Rave: Berlin. Stadtbaupläne, Straßen, Brücken, Tore, Plätze (1948)

Johannes Sievers: Die Möbel (1950)

Hans Vogel: Pommern (1952)

Johannes Sievers: Bauten für die Prinzen August, Friedrich und Albrecht von Preußen (1954)

Johannes Sievers: Bauten für den Prinzen von Preußen (1955)

Hans Kania und Hans-Herbert Möller: Mark Brandenburg (1960)

Paul Ortwin Rave: Berlin. Bauten für Wissenschaft, Verwaltung, Heer, Wohnbau und Denkmäler (1962)

Eva Brües: Die Rheinlande (1968)

Ludwig Schreiner: Westfalen (1969)

Goerd Peschken: Das architektonische Lehrbuch (1979)

*Arnim: Briefe, Biographisches*
Reinhold Steig: Achim von Arnim und Clemens Brentano. Stuttgart 1894
Reinhold Steig: Achim von Arnim und Jacob und Wilhelm Grimm. Stuttgart und Berlin 1904
Reinhold Steig: Achim von Arnim und Bettina Brentano. Stuttgart und Berlin 1913
Achim und Bettina in ihren Briefen. Hg. Werner Vordtriede. Frankfurt 1961 2 Bde.
Bettina von Arnim: Aufsatz über Schinkels Museumsfresken. In: Hermann Fürst von Pückler-Muskau: Andeutungen über Landschaftsgärtnerei (1834). Stuttgart 1977, S. 119
Arnim, Bettina von: Werke und Briefe. Hg. Gustav Konrad. Bd 1–4. Frechen 1958–63. Bd. 5 Briefe. Hg. Joachim Müller. Frechen 1961
Arnim, Hans von: Bettina von Arnim. Berlin 1963
Ingeborg Drewitz: Bettina von Arnim. Düsseldorf/Köln 1969

*Brentano: Briefe, Biographisches*
Wilhelm Schellberg und Friedrich Fuchs (Hg.): Die Andacht zum Menschenbild. Unbekannte Briefe von Bettina Brentano. Jena
Clemens Brentano: Studienausgabe in 4 Bänden. Hg. Wolfgang Frühwald, Friedhelm Kemp. Band 1 Gedichte. 2. Auflage. München 1978
Brentano Chronik. Zusammengestellt von Konrad Feilchenfeldt. München/Wien 1978
Schellberg: Unbekannte Gedichte und Briefe des jungen Clemens Brentano. Mitgeteilt u. eingeleitet von Wilhelm Schellberg. In: Hochland XXXIV, 1936/37, S. 47–56
Das unsterbliche Leben. Unbekannte Briefe von Clemens Brentano, Hg. v. Wilhelm Schellberg und Friedrich Fuchs, Jena 1939
Clemens Brentano, Briefe, Hg. von Friedrich Seebaß, Nürnberg 1951, 2 Bd.
Clemens Brentano: Briefe an Emilie Linder. Hg. von Wolfgang Frühwald. Bad Homburg, Berlin, Zürich 1969
Konrad Feilchenfeldt: Clemens Brentano – Philipp Otto Runge – Briefwechsel, Insel-Bücherei, Frankfurt/Main 1974
Reinhold Steig: Clemens Brentano und die Brüder Grimm. Stuttgart und Berlin 1914

Willmuth Arenhövel: Manufaktur und Kunsthandwerk im 19. Jh. In: Katalog Berlin und die Antike. Berlin 1979, S. 209–250
Per Daniel Amadeus Atterbom: Reisebilder aus dem romantischen Deutschland. Stuttgart 1970
Die Schwestern Bardua: Aus Wilhelmine Barduas Aufzeichnungen, gestaltet von Prof. Dr. Johannes Werner. 2. Aufl. Leipzig 1929
Karoline Bauer: Nachgelassene Memoiren Bd. 1–3. Berlin 1880/81
Karoline Bauer: Aus meinem Bühnenleben. Bd. 2. Berlin 1877
Franz Benedikt Biermann: Die Pläne für Reform des Theaterbaus bei Schinkel und Semper. Schriften der Gesellschaft für Theatergeschichte, Bd. 38. Berlin 1928
Henriette von Bissing: Das Leben der Dichterin Amalie von Helvig geb. Freiin von Imhoff. Berlin 1889
Peter Bloch und Waldemar Grzimek: Das Klassische Berlin im 19. Jahrhundert. Berlin 1978
Erich Blunck: Schinkel und die Denkmalpflege. In: Die Denkmalpflege 18 (1916) S. 25/27
Eva Börsch-Supan: Die Bedeutung der Musik im Werke Karl Friedrich Schinkels. In: Zeitschr. für Kunstgeschichte 34 (1971) S. 257–295
Helmut Börsch-Supan: Die Kataloge der Berliner Akademie-Ausstellungen 1786–1850. 2 Bde. und Register. Berlin 1971
Helmut Börsch-Supan: Deutsche Romantiker, München 1972
Sulpiz Boisserée: Briefwechsel/Tagebücher. 2 Bde. Göttingen 1970. Faksimiledruck der 1. Auflage, Stuttgart 1862
Sulpiz Boisserée: Tagebücher 1808–1854. Hg. von Hans-J. Weitz. 1. Band: 1808–1823. Darmstadt 1978
Karl Graf Brühl: Neue Kostüme auf den beiden Königlichen Theatern in Berlin unter der Generalintendantur des Herrn Grafen von Brühl. Berlin 1819–1831 (Vorwort 1819, Nachwort 1831)
Ludwig Catel: Vorschläge zur Verbesserung der Schauspielhäuser. Berlin 1802
Carl Gropius: Dekorationen auf den beiden königl. Theatern in Berlin, unter Generalintendantur des Herrn Grafen Brühl . . . Berlin (Wittich) 1827
Adolph Doebber: Schinkel und Goethe. In: Zentralblatt der Bauverwaltung, 1919 Nr. 22
Adolph Doebber: Schinkel in Weimar. In: Jahrbuch der Goethe-Gesellschaft. Bd. 10, 1924.
Ingeborg Drewitz: Berliner Salons. Gesellschaft und Literatur zwischen Aufklärung und Industriezeitalter. Berlin 1965
Kurt Karl Eberlein: Diorama, Panorama und Romantik. In: Das Nationaltheater, 1. Jg., Heft 4 (1928/29)

K. K. Eberlein: Schinkel und Boisserée. In: Berliner Museen 52 (1931) S. 39/45
Friedrich Eggers: Die Zinkgießerei von Moritz Geiß in Berlin. In: Deutsches Kunstblatt 7 (1856) S. 117/19
Joseph von Eichendorff: Sämtliche Werke, 11. Band: Tagebücher, Hg. von Wilhelm Klosch, Regensburg 1908
Friedrich und Karl Eggers: Christian Daniel Rauch. Berlin 1873–1891, 4 Bände
Karl Eggers: Rauch und Goethe, urkundliche Mitteilungen. Berlin 1889
Briefwechsel zwischen Rauch und Rietschel. Hg. Karl Eggers. Berlin 1890–1891, 2 Bände
August Ehrhard: Fürst Pückler. Berlin/Zürich 1935
Theodor Fontane: Wanderungen durch die Mark Brandenburg. Die Grafschaft Ruppin u. ff. München 1966
Caspar David Friedrich in Briefen und Bekenntnissen. Hg. von Sigrid Hinz. München
Ludwig Geiger: Berlin, Geschichte des geistigen Lebens der preußischen Hauptstadt 1688–1840. 2. Hälfte: 1786–1840. Berlin 1895
Ludwig Geiger: Vom alten Schadow. In: Westermanns Monatshefte Okt./Nov. und Dezember 1894
Albert Geyer: König Friedrich Wilhelm IV. von Preußen als Architekt. In: Deutsche Bauzeitung 56 (1922) Hefte 95–104
Richard Friedenthal: Goethe. Sein Leben und seine Zeit. 7. Aufl. München Zürich 1974
Johann Wolfgang Goethe: Werke. Hg. im Auftrage der Großherzogin Sophie von Sachsen (Weimarer Ausgabe). Weimar 1887–1920
Goethes Werke: Textkritisch durchgesehen, mit Anmerkungen versehen von Erich Trunz. Bde. I–XIV. 7. Aufl., Hamburg 1964 f.
Johann Wolfgang Goethe: Gedenkausgabe 13. Band: Schriften zur Kunst. Hg. von Ernst Beutler. 2. Aufl. Zürich 1965
Briefwechsel zwischen Goethe und Zelter in den Jahren 1796–1832. Hg. von F. W. Riemer, Berlin 1833–1834, 6 Bände
Hermann Grimm: Schinkel als Architekt der Stadt Berlin. In: Zeitschrift für Bauwesen 24. Jg. (1874) S. 414
Briefwechsel zwischen Jacob und Wilhelm Grimm aus der Jugendzeit. Hg. von Hermann Grimm und Gustav Hinrichs. 2. Aufl. besorgt von Wilhelm Schoof. Weimar 1963
Die Brüder Grimm. Ihr Leben und Werk in Selbstzeugnissen, Briefen und Aufzeichnungen. Hg. von Hermann Gerstner. Ebenhausen b. München 1952
Martin Gropius: Karl Friedrich Schinkel, Dekorationen innerer Räume, Berlin 1869 und 72
Karl Grunow: Schinkels Bedeutung für das Kunstgewerbe. In: Zeitschrift für Bauwesen 21. Jg. (1871) S. 403
Friedrich Wilhelm Gubitz: Erlebnisse, nach Erinnerungen und Aufzeichnungen. 3 Bde. Berlin 1868–1869
Karl Gutzkow: Aus der Knabenzeit. Frankfurt/Main 1852
Susanne Harms: Clemens Brentano und die Landschaft der Romantik. Diss. Würzburg 1932
Ulrike Harten: Die Bühnenbilder K. F. Schinkels 1798–1834. Diss. Kiel 1974
Der alte Heim: Ein Familienbuch nach Briefen, Tagebuchaufzeichnungen. Berlin (1932)
Heinrich Heine: Briefe aus Berlin. Hg. von Walther Victor. In der Reihe Berlinische Miniaturen, Berlin 1954
Sebastian Hensel: Die Familie Mendelssohn 1729–1847. Nach Briefen und Tagebüchern. 18. Auflage. Leipzig 1924, 2 Bde.
Jacques-Ignace Hittorff: Historische Notiz über Carl Friedrich Schinkel. Zeitschrift für Bauwesen 8 (1858) S. 97
E.T.A. Hoffmann: Briefwechsel. Hg. von Friedrich Schnapp. München 1967 f., 3 Bände
E.T.A. Hoffmann: Seltsame Leiden eines Theaterdirektors. In: Hoffmann. Fantasie- und Nachtstücke. Darmstadt 1962
E.T.A. Hoffmann in Aufzeichnungen seiner Freunde und Bekannten. Eine Sammlung von Friedr. Schnapp, München 1974
Marieluise Hübscher: Die königlichen Schauspiele zu Berlin unter der Intendanz des Grafen Brühl (1815–1828). Diss. Berlin 1960
Ricarda Huch: Die Romantik. Blütezeit, Ausbreitung und Verfall. Tübingen (5. Aufl.) 1968
Wilhelm von Humboldts Politische Briefe. Hg. von Wilhelm Richter. Bd. 1.2. = Bd. 16.17. der Gesammelten Schriften) Berlin 1935. 1936
Wilhelm und Caroline von Humboldt in ihren Briefen. Hg. von Anna von Sydow. Berlin 1906–1916, 7 Bände. Band 2: 1791–1808; Band 3: 1808–1810; Band 4: 1812–1815; Band 5: 1815–1817; Band 6: 1817–1819
Potsdam. Berichte und Bilder. Hg. Martin Hürlimann. Berlin 1933
Wilhelm von Humboldt: Werke in fünf Bänden. 2. durchges. Auflage. Hg. Andreas Flitner und Klaus Giel. Wissenschaftl. Buchgesellschaft Darmstadt 1969
Katalog. Patriotische Kunst aus der Zeit der Volkserhebung 1813. Deutsche Akademie der Künste, Berlin/Ost 1953

Katalog. Nationalgalerie Berlin. Verzeichnis der Gemälde und Skulpturen des 19. Jahrhunderts. Staatl. Museen. Preuß. Kulturbesitz. Berlin 1976
Kindlers Literatur Lexikon, Zürich 1964–75
Heinrich von Kleist: Sämtl. Werke und Briefe. Hg. Helmut Sembdner, 6. Auflage, München 1977, 2 Bände
Eckart Kleßmann: Die Welt der Romantik. München, Wien, Basel 1969
Eduard Knoblauch: Über die Wirksamkeit Schinkels bei Veranlassung festlicher Gelegenheit in der Zeit von 1805–1815. In: Zeitschrift für Bauwesen 7. Jg. (1857) S. 452–459
Georg Friedrich Koch: Karl Friedrich Schinkel und die Architektur des Mittelalters. In: Zeitschrift für Kunstgeschichte. München/ Berlin 1966, S. 177–222
Georg Friedrich Koch: Schinkels Entwürfe im gotischen Stil 1810–1815. In: Zeitschrift für Kunstgeschichte. München/Berlin 1969 S. 262–316
Julius Kothe: Die Wiederherstellung des Siegeswagens auf dem Brandenburger Tor in Berlin im Jahre 1814. In: Die Denkmalpflege. 16 (1914) 73–75
Julius Kothe: Zur Geschichte der Denkmalpflege in Preußen. In: Die Denkmalpflege 3 (1901) 6–7
Julius Kothe: Entwürfe und Bauwerke aus Schinkels früher Zeit. In: Zentralblatt der Bauverwaltung 36 (1916) 150–154
Johannes Krätschell: Karl Friedrich Schinkel in seinem Verhältnis zur gothischen Baukunst. In: Zeitschrift für Bauwesen 42. Jg. (1892) S. 159–208
Johannes Krätschell: Schinkels gothisches Schmerzenskind, die Werdersche Kirche in Berlin. In: Blätter für Architektur und Kunsthandwerk 1. Jg. (1888) S. 114–117
Hans von Krosigk: Karl Graf von Brühl und seine Eltern. Lebensbilder auf Grund der Handschriften des Archivs zu Seifersdorf. Berlin 1910
Wilhelm Kurth: Schinkel als Landschaftsmaler. In: Die Kunst für alle Bd. 43 (1921) S. 17–27
Lalla Rookh.: Ein Festspiel mit Gesang und Tanz. Aufgeführt auf dem Königl. Schlosse in Berlin am 27sten Januar 1821. Berlin 1822, bei L. W. Wittich
Wilhelm Lübke: Schinkels Verhältnis zum Kirchenbau. In: Zeitschrift für Bauwesen 10. Jg. (1860) S. 429
Paul Mackowsky: Häuser und Menschen im alten Berlin. Berlin 1923, S. 97–194
Paul Mahlberg: Schinkel und Iffland. In: Berlinische Blätter für Geschichte und Heimatkunde. Nr. 8/9, Jg. 1, 1934
Paul Mahlberg: Schinkels Theater-Dekorationen, Greifswalder Diss., Düsseldorf 1916
Conrad Matschoss: Preußens Gewerbeförderung und ihre großen Männer. Berlin 1922
Malla Montgomery-Silfverstolpe: Das romantische Deutschland. Reisejournal einer Schwedin (1825–1826). Leipzig 1912
Barbara Mundt: Ein Institut für den technischen Fortschritt fördert den klassizistischen Stil im Kunstgewerbe. In: Ergänzungsband zur Ausstellung „Berlin und die Antike“. Berlin 1979, S. 455–472
Max Neumann: Menschen um Schinkel. Berlin 1942
Alste Oncken: Friedrich Gilly. Berlin 1936
Gustav Parthey: Jugenderinnerungen. Handschrift für Freunde. Neu herausgegeben von Ernst Friedel. Berlin 1907, 2 Bände
Lili Parthey: Tagebücher. Aus der Berliner Biedermeierzeit. Hg. von Bernhard Lepsius. Berlin/Leipzig 1926
Friedrich Plietzsch: Schinkels Ausstattungen von Innenräumen. Diss. Heidelberg, Mannheim 1911
Hermann Fürst von Pückler-Muskau: Andeutungen über Landschaftsgärtnerei (1834). Stuttgart 1977
Hermann Fürst von Pückler-Muskau: Briefwechsel und Tagebücher. Hg. von Ludmilla Assing. Bd. 1–9. Hamburg und Berlin 1873–76
Alexander Ferdinand von Quast: Mittheilungen über Alt und Neu Athen. Berlin 1834
Gottfried Riemann: Englische Einflüsse im architektonischen Spätwerk Karl Friedrich Schinkels. In: Forschungen und Berichte, Staatl. Museen zu Berlin. Bd. 15, Sonderdruck Berlin-Ost 1973
Franz Ulbrich: Radziwills Privataufführungen von Goethes ‚Faust‘ in Berlin In: Festschrift Albert Köster, Studien zur Literaturgeschichte, 1912, S. 193–220
Leopold von Ranke: Das Briefwerk. Hg. von W. P. Fuchs. Hamburg 1949
Karl Friedrich Schinkel: Schrifttum. Bearbeitet von P. O. Rave. Beiheft zum Schrifttum der Deutschen Kunst. Hg. vom Deutschen Verein für Kunstwiss. Berlin 1935
Paul Ortwin Rave: Urkunden zur Gründung und Geschichte des Schinkel-Museums. Jahrbuch der Preuß. Kunstsammlungen 1935, S. 234–249
Paul Ortwin Rave: Schinkel als Beamter. In: Zentralblatt der Bauverwaltung 62 (1932) 88/94
P. O. Rave: Die Anfänge der Denkmalpflege in Preußen, in: Deutsche Kunst- und Denkmalpflege 1935, S. 34–44

P. O. Rave: Anfänge preuß. Kunstpflege am Rhein. In: Jahrbuch der Niederrhein. Kunstmuseen 1 (1936)
Paul Ortwin Rave: Karl Friedrich Schinkel. Blick in Griechenlands Blüte. In der Reihe: Der Kunstbrief. Berlin 1946
Paul Ortwin Rave: Schinkels Tochter Marie. In: Die Antwort. S. 236–241, Düsseldorf 1950
Paul Ortwin Rave: Karl Friedrich Schinkel. München-Berlin 1953
Paul Ortwin Rave: Kunst in Berlin. Die klassische Idee des Museums. 1965
Hans Reichel: Schinkels Fragmente zur Ästhetik. In: Zeitschrift für Ästhetik und allgemeine Kunstwissenschaft, 1911 S. 177–210
Ernst Riehn: Karl Friedrich Schinkel als Landschaftsmaler. Diss. Göttingen 1940 (Manuskr.)
Elke Riemer: Karl Friedrich Schinkels Bühnenbildentwürfe zu E.T.A. Hoffmanns Oper „Undine“. In: Mitteilungen der E.T.A. Hoffmann-Gesellschaft Bamberg, Heft 17, 1971, S. 20–36
Alfred Rietdorf: Gilly. Wiedergeburt der Architektur. Berlin 1940 (1943)
Gottfried Schadow: Aufsätze und Briefe. Hg. von Julius Friedländer 2. Aufl. Stuttgart 1890
Gottfried Schadow: Kunst-Werke und Kunst-Ansichten. Berlin 1849
C. Schäffer u. C. Hartmann: Die Königlichen Theater in Berlin. Statistischer Rückblick (1786–1885) Berlin 1886
Max Schasler: Die Gutachten Schinkels über den Zinnguß, In: Dioskuren 1 (1856) 90 f.
Arno Schmidt: Fouque und einige seiner Zeitgenossen. Biographischer Versuch. 2. verbesserte und beträchtl. vermehrte Auflage. Darmstadt 1959
H. Schmitz: Berliner Eisenkunstguß. München 1917
Hans Joachim Schoeps (Hrg.).: Aus den Jahren preußischer Not und Erneuerung. Tagebücher und Briefe der Gebrüder Gerlach und ihres Kreises 1805–1820, Berlin 1963
Ludwig Schreiner: Karl Friedrich Schinkel und die erste westfälische Denkmäler-Inventarisation, Festgabe. Hg. Hermann Busen. Recklinghausen/Münster 1968
Carl Seidel: Die schönen Künste zu Berlin im Jahre 1826, Berlin 1828
S. H. Spiker: Berlin und seine Umgebungen im neunzehnten Jahrhundert. Berlin 1832 (Nachdruck Gütersloh 1970)
Fritz Stahl: Schinkel. Sonderheft der Berliner Architekturwelt. Berlin 1912
Brigitte Stamm: Blicke auf Berliner Eisen. In: Kleine Schriften VI. Aus Berl. Schlössern. Berlin 1979
Adolf Stoll: Friedrich Karl v. Savigny. 3 Bde. Berlin 1927–1939
H. J. Straube: Chr. P. Wilhelm Beuth. in: Deutsches Museum 2 (1930) Heft 5
Merete van Taack: Königin Luise. Tübingen 1978
Ernst von Sydow: Schinkel als Landschaftsmaler. In: Monatshefte für Kunstwissenschaft 14 (1921) 239/52
Ludwig Tieck: Franz Sternbalds Wanderungen. Studienausgabe. Stuttgart 1966
Johann Valentin Teichmann: Literarischer Nachlaß. 1. Bd. Eigenes, 2. Bd. Fremdes. Hg. Franz Dingelstedt. Stuttgart 1863
Friedrich von Uechtritz und seine Zeit in Briefen von ihm und an ihn. Mit einem Vorwort von Heinrich von Sybel, Leipzig 1884
Karl August Varnhagen von Ense: Tagebücher. Leipzig 1868 ff. Hbg. 1868–70
Karl August Varnhagen von Ense: Aus dem Nachlaß: Briefe von Stägemann, Metternich, Heine und Bettine von Arnim. Leipzig 1865
Arthur Valdenaire: Friedrich Weinbrenner, sein Leben und seine Bauten. Karlsruhe, 2. Auflage 1926, S. 221
Hans Vogel: K. F. Schinkels Ehe mit Susanne Berger aus Stettin. In: Baltische Studien, Hamburg. NF Bd. 55 (1969)
Hans Voss: Neunzehntes Jahrhundert. In der Reihe Epochen der Architektur. Frankfurt/M. o. J.
Wilhelm Heinrich Wackenroder und Ludwig Tieck: Herzensergießungen eines kunstliebenden Klosterbruders. In: Werke und Briefe, Heidelberg 1967. (Reprint der Ausgabe von 1938)
Peter Werner: Pompeji und die Wanddekoration der Goethezeit. München 1970
Alfred Woltmann: Schinkel als Maler, in: Zeitschr. für bildende Kunst 3 (1968) 89/97
Beschreibung des Festes „Der Zauber der Weißen Rose“, gegeben in Potsdam am 13.7.1829 zum Geburtstag I. M. der Kaiserin von Rußland. Gez. u. lith. von Julius Schoppe, Berlin o. J.
Johann Georg Zimmer und die Romantiker. Hg. Heinrich W. B. Zimmer. Frankfurt a. M. 1888
M. G. Zimmermann: Schinkels Reisen nach Italien und die Entwicklung der künstlerischen Italiendarstellung. In: Mitteilungen des Kunsthist. Instituts in Florenz 2 (1917) 211/66
Paul Zucker: Die Theaterdekoration des Klassizismus. Berlin 1925

*Zeitungen*
Berliner Abendblätter. Hg. von Heinrich von Kleist (1.10.1810–30.3.1811)
Berlinische Nachrichten von Staats- und gelehrten Sachen. Im Verlage der Haude- und Spenerschen Buchhandlung
Königlich privilegirte Berlinische Zeitung von Staats- und gelehrten Sachen. Vossische Zeitungs-Expedition
Dramaturgisches Wochenblatt. In nächster Beziehung auf die Königl. Schauspiele Berlin. Berlin 1815–1817
Kunst-Blatt. Hg. von Joh. Karl Ludwig von Schorn 1820 ff. Stuttgart/Tübingen

Eine der beiden Haupttüren der Bauakademie (aus: Architektonische Entwürfe)

# *Verzeichnis der Abbildungen*

31 Gußeiserne Geländerfüllungen der Schloßbrücke in Berlin. Aus: *Vorbilder für Fabrikanten und Handwerker.*
32 Entwurf für die Persische Vase zur Erinnerung an das Hoffest *Lalla Rookh,* 1823, Aquarell. Leihgabe der Berliner Porzellanmanufaktur im Kunstgewerbemuseum Berlin-West.
33 Entwurf zu einem Prunksofa mit Stuhl. Aus: *Vorbilder für Fabrikanten und Handwerker*
34 Entwurf zu einer Schale mit figürlichen Henkeln. Aus: *Vorbilder für Fabrikanten und Handwerker*
35 Textilentwurf mit Delphinen. Aus: *Vorbilder für Fabrikanten und Handwerker*
36 Ein Pokal in Silber oder Gold auszuführen. Aus: *Vorbilder für Fabrikanten und Handwerker*
37 Dekoration zum Gretchenzimmer in Goethes *Faust.* Pinsel, Aquarell 23,6 x 36,1 cm. – Berlin-Ost, Kupferstichkabinett und Sammlung der Zeichnungen
38 *Olympia,* (Spontini) 1. Dekoration. Öltechnik 26,6 x 40,6 cm. – Berlin-Ost, Kupferstichkabinett und Sammlung der Zeichnungen
39 Bühnenbild zu *Oberon* (v. Weber), Graphit 21,3 x 35,6 cm. – Berlin-Ost, Kupferstichkabinett und Sammlung der Zeichnungen
40 Bühnenbild zu *Don Carlos* (Schiller), Zimmer der Eboli. Öltechnik 26,5 x 41,5 cm. – Berlin-Ost, Kupferstichkabinett und Sammlung der Zeichnungen
41 Bühnenbild zum Tempel der *Vestalin* (Spontini). Aquarell 30,2 x 36,8 cm. – Berlin-Ost, Kupferstichkabinett und Sammlung der Zeichnungen
42 Bühnendekoration zu *Fernand Cortez* (Spontini), Indischer Feuertempel. Gouache 41,5 x 59. – Berlin-Ost, Kupferstichkabinett und Sammlung der Zeichnungen
43 Dekoration zur *Zauberflöte* (Mozart), Schlußszene. – Lithographie aus: *Dekorationen auf den Kgl. Theatern zu Berlin*
44 Dekoration zur *Zauberflöte* (Mozart), Eingang in die Hallen des Palastes der Königin der Nacht. – Farblithographie aus: *Dekorationen auf den Kgl. Theatern zu Berlin*
45 Dekoration zur *Zauberflöte* (Mozart), Garten Sarastros. Gouache 50,4 x 59,9 cm. – Berlin-Ost, Kupferstichkabinett und Sammlung der Zeichnungen
46 Ansicht von Köln, Stich nach Zeichnung Schinkels 1817. Aus: *Geschichte und Beschreibung des Doms von Köln* von S. Boisserée
47 Entwurf zur Aufstellung der Quadriga auf dem Brandenburger Tor. Feder 44 x 70,9 cm. – Berlin-Ost, Kupferstichkabinett und Sammlung der Zeichnungen
48 Siegessäule mit Victoria. Graphit, Feder, Pinsel, Aquarell 63,6 x 31,1 cm. – Berlin-Ost, Kupferstichkabinett und Sammlung der Zeichnungen
49 Siegessäule an der Opernbrücke. Graphit, Feder 80,3 x 51 cm. – Berlin-Ost, Kupferstichkabinett und Sammlung der Zeichnungen
50 Entwurf zu einem Nationaldenkmal auf dem Tempelhofer Berg (Kreuzberg). Farbige Lithographie von Reiche nach Zeichnung Schinkels
51 Das Museum am Lustgarten. Radierung von Laurens nach Zeichnung Schinkels
52 Schauspielhaus am Gendarmenmarkt. Aquatintaradierung von Jügel nach dem Entwurf Schinkels
53 Die Neue Wache. Aus: *Sammlung Archit. Entwürfe*
54 Entwürfe zur Neuen Wache. Feder und Graphit 19,6 x 32,5 cm. – Berlin-Ost, Kupferstichkabinett und Sammlung der Zeichnungen
55 Schloß Kurnik. Aus: *Sammlung Archit. Entwürfe*
56 Der neue Packhof. Stich von G. A. Müller nach Zeichnung von Hintze
57 Ansichten des Elisenbrunnens in Aachen. Aus: *Sammlung Archit. Entwürfe*
58 Kapelle für den kaiserlichen Garten zu Peterhof bei St. Petersburg. Aus: *Sammlung Archit. Entwürfe*
59 Die Bauakademie. Stahlstich von Hablitschek nach Zeichnung von C. Würbs
60 Das Palais Redern am Pariser Platz, Stich von Finden nach Zeichnung von Conrad
61 Entwurf zum Hamburger Schauspielhaus, als Bühnendekoration. – Aus: *Sammlung Archit. Entwürfe*
62 Die Friedrichswerdersche Kirche. Stich von Finden nach Zeichnung von Lütke
63 u. 64 Grundrisse der Nikolaikirche in Potsdam. Aus: *Sammlung Archit. Entwürfe*
65 Vorderansicht der Nikolaikirche. Aus: *Sammlung Archit. Entwürfe*
66, 67, 68 Schloß Charlottenhof (zwei Ansichten) und das Kasino in Glienicke. Aus der *Sammlung Archit. Entwürfe*
69 Entwurf zu einem Titelbild für Brentanos MäCHENBUCH, 1825. Aquarell, im Privatbesitz
70 Vorhalle vom Schloß Charlottenhof. Farblithographie aus: *Dekorationen innerer Räume,* Berlin 1869/72
71 Palais Prinz August, Ansicht eines Salons, Aquarell über Graphit 26,3 x 37,1 cm. – Berlin-Ost, Kupferstichkabinett und Sammlung der Zeichnungen

72 Säulenhalle mit Ausblick auf Landschaft am Meer. Feder über Graphit 27,1 x 40,5 cm. – Berlin-Ost, Kupferstichkabinett und Sammlung der Zeichnungen
73 Das Atrium im Schlößchen Tegel. Aus: *Sammlung Archit. Entwürfe*
74 Schloß Babelsberg, Entwurf für Wanddekoration im Speisesaal. Aquarell über Graphit 23,5 x 31,2 cm. – Berlin-Ost, Kupferstichkabinett und Sammlung der Zeichnungen (Ausschnitt)
75 Schnitt durch den Schinkelpavillon, Teilansicht. Zeichnung von Albert Dietrich Schadow (Bauleiter). – Verwaltung der Staatl. Schlösser und Gärten, Schloß Charlottenburg
76 Kasino Glienicke, Zimmerdekoration. Feder, Aquarell, Graphit 38,8 x 60,8 cm. – Berlin-Ost, Kupferstichkabinett und Sammlung der Zeichnungen (Ausschnitt)
77 Konzertsaal im Schauspielhaus. Aus: *Sammlung Archit. Entwürfe*
78 Schauspielhaus, Deckenschmuck über dem Zuschauerraum. Aus: *Sammlung Archit. Entwürfe*
79 Entwurf für Deckendekoration im Museum. Aus: *Sammlung Archit. Entwürfe*
80 Palais Prinz Albrecht, Entwurf für eine Wanddekoration. Farblithographie aus: *Dekorationen innerer Räume* 1869/72
81 Konstruktion der Propyläen in Eleusis. Aus: *Vorbilder für Fabrikanten und Handwerker*
82 Entwurf für den Repräsentationssaal auf der Akropolis, Athen. Braunes Papier, Feder Aquarell weiß gehöht 56,4 x 42,6 cm. – Berlin-Ost, Kupferstichkabinett und Sammlung der Zeichnungen
83 u. 85 Südansicht des Königspalastes auf der Akropolis (Teil I und II). Aus: *Werke der höheren Baukunst*
84 Hauptansicht des Königspalastes. – Aus: *Werke der höheren Baukunst*
86 Grundriß der Anlage auf der Akropolis. Aus: *Werke der höheren Baukunst*
87 u. 88 Entwurf zur Petrikirche. Stich nach Federzeichnung um 1810
89 Kaufhausentwurf für Berlin, von den Linden gesehen. Graphit, Pinsel, farbig lasiert 18,8 x 85,5 cm. Berlin-Ost, Kupferstichkabinett und Sammlung der Zeichnungen
90 Befreiungsdom. Feder 19,5 x 33,2 cm. –
Berlin-Ost, Kupferstichkabinett und Sammlung der Zeichnungen
91 Dom als Denkmal für die Befreiungskriege, Graphit 84,4 x 65 cm. – Berlin-Ost, Kupferstichkabinett und Sammlung der Zeichnungen
92 Kirchen-Inneres. Graues Papier, Pinsel mit grauer Tusche laviert, weiß gehöht über Graphit 58 x 49 cm. – Berlin-Ost, Kupferstichkabinett und Sammlung der Zeichnungen
93 Entwurf zum Palast von Orianda. Aus: *Werke der höheren Baukunst*
94 Grundriß des Palastes von Orianda. Aus: *Werke der höheren Baukunst*
95 Karyatidenhalle und Terrasse vom Schloß Orianda. Aus: *Werke der höheren Baukunst*
96 Orianda, Aussicht in den Hof aus einem der Empfangssäle. Farblithographie aus: *Werke der höheren Baukunst*

# Personenregister

# *Inhaltsverzeichnis*